Ce qu'on dit de
*Bouillon de poulet pour l'âme
des mères et filles*

« Dorothy et Julie Firman animent depuis vingt ans un atelier sur la relation mère-fille à l'Institut Omega. Ainsi, plus de mille mères et filles ont vu leur relation se rétablir et guérir grâce à ce duo dynamique et compétent. Elles partagent maintenant leurs connaissances dans un livre d'histoires touchantes qui réveillent les sentiments profonds entre les mères et leurs filles. Un merveilleux rappel pour quiconque a une mère ou une fille (ou les deux!) de transmettre amour, soutien et gratitude. »

Elizabeth Lesser
cofondatrice de l'Institut Omega et auteure de
*The Seeker's Guide : Making Your Life
a Spiritual Adventure*

« Ce merveilleux recueil d'expériences dans la vie de vraies mères et de leurs filles est réconfortant et provocant. Il m'a incitée à examiner toutes mes relations intimes et à réfléchir à la direction que prend ma vie. »

Alice Hopper Epstein, Ph. D.
auteure de *Mind, Fantasy and Healing :
One Woman's Journey from Conflict
and Illness to Wholeness and Health*

« Ce livre présente la profonde sagesse, la grâce et le courage dans ces histoires de femmes — mères et filles. C'est une recette de tendresse pour trouver les valeurs authentiques de la vie quotidienne. Un trésor à découvrir pour tous. »

Stephan Rechtschaffen, M.D.
directeur général et cofondateur
de l'Institut Omega
et

« En tant que psychothérapeute et conseillère auprès des parents, je suis émue par les nombreuses histoires de guérison, d'amour et de sagesse éternelle que partagent mères et filles dans ce livre. De telles histoires contribuent à guérir l'âme et à inspirer le meilleur en chacun de nous. »

Ilene Val-Essen
auteure de *Bring Out the Best in Your Child and Yourself*

« Les auteurs ont rassemblé une collection de tableaux fascinants, faciles à lire, qui vous tiennent en haleine jusqu'au point final, et qui vous font désirer qu'il y en ait encore d'autres. »

Dick Teresi
auteur de *Lost Discoveries* et coauteur de *The God Particle*

« Trop souvent, les hommes que compte ma clientèle croient qu'ils ne peuvent ressentir de véritables émotions qu'en réaction à des événements majeurs ou très dramatiques. Ces histoires charmantes peuvent leur enseigner que s'ouvrir aux moments simples et émouvants est peut-être ce qui remue le plus notre cœur et ce qui nous rappelle les trésors que recèlent nos relations intimes avec les autres. »

Kevin Quirk
auteur de *Not Now, Honey, I'm Watching the Game*

« Je recommande chaudement *Bouillon de poulet pour l'âme des mères et filles*. Les histoires parlent autant de souffrance et de rétablissement que de rires et d'amitié. Ce livre nous fait passer des larmes de tristesse aux sourires devant d'heureuses réconciliations. J'ai vu ma vie avec ma propre fille dans plusieurs histoires. »

Shirley Rich Krohn
agente de casting

« Les histoires mères-filles qu'ont colligées les Firman rejoignent le lien d'amour profond que sous-tend cette relation des plus complexes. À une époque où abondent les histoires de désespoir et de confusion, ce recueil offre à tous un message d'espoir. »

Jeanne Lightfoot et Bill Ryan
auteurs de *In the Woods, at the Water:*
Healing Journeys into Nature

« Pour ceux d'entre nous que les relations familiales intéressent — et les autres —, cette gamme de tableaux autobiographiques célèbre l'univers fascinant des mères et leurs filles, par ce qu'il a en commun, mais aussi par son caractère unique: un monde dont nous faisons tous partie. »

Aylette Jenness
auteure de *Families: A Celebration*
of Diversity, Commitment and Love

« Je suis père de deux filles. Quand la première était encore dans le sein de sa mère, j'ai fait deux rêves dans lesquels on me demandait: "Voulez-vous une fille ou un garçon?" J'ai répondu "une fille" les deux fois. J'ai été béni sans cesse par cette visite et doublement béni par la présence dans ma vie de ma deuxième fille. Et aujourd'hui, avec l'arrivée des histoires de ce livre qui incitent aux tressaillements dans la poitrine et aux yeux humides, j'éprouve tout au long de ces pages un sentiment débordant de gratitude pour ma chère épouse et mes filles. Ce livre est une célébration de toutes les porteuses de vie — passées, présentes et futures.

Saki Santorelli
auteur de *Heal Thy Self:*
Lessons on Mindfulness in Medicine

« Ma maîtresse d'école dit que les petites filles
peuvent choisir de devenir ce qu'elles veulent.
Pourquoi as-tu choisi d'être une vieille femme? »

Jack Canfield, Mark Victor Hansen
Dorothy Firman, Julie Firman
et Frances Firman Salorio

Bouillon de Poulet pour l'âme des

Mères et filles

Des histoires réconfortantes
qui honorent la relation mère-fille

Traduit par Claire Laberge

BÉLIVEAU
★
éditeur

Montréal, Canada

L'édition originale de cet ouvrage a été publiée sous le titre
CHICKEN SOUP FOR THE MOTHER & DAUGHTER SOUL
©2002 Jack Canfield et Mark Victor Hansen
Health Communications, Inc., Deerfield Beach, Floride (É.-U.)
ISBN 0-7573-0088-X

Réalisation de la couverture: Morin Communication • Design

Dépôt légal: 2e trimestre 2007
Bibliothèque et Archives nationales du Québec
Bibliothèque nationale du Canada

ISBN 978-2-89092-379-9

BÉLIVEAU 5090, rue de Bellechasse
————★———— Montréal (Québec) Canada H1T 2A2
é d i t e u r **514-253-0403** Télécopieur : 514-256-5078

www.beliveauediteur.com
admin@beliveauediteur.com

Nous reconnaissons l'aide financière du gouvernement du Canada par l'entremise du
Programme d'aide au développement de l'industrie de l'édition (PADIÉ) pour nos
activités d'édition.

IMPRIMÉ AU CANADA

Dorothy, Frances et Julie dédient ce livre
à Linsay Firman, notre nièce, notre petite-fille,
la fille de Tom et Katherine,
la cousine de nos enfants, notre amie.

Tu fais appel à la mère en chacune de nous,
et nous savons que tu guériras
et que tu seras toujours une source de joie
et de créativité pour tous les êtres que tu touches.

Jack et Mark dédient ce livre à leur mère,
Ellen Angelis et Una Peterson,
et à leurs filles Riley, Elisabeth et Melanie.

Table des matières

4. Défis

5. Leçons

8. Sagesse éternelle

Remerciements

Le chemin qui a mené à *Bouillon de poulet pour l'âme des mères et filles* a été embelli par les nombreux « compagnons » qui se sont joints à nous tout au long de ce voyage.

Nos remerciements sincères vont à:

Nos familles, qui ont été des bouillons de poulet pour notre âme! Inga, Travis, Riley, Christopher, Oran et Kyle, pour tout leur amour et leur soutien. Patty, Elisabeth et Melanie Hansen, pour avoir partagé avec nous une fois de plus la création d'un autre livre et nous avoir appuyés avec amour.

L'as de l'informatique, le mari, le beau-fils, le beau-frère et ami, Ted Slawski, sans qui ce livre n'aurait jamais vu le jour. Jody Slade, Sarah Slawski, Tom Slawski et Kendy Slade; Cynthia Salorio, John Salorio et David Court; Tom, Lore, Linsay, Ashley et Tim Firman, nos enfants et petits-enfants, et le véritable sens de nos vies. Win Firman, mari et père, qui a initié tout cela il y a plus de 60 ans en tombant amoureux et qui a maintenu le tout ensemble en étant le *paterfamilias* de grand style. Sarah Slade, petite-fille, arrière-petite-fille, petite-nièce et notre avenir. Katherine Firman, qui continue chaque jour, malgré l'adversité, de nous montrer ce que sont vraiment les mères. Les femmes qui ont été des mères pour nous, Sarah Fisher, partie depuis longtemps mais qui nous manque encore, Julie, coauteure et mère, et Catherine Slawski, belle-mère et grande amie. Et à l'une et l'autre, Julie, Frances et Didi, pour avoir cru que nous pouvions faire ceci ensemble!

Notre éditeur Peter Vegso, pour sa vision et son engagement à donner au monde *Bouillon de poulet pour l'âme*.

Patty Aubery, pour sa présence à chaque étape du parcours, avec amour, humour et une créativité infinie.

Heather McNamara et D'ette Corona, pour avoir produit notre manuscrit final avec une magnifique aisance, finesse et minutie. Merci d'avoir facilité à ce point les derniers stades de la production!

Leslie Riskin, pour sa sollicitude et son aimable détermination à obtenir nos autorisations et à tout bien régler.

Nancy Autio et sa merveilleuse assistante, Barbara LoMonaco, pour nous avoir fourni de bonnes histoires et d'excellents dessins.

Dana Drobny et Kathy Brennan-Thompson, pour leur écoute et leur présence au cours du processus, avec humour et douceur.

Maria Nickless, pour son soutien enthousiaste au marketing et aux relations publiques, et son brillant sens de l'orientation.

Patty Hansen, pour son traitement rigoureux et compétent des aspects juridiques et des autorisations de la série *Bouillon de poulet pour l'âme*. Tu excelles à ce défi!

Laurie Hartman, pour être la gardienne précieuse de la marque *Chicken Soup*.

Veronica Romero, Teresa Esparza, Robin Yerian, Vince Wong, Kristen Allred, Stephanie Thatcher, Jody Emme, Trudy Marschall, Michelle Adams, Carly Baird, Dee Dee Romanello, Shanna Vieyra, Lisa Williams, Gina Romanello, Brittany Shaw, Dena Jacobson, Tanya Jones, Mary McKay et David Coleman, qui soutiennent l'entreprise de Jack et Mark avec compétence et amour.

Christine Belleris, Allison Janse, Ronelle Fleming, Lisa Drucker et Susan Tobias, nos réviseures chez Health Communications, Inc., pour leur dévouement à l'excellence.

Terry Burke, Tom Sand, Lori Golden, Kelly Johnson Maragni, Randee Feldman, Patricia McConnell, Kim Weiss, Paola Fernandez-Rana et Kathy Grant, les services du marketing, des ventes, de l'administration et des relations publiques chez Health Communications, Inc., pour leur incroyable travail de soutien de nos livres.

Tom Sand, Claude Choquette et Luc Jutras, qui arrivent année après année à faire traduire nos livres en 36 langues, dans le monde entier.

Le service artistique chez Health Communications, Inc., pour le talent, la créativité et la patience indéfectible qu'il met à produire les couvertures et les dessins qui illustrent l'âme de Bouillon de poulet: Larissa Hise Henoch, Lawna Patterson Oldfield, Andrea Perrine Brower, Lisa Camp, Anthony Clausi et Dawn Von Strolley Grove.

Tous les coauteurs de *Bouillon de poulet pour l'âme,* grâce auxquels c'est une telle joie d'appartenir à la famille *Bouillon de poulet:* Raymond Aaron, Matthew E. Adams, Patty et Jeff Aubery, Nancy Mitchell Autio, Marty Becker, John Boal, Cynthia Brian, Cindy Buck, Ron Camacho, Barbara Russell Chesser, Dan Clark, Tim Clauss, Barbara De Angelis, Don Dible, Mark et Chrissy Donnelly, Irene Dunlap, Rabbi Dov Peretz Elkins, Bud Gardner, Patty Hansen, Jennifer Read Hawthorne, Kimberly Kirberger, Carol Kline, Tom et Laura Lagana, Tommy Lasorda, Janet Matthews, Hanoch et Meladee McCarty, Heather McNamara, Katy McNamara, Paul J. Meyer, Arline Oberst, Marion Owen, Maida Rogerson, Martin Rutte, Amy Seeger, Marci Shimoff, Sidney Slagter, Barry Spilchuk, Pat Stone, Carol Sturgulewski, Jim Tunney, LeAnn Thieman et Diana von Welanetz Wentworth.

Notre extraordinaire comité de lecture, qui nous a aidés à faire la sélection finale et nous a fourni de précieuses suggestions sur la façon d'améliorer le livre: Gloria Ayvazian, Debra Best, Marilyn Bodwell, Kathy Broderick, Eleni Chase, Kobie Cook, Pat Coscia, David Court, Marilyn Dahl, Fred Angelis, Clare Goodwin, Jillian et Robin Diamond, Pat Drobny, Tanya Everett, Konnie Fox, Jean Gran, Ann Grose, Kathleen Holwell, Judy Gans, Rebecca Law, Dottie Lathrop, Barbara LoMonaco, Kristi Palacito, Pamela Powell, Arthur et Rose Quinton, Marc Rubin, Barbara Snoek, Nancy Sperry, Anne Stein, Nancy Toney, Alayne Vlachos, Jae Way et Charlotte Willenborg.

Et, surtout, chaque personne qui a soumis ses histoires venues du cœur, poèmes, citations ou dessins, pour faire éventuellement partie de cette publication. Chaque femme et chaque homme qui a partagé avec nous a reconnu la beauté de la relation mère-fille. Même si nous n'avons pu utiliser tout ce que vous nous avez fait parvenir, nous savons que chaque mot venait de cet endroit magique qui s'épanouit dans votre âme. Que votre amour continue à guérir le monde. Puissent tous les êtres humains connaître la paix.

En raison de l'envergure de ce projet, il se peut que nous ayons oublié le nom de certaines personnes qui ont collaboré. Si tel est le cas, nous nous en excusons, mais sachez que nous vous apprécions vraiment.

Nous sommes sincèrement reconnaissants envers vous tous et nous vous aimons!

Introduction

Chaque femme est la fille d'une femme, et chaque femme a une mère. L'attachement entre mère et fille est si profond et si durable que les femmes s'ennuient souvent encore de leur mère, même cinquante ans après sa disparition. Une fois mise au monde, la relation mère-fille est sans doute immortelle. C'est en l'honneur de cette relation infinie que nous offrons ce livre non seulement à chaque fille ou à chaque mère de filles, mais à chaque personne qui connaît et aime une femme, parce que son cœur sera touché par les histoires d'amour, de courage, de perte, de retrouvailles, de sacrifice, de pardon et de soins quotidiens qui le composent.

Être mère est plus qu'un rôle ou un résultat biologique. Les mères ne sont pas seulement ces femmes qui donnent naissance aux filles qu'elles élèvent. Peut-être que le verbe *materner* est plus expressif que le substantif *mère*. D'être véritablement maternée nous enseigne comment aimer, comment penser, comment réaliser notre plein potentiel, notre féminité. Idéalement, être maternée nous enseigne à être intègre. Materner signifie se donner en service à l'autre, voir et honorer l'autre, et en prendre soin. Heureusement, dans un monde qui comporte misère et joie, les mères se manifestent de toutes sortes de façons merveilleuses et magiques. Vous lirez des histoires au sujet de sœurs, de mères adoptives, de grands-mères et même d'une chatte, chacune maternant une fille de façon telle que toutes deux deviennent meilleures.

Et qu'en est-il des filles de ces mères? Vous lirez à maintes reprises comment les filles arrivent dans la vie de leur mère comme des cadeaux du ciel. Les filles permettent à leur mère de se voir à travers une nouvelle vie, de voir comment elles se perpétuent dans leurs filles, et comment leurs filles sont uniques et toutes neuves. Les filles donnent l'occasion à leur mère (et parfois les poussent) de percevoir un monde plus grand, un monde nouveau. Les filles offrent à leur mère la possibilité de devenir intègres, tout comme le font les mères pour leurs filles.

Pour célébrer l'amour et l'intégrité, nous vous invitons à vous joindre à nous dans l'histoire sans fin des mères et filles.

1

L'AMOUR D'UNE MÈRE

L'amour d'une mère grandit en donnant.

Charles Lamb

Une mère est née

La foi et le doute sont tous deux nécessaires, non pas comme antagonistes, mais comme alliés pour nous amener à prendre la courbe inconnue.

Lillian Smith

Mon premier enfant, une fille, est né le 27 juillet 2000, et j'ai constaté que je n'étais pas du tout préparée. Je croyais être prête à son arrivée. J'avais lu des livres et des articles sur l'accouchement et les soins aux bébés, je m'étais procuré tout ce que j'avais noté sur ma liste d'emplettes. La chambre de bébé était prête, et mon mari et moi attendions avec grande hâte sa naissance. J'étais préparée aux nuits sans sommeil, aux innombrables couches, aux mamelons douloureux, aux pleurs (les siens comme les miens), et au sentiment d'être incapable d'accomplir quoi que ce soit. J'étais préparée aux bains de siège et aux hémorroïdes.

Ce à quoi je n'étais pas préparée, c'est la façon dont le monde entier m'a semblé différent à la minute où elle est née. Je n'étais pas préparée au fait que la grandeur de mon amour pour elle me ferait fondre en larmes chaque jour. Je ne savais pas que je ne terminerais pas ma première berceuse pour elle parce que je serais incapable de la chanter à travers mes larmes. Je ne savais pas que le monde deviendrait à la fois magnifiquement beau et infiniment plus terrifiant. Je ne savais pas que j'aurais l'impression qu'un nouvel endroit avait été créé à l'intérieur de moi, seulement pour contenir cet incroyable amour.

Je n'avais aucune idée de ce que je ressentirais quand l'infirmière m'a amené ma fille en disant: « Elle vous cherche », ni de la façon dont l'image de ses yeux bleu foncé fixés sur les miens serait gravée dans mon cœur pour toujours. Je ne savais pas que je pouvais aimer quelqu'un au point où c'en était vraiment douloureux, qu'une excursion au magasin me ferait sentir comme une maman ourse protectrice gardant son petit, ou que ma première incursion à l'épicerie sans elle me briserait le cœur.

Je ne savais pas que cette enfant changerait pour toujours la façon dont mon mari et moi nous regardons, ou que le processus de lui donner naissance puis de l'allaiter me donnerait un tout nouveau respect pour mon corps. Personne ne m'a dit que je ne pourrais plus regarder les nouvelles du soir parce que chaque reportage sur la violence faite aux enfants me ferait penser au visage de ma fille.

Pourquoi personne ne m'a prévenue de ces choses? Je suis submergée par tout cela. Serai-je jamais capable de la laisser et de penser à quoi que ce soit d'autre qu'à elle, ou de voir une croûte dans son œil ou une tache sur sa peau sans m'énerver? Serai-je jamais capable de lui montrer et de lui exprimer à quel point mon amour pour elle est profond et enveloppant? Serai-je jamais capable d'être la mère que je souhaite si désespérément qu'elle ait?

J'ai entendu dire, et je sais maintenant que c'est vrai, que lorsqu'une femme accouche de son premier enfant, il y a deux naissances. La première est celle de l'enfant. La deuxième est celle de la mère. C'est sans doute la naissance à laquelle il est impossible de se préparer.

Regina Phillips

Lumière

Visez haut, car les étoiles se cachent dans votre âme. Rêvez grand, car chaque rêve précède le but.

Pamela Vaull Starr

Plus que deux semaines avant Noël, mais la peur, et non le froid, faisait trembler mes mains alors que, dans l'obscurité du stationnement de l'hôtel, je tentais de déverrouiller ma voiture de location. L'air de l'aube texan était doux, et si j'avais pris la peine de leur demander, mes parents et amis m'auraient assurée que j'entreprenais une course aussi douce que le temps dehors. Je me préparais à trouver mon chemin seule, à travers une ville aux rues inconnues, et à conduire à l'hôpital une femme enceinte de neuf mois, rencontrée seulement la veille, pour accoucher de... mon enfant.

Veuve depuis une année, mère de quatre enfants — trois fils de moins de 12 ans et une belle-fille débutant à l'université —, rédactrice pigiste ayant un trou de la taille du lac Michigan dans son plancher de cuisine, et un trou grand comme un océan dans le cœur, j'avais décidé que ce que j'avais besoin de faire n'était pas de réparer mon linoléum ou de trouver un emploi stable, mais de devenir la mère seule d'un bébé fille. J'avais fait ce choix contre toute raison. C'était un choix si controversé que, même parmi les gens qui m'aimaient vraiment, cela avait provoqué plus d'un important désaccord parmi mes amitiés. Après tout, je n'étais pas encore un fossile, je n'étais que dans la quarantaine avancée, assez pour la sentir dans mes genoux. Je pouvais aimer et élever une autre enfant, une fille, et j'allais le faire.

Mais seule ?

Avec mon mari, décédé d'un cancer du côlon l'année précédente à l'âge de 44 ans, j'avais parlé de mon désir d'avoir un autre enfant, mais j'étais aux prises avec l'infertilité. L'adoption, notre seul moyen possible d'être parents, était à la fois risquée et coûteuse. Mes rêves d'un autre enfant auraient dû s'évanouir à la froide lumière de la réalité. Mais bien que beaucoup d'illusions de jeunesse aient en effet disparu avec Dan, l'idée qu'un jour je m'attablerais et écrirais un beau gros roman à succès ainsi que mon fantasme d'une petite fille étaient toujours là. J'étais déterminée. Puisque je savais avec certitude que les mères de plus de 40 ans (en particulier celles qui ont un gros derrière et une grosse famille) n'étaient pas exactement les compagnes de rêve du millénaire, j'étais raisonnablement certaine que je ne me remarierais pas.

Je me demandais pourquoi il faisait si noir. J'ai cherché des yeux l'horloge d'une banque sur les façades aux alentours et, ô horreur, je me suis rendu compte qu'il était seulement deux heures du matin, au lieu de six. Dans mon énervement, j'avais mal réglé le réveille-matin! J'ai donc passé les heures suivantes dans un restaurant ouvert toute la nuit, à boire du café tout en regardant mon reflet dans la vitre et me demandant qui j'étais.

Comment tout cela était-il arrivé?

J'avais découvert l'agence d'adoption par une amie. Nous nous étions rencontrées à une foire artisanale et, quoique ravie de voir ma copine, c'était l'occupant de son sac à dos que je ne pouvais quitter du regard. Il avait une épaisse touffe de cheveux foncés et des traits finement sculptés. Il s'appelait Jack, et mon amie et son mari l'avaient adopté par l'intermédiaire d'une agence de San Antonio. Je croyais que les gens de l'agence riraient tellement quand je téléphonerais qu'ils ne verraient même pas l'utilité de me faire parvenir une demande.

Mais le directeur de l'agence n'avait rien contre les familles monoparentales, même les veuves avec de gros trous dans leur plancher. Quelques mois plus tard, je remplissais de volumineuses demandes. Et encore après quelques mois, au beau milieu du repas de l'Action de grâce, j'ai reçu un appel. Il y avait une mère biologique de 19 ans qui, défiant toute raison, semblait croire que j'avais ce qu'il fallait. Jusqu'à la semaine précédente, elle avait été « jumelée » au couple parfait, mais il lui a fait faux bond quand l'échographie a confirmé que le bébé qu'elle portait n'était pas le garçon dont il rêvait, mais une fille.

C'était ma seule spécification. Je voulais une fille. Je me disais que la chance favoriserait une petite fille, avec trois grands frères pour la protéger. La mère biologique, qui s'appelait Luz, pensait de même.

J'ai garé la voiture près de l'escalier menant à l'appartement du deuxième étage où Luz, jolie, timide et terriblement pauvre, mais déjà une bonne et fière mère de deux bébés non planifiés, surveillait mon arrivée par un trou dans les stores. Luz m'avait choisie parmi des douzaines de familles à deux parents. Elle m'avait même demandé d'assister à son accouchement pour la soutenir. Elle croyait en moi.

Luz m'a envoyé la main. Elle allait descendre dans un instant. La gardienne que l'agence avait envoyée pour s'occuper des enfants de Luz venait d'arriver. J'avais cinq minutes de plus, seule avec mes doutes.

C'était la première vraie grande décision que j'avais jamais prise toute seule dans ma vie adulte. En comparaison, le refinancement de ma maison avait l'air d'une partie de volley-ball de plage, et démarrer ma propre entreprise était comme me faire donner une permanente.

À présent, en regardant Luz ouvrir la porte de son appartement et négocier le pavé glissant comme une funambule portant une boule de quilles, j'ai esquissé un sourire révélant plus de confiance que je n'en ressentais. À cet instant, l'engagement de toute une vie n'était pas ma principale préoccupation. Il me fallait conjuguer avec le futur immédiat. Car même si j'avais déjà accouché, je n'avais jamais vu naître un bébé.

À l'hôpital, alors que Luz était branchée à des tubes et à des moniteurs qui allaient servir à déclencher le travail, j'ai remarqué les rayons de la faible lumière d'hiver glisser à travers les stores. La matinée avait été nuageuse, mais le soleil allait quand même briller aujourd'hui. C'était de bon augure. J'étais prête à accepter tout signe de réconfort et de joie.

Le médicament s'est mis à couler dans le soluté et, rapidement, les contractions ont commencé. Luz inspirait et soufflait; je comptais. Les heures traînaient. J'ai regardé l'horloge. J'ai téléphoné à mon fils et à mon amie à l'hôtel, et au directeur de l'agence d'adoption. Non, personne de nouveau n'était encore au monde. Les contractions se sont intensifiées, leur serrement prenant de la vitesse comme un traîneau en descente libre. J'ai téléphoné à mes fils plus âgés et à ma fille, et une infirmière d'une intuitive gentillesse a placé le récepteur sur le moniteur du cœur fœtal, de sorte que mon fils de 9 ans, Dan, à plus de 1600 kilomètres au nord, dans le Wisconsin, a pu entendre battre le cœur de sa petite sœur. La lumière changeait. Le soleil brillait à la fenêtre à l'ouest; l'après-midi s'achevait et il était temps pour Luz, apaisée par les analgésiques, de se reposer avant de pousser. Je me suis assise près d'elle pendant qu'elle gémissait en dormant, ma joue sur sa main tendue.

Nous étions deux mères seules, l'une probablement trop vieille pour tout ceci et l'autre résolument trop jeune. Nous étions le 8 décembre, dans la liturgie catholique, c'est la fête de l'Immaculée Conception, et dans le hall, un chœur de l'armée chantait d'anciens cantiques au sujet d'une autre mère seule et du bébé dans l'étable.

Bientôt, le temps est venu pour Luz de pousser, et elle s'est concentrée, silencieuse et stoïque, son visage contracté à l'image d'une pièce de monnaie aztèque. À deux reprises, elle m'a dit: « Je ne peux pas continuer. » À deux reprises, je lui ai dit qu'elle n'avait pas le choix, aucune de nous deux ne l'avait. Je l'ai entourée de mes bras et nous nous sommes accrochées l'une à l'autre, et dans la lumière de la seule lampe de chevet dont l'abat-jour avait la forme d'une trompette dorée, dans l'univers tout entier, il n'y avait plus que nous deux.

Soudain, à peine une minute après que le médecin s'est précipité dans la chambre, nous étions trois: la troisième, un bébé fille qui allait grandir et comprendre tout cela et, un jour, le vivre.

Ensemble, Luz et moi nous sommes émerveillées de sa minuscule tête foncée et duvetée. Notre fille à cet instant. Ma fille pour toujours après. « Laissons Maman prendre le bébé », a dit le médecin avec douceur. Et Luz a levé lentement une main et m'a pointée du doigt.

Alors je me suis levée et je l'ai prise pour la première fois. Elle était là, la plus belle parmi les belles, trois kilos et demi d'ange terrestre, mon bébé à moi seule. Je l'ai nommée Francie Nolen, à cause d'une petite fille dans un vieux roman, *Le lys de Brooklyn,* qui est devenue forte et pleine d'assurance dans des circonstances qui auraient pu décourager un esprit moindre.

Francie n'a peut-être pas l'avantage inestimable d'un père. Sa mère aurait un sourire ridé et des genoux grinçants, plutôt que d'être dynamique et pétillante. Mais il y avait une certaine sagesse et pas mal de patience derrière ce sourire ridé. Francie aurait des frères et une sœur pour la défendre, ainsi que le soutien et le réconfort de tous ces sceptiques à la maison, qui seraient convertis dès qu'ils poseraient leur regard sur elle. Laissez-les dire que j'avais déjà les mains pleines; n'ai-je pas de grandes mains? Je ne laisserais jamais tomber aucun de mes enfants, ni leur ferais sentir que les élever m'a épuisée au-delà de mes limites.

En regardant Francie, je pouvais sentir ces limites s'étendre et grandir. Je lui ai fait une promesse ainsi qu'à la vaillante fille qui lui a donné la vie et qui a renoncé à elle. Ma petite fille aurait des rires. Elle aurait des histoires, de délicieuses pâtes deux fois par semaine, une maison pleine de bruits réconfortants. Et le plus important, elle n'irait jamais, au grand jamais, se coucher sans savoir qu'elle est aimée au-delà... au-delà de la raison.

Cinq années se sont écoulées depuis ce soir de décembre. Et vraiment, Francie est devenue unique de maintes façons, mais surtout par sa hardiesse. Elle a le style d'une petite boxeuse professionnelle et la volonté d'un lionceau.

Six mois après sa naissance, mon premier roman, *The Deep End of the Ocean* [Aussi profond que l'océan], a été publié et, soudain, nous avons eu non seulement un nouveau plancher où il y avait jadis un trou, mais une nouvelle chance de vie. Et en ce qui concerne le trou dans nos cœurs, la personnalité de Francie a contribué à le réduire à des proportions supportables et, un jour, est venu un brave homme qui ne me voulait pas seulement moi, genoux grinçants et tout, mais toute ma couvée, pour être la sienne.

Mon second mari et moi nous sommes épousés seulement quelques semaines après la parution de mon deuxième roman, *The Most Wanted* [Plus que tout au monde]. L'histoire traitait en partie d'une jeune adolescente qui a accouché d'une petite fille dans des circonstances abominables, mais qui, grâce à l'intervention d'une femme plus âgée qui désirait ardemment un enfant, a eu une deuxième chance. C'était ma tentative, par la fiction, de corriger ce que je ne pouvais pas changer dans la réalité pour la mère biologique de ma petite fille. J'ai dédié ce livre à mes filles et aussi à Luz dont le prénom, en espagnol, signifie « lumière ».

Jacquelyn Mitchard

« Maman avait l'habitude d'aller au Club Med
et aux Bahamas et une fois à Cannes...
mais tu sais, ça aussi c'est bien ! »

Reproduit avec la permission de Stephanie Piro.

Le printemps de 1959

Puisque vous récoltez plus de joie à donner de la
joie aux autres, vous devriez réfléchir longuement
au bonheur que vous êtes en mesure d'offrir.

Eleanor Roosevelt

Maman ne savait pas conduire ni écrire de beaux
mots. Elle n'avait pas d'argent pour m'emmener magasiner. Mais elle pouvait copier la mode la plus récente en
regardant dans le catalogue Sears et me coudre une robe
quand j'en avais besoin. Maman n'avait pas de four à con-
vection, son poêle à bois lui suffisait. Elle confectionnait
des gâteaux improvisés que lui envierait Martha Stewart
aujourd'hui.

Je me souviens du matin où maman est venue dans
ma chambre et s'est assise sur mon lit. Elle n'a rien dit
pendant un moment et semblait embarrassée. Puis elle
m'a regardée droit dans les yeux et m'a posé la question:
« Est-ce que tu aimerais avoir un nouveau bébé dans la
maison? »

Je savais que ce n'était pas une possibilité, parce que
j'avais 17 ans, ma sœur, 12 ans, et les deux garçons
avaient 9 et 8 ans. On ne peut pas recommencer à avoir
des bébés après huit ans! « Maman, ne sois pas ridicule. »
En fait, je n'ai pas hésité à lui dire que nous avions déjà
plus d'enfants que d'argent.

Une ombre a parcouru son visage. « Je suis enceinte
de trois mois. » Elle est sortie de ma chambre et a fermé
la porte. J'étais désolée de l'avoir blessée, mais étant
l'adolescente irréfléchie que j'étais, je ne me suis pas
excusée.

Maman s'est efforcée de prendre soin de la maison et des enfants, mais elle a eu une grossesse difficile qui l'a clouée au lit la plupart du temps. J'espérais qu'en aidant avec les enfants et aux repas, je ferais amende honorable pour ce que j'avais dit au sujet du bébé, bien qu'elle ne l'ait jamais mentionné.

Je m'inquiétais parfois pour maman, mais ma tête était occupée par quelque chose de plus passionnant. Bientôt, ce serait le printemps et je serais diplômée de mon école secondaire. Notre classe avait commencé à travailler et à gagner de l'argent quatre années auparavant pour notre voyage de finissants. Dès notre première année d'études secondaires, nous organisions des ventes de pâtisseries, des lave-autos et des productions théâtrales. Enfin, nous avons réussi: nous avions amassé suffisamment d'argent pour noliser deux autocars qui emmèneraient toute notre classe passer une semaine en Floride! Mes parents étaient pauvres. Je n'étais jamais sortie de la ferme, et encore moins allée trois États plus loin — et pouvoir découvrir la mer! Ce voyage était l'aboutissement d'un rêve devenu réalité.

Maman, qui n'avait qu'une quatrième année, était presque aussi euphorique que moi. Elle se réjouissait de mon voyage en Floride et m'avait cousu de jolis vêtements, même après être tombée malade. J'avais des jupes et des blouses bleues, rouges, roses et jaunes que je pouvais assortir. J'avais même un jupon fait de volants multicolores comme un arc-en-ciel. Mais ma graduation serait la réalisation de son rêve.

Au début du printemps, maman avait le teint gris et malade. Même moi, je pouvais voir que quelque chose n'allait pas. Et ses yeux ne riaient plus. Les yeux de ma mère riaient toujours. Quatre jours avant mon départ, le médecin l'a hospitalisée. Je savais que c'était sérieux. À cette époque, les fermiers n'avaient pas d'assurance et avaient très peu d'argent à donner aux médecins. Les gens n'allaient pas à l'hôpital à moins d'être en danger de mort.

Papa était inquiet à propos de maman. Il ne pouvait pas se permettre de payer quelqu'un pour venir aider. Nous nous sommes débrouillés de notre mieux. Quelqu'un devait s'occuper des enfants plus jeunes et de la ferme, les vaches laitières ne pouvaient pas attendre. Je me suis portée volontaire pour rester avec maman la nuit pendant que papa gardait la maison et les enfants. Je passais mes nuits à dormir dans une chaise à côté du lit de maman, priant Dieu de lui sauver la vie, puis je traversais la ville à pied pour aller à l'école le matin, je revenais à la maison en autobus, j'aidais papa avec les enfants et, plus tard, je retournais au chevet de maman pour la nuit. J'étais si fatiguée que j'avais mal partout.

Je regardais le calendrier à mesure que les jours passaient. Je ne croyais pas que maman se rendait compte de quel jour nous étions, jusqu'à ce qu'elle me prenne la main et me demande si j'avais fait mes valises. Elle a dit: « Je veux que tu voies la Floride. Alors tu pourras m'en parler, de sorte que j'aurai l'impression qu'une partie de moi a vu la mer. » Maman avait le désir profond de voir les endroits à propos desquels nous lisions dans mes livres de géographie, mais elle n'a jamais eu les moyens de voyager.

« Je n'y vais pas, maman », lui ai-je répondu en étouffant un sanglot.

« Oh, mais oui, tu y vas. » Elle n'en démordait pas, mais je suis la fille de ma mère et tout aussi têtue. Maman a finalement abdiqué et a dit que je pouvais rester, puis elle a ajouté: « Mais les miracles se produisent. On ne sait jamais. Il reste encore un jour et une nuit. »

« Ça va, maman, ça ne me fait rien. Vraiment. Je veux être ici avec toi. » J'ai enfoui mon visage dans un oreiller cette nuit-là, pour qu'elle ne m'entende pas pleurer.

Une surprise nous attendait à l'hôpital, le lendemain soir. Quand papa et moi sommes arrivés, maman avait fait sa valise et nous attendait. « Tu te souviens du miracle dont je t'ai parlé? J'ai eu mon congé, a-t-elle annoncé. Le médecin a dit que je pouvais rentrer à la maison. » Nous nous sommes enlacés tous les trois, et avons pleuré de joie. J'étais heureuse pour maman, mais sincèrement, ma première pensée a été: *Maintenant je peux aller en Floride.*

Je suis montée dans l'autocar à 6h30 le lendemain matin. Maman me regardait, si heureuse et fière, ses doux yeux gris embués de larmes. Plusieurs années plus tard, j'ai appris qu'elle était sortie de l'hôpital sans la permission de son médecin. Elle y est retournée après, mais pas avant de m'avoir vue partir pour mes vacances de rêve.

Le bébé n'est pas né pendant mon absence. Mon petit frère Alan a attendu une semaine avant ma graduation pour faire son apparition. J'étais dans la chambre avec maman ce dimanche matin-là quand le travail a commencé, une journée très appropriée, la fête des Mères, le 9 mai 1959.

L'hôpital était occupé mais calme. Il n'y avait pas de moniteurs dans les chambres ni d'intercoms aux postes des infirmières. Une seule infirmière travaillait au service de la maternité du petit hôpital communautaire, et aucun médecin n'était en service. Au moment où on a téléphoné au médecin de maman à l'autre bout de la ville, l'infirmière et moi avions mis Alan au monde. Le cordon enroulé autour de son cou l'avait rendu noir, bleu et mauve. Je croyais que mon petit frère était mort et que maman se mourait. Je n'ai jamais eu aussi peur de ma vie. Maman était couverte de perles de sueur, son visage était blanc comme les draps et ses yeux étaient vitreux.

Le docteur Beasley a passé la porte et maman lui a immédiatement demandé: « Sortez-la d'ici, elle n'a que 17 ans! » Elle gisait dans une mare rouge et, pourtant, elle s'inquiétait de moi.

« Ce n'est plus la peine maintenant, elle a vu le pire. » Il m'a tapoté la tête et a souri: « Maman et bébé vont bien. Le cordon l'a étouffé pendant un court laps de temps, causant un peu de décoloration, c'est tout. » Il a pris mon frère par les pieds et l'a déposé sur la poitrine de ma mère pendant qu'il coupait le cordon. Je n'oublierai jamais le regard que maman a jeté à ce bébé. En une rapide, précieuse seconde, ses yeux lui ont dit qu'il valait toute la souffrance qu'elle avait endurée.

Le médecin a prescrit le repos complet au lit pour maman avant de lui donner son congé de l'hôpital. Je l'ai enlacée et lui ai dit que je comprenais pourquoi elle ne serait pas à ma cérémonie de remise des diplômes. Des larmes brillaient dans ses yeux comme elle me serrait la main et me disait à quel point elle était fière. Ce soir-là, quand papa et moi avons été prêts à nous rendre en ville, maman, vêtue d'un ensemble bleu, copié du catalogue Sears, s'est jointe à nous. Papa lui a jeté un regard interrogateur. « Et que crois-tu que tu es en train de faire? »

« Je vais voir ma fille marcher sur cette scène », a-t-elle répondu sur un ton si décidé qu'aucun de nous n'a eu l'audace de la contredire.

Vingt-cinq années plus tard, je me suis assise au chevet de maman de nouveau. Cette fois, c'était elle qui se préparait pour un voyage, le dernier. Les anges l'ont soulevée de son corps rongé par le cancer et l'ont emportée vers son séjour céleste, ses rêves réalisés.

Jean Kinsey

Les retrouvailles

La gratitude est non seulement la plus grande des vertus, mais la mère de toutes les autres.

Cicéron

Mes enfants ont su qu'il se passait quelque chose dès que j'ai pris un appel durant le dîner et que je ne suis pas revenue avant trois heures. Après vingt-cinq années de questionnements et de prières, cet appel tant attendu est finalement arrivé. Pour être franche, je me souviens à peine de ce que nous nous sommes dit. Comment faire entrer vingt-cinq années de questions sans réponses dans une conversation? Ayant appris qu'elle habitait à moins de vingt-cinq minutes de chez moi, nous avons immédiatement fait des plans pour nous retrouver le plus tôt possible. J'ai terminé cet appel avec une sensation grisante et un rendez-vous pour la rencontrer le lendemain soir.

Mon mari était au courant pour Nicole depuis notre première sortie. J'avais un sentiment très développé de ce que je voulais chez un compagnon de vie. Je savais que je passerais le reste de ma vie avec lui et je sentais le besoin de lui partager l'histoire de Nicole. Je lui en ai fait part, ainsi que de l'espoir qu'un jour elle se joindrait finalement à ma vie. Je voulais qu'il sache qu'elle se joindrait aussi à la sienne.

J'étais tombée enceinte à 16 ans, après avoir été victime de ce qu'on appelle aujourd'hui un viol commis par une connaissance. Le père biologique de Nicole avait 19 ans à l'époque, et j'ai rompu avec lui immédiatement après qu'il m'a eu violentée. Fortuitement, ma famille a déménagé peu de temps après. Comme j'avais un cycle menstruel sporadique, je ne me suis donc pas inquiétée des règles manquées. J'ai dû attribuer les coups de pied du bébé à des gaz. Puisque j'étais une adolescente en santé, je l'ai portée entièrement à l'intérieur, alors rien n'a paru jusqu'à un mois et demi avant sa naissance, et là encore à peine.

Cela s'est passé la veille de Noël, après une prise de bec avec maman, lorsqu'elle m'a regardée très sérieusement et m'a demandé si j'étais enceinte. J'étais indignée et j'ai nié la possibilité avec véhémence. Cela m'a fait beaucoup de matière sur laquelle réfléchir et, une semaine plus tard, je lui ai demandé de m'emmener chez le médecin. Je n'oublierai jamais son expression, alors qu'elle appliquait son mascara et que je lui ai posé la question d'un air détaché. Elle avait tout oublié de la discussion de la veille de Noël. C'est une des choses les plus difficiles que j'aie eu à faire, rassembler assez de courage pour cesser de nier et faire face à la réalité.

Quand ils ont appris que j'étais effectivement enceinte et que j'allais accoucher dans 30 à 45 jours, mes parents m'ont entourée et m'ont assurée qu'ils appuieraient ma décision, quelle qu'elle soit. Ils se sont aussi assurés que je comprenne les ramifications de chacun des choix possibles. Ce n'était pas une décision difficile à prendre, puisque je n'avais encore eu aucun lien avec le bébé. J'ai choisi de donner le bébé en adoption.

À cette époque, quand le bébé était donné en adoption, la mère n'était pas autorisée à voir l'enfant après l'accouchement, ni aucun membre de la famille, mais le personnel de l'hôpital ne connaissait pas ma mère. Elle a réussi à entrer subrepticement dans la pouponnière chaque jour de mon séjour, et à regarder Nicole en douce aussi souvent qu'elle a pu. En quittant l'hôpital, ma mère a dit à mon père, de manière désinvolte, que c'était la dernière occasion qu'il avait de jeter un coup d'œil à Nicole. Il n'avait accompagné ma mère dans aucune de ses incursions à la pouponnière. La travailleuse sociale était censée venir chercher Nicole ce jour-là à la pouponnière. Papa a ouvert les portières de la voiture, nous a installées, s'est préparé à démarrer, puis il a dit: « Attendez, je reviens tout de suite. » Nous avons attendu et à son retour il a simplement ajouté: « Kathy, c'est une beauté. »

Je crois que c'était la main de Dieu qui a permis que je n'aie jamais l'occasion d'établir un lien émotionnel avec le bébé grandissant en moi. Quand Nicole a eu deux semaines, nous nous sommes rencontrées au bureau des services sociaux où je devais passer du temps avec elle dans un décor de salon artificiel. Cette rencontre visait à m'assurer que je voulais toujours la donner en adoption. On me l'a amenée et j'ai été laissée seule avec elle pendant quinze minutes. Ce fut un long quart d'heure. J'étais une très jeune femme, absolument terrifiée à l'idée de l'échapper. Je me souviens d'avoir pensé qu'elle était ce que j'avais vu de plus beau, mais que je ne pouvais pas la garder.

Nous avons réglé tous les papiers, le processus d'adoption était enclenché et, à notre connaissance, elle est allée vivre dans une famille de Richmond, en Virginie. Je suis retournée à l'école, j'ai terminé mon année, et nous sommes déménagés à la fin de l'année. J'ai poursuivi mes études jusqu'à mon diplôme universitaire, puis j'ai obtenu un brevet d'officier de la marine. C'est là que j'ai rencontré mon futur époux. Nous nous sommes mariés trois mois plus tard, il y a de cela dix-neuf ans.

Nous avons eu deux enfants à nous, et grâce à la Réserve navale, je suis maintenant commandante à la retraite de la Réserve. Durant toutes ces années, pas une seule journée ne s'est écoulée sans que je pense à Nicole, et que je prie pour qu'elle ait une bonne vie heureuse et en santé. À son dix-huitième anniversaire de naissance, j'ai déposé une lettre dans son dossier d'adoption, où je décrivais comment me joindre au cas où elle me chercherait. Mon mari et mes parents m'ont beaucoup soutenue dans cette démarche.

Quand Nicole a décidé de me chercher, ma lettre lui a beaucoup facilité la tâche. L'appel tant attendu était enfin venu, et mon mari partageait mon enthousiasme à l'idée de rencontrer ma fille, finalement. Le jour des retrouvailles, nous avons expliqué la situation à nos garçons. Ils ont été merveilleusement compréhensifs et ont posé des questions directes auxquelles nous avons répondu franchement. Excités à l'idée d'avoir une sœur, ils m'ont souhaité bonne chance, m'ont donné de gros baisers et m'ont envoyée à mes retrouvailles.

Nicole et moi nous sommes rencontrées à l'extérieur de l'église, après la répétition de ma chorale. Je n'oublierai jamais l'avoir observé sortir de sa voiture, et monter, monter, monter. Elle était grande, blonde et ravissante. Nous nous sommes enlacées très lentement, avec la délicatesse accordée seulement aux trésors les plus précieux et les plus fragiles de notre vie. Le reste de la soirée s'est déroulé dans un coin tranquille du restaurant au bas de la rue. La serveuse a été assez observatrice pour se rendre compte qu'il se passait quelque chose de très spécial et elle nous a discrètement laissées seules à tenter de rattraper toute une vie.

Ce soir-là, Nicole m'a confié que si elle était restreinte à ne dire qu'une chose, elle me remercierait du fond du cœur. « Merci de m'avoir eue, de m'avoir donnée, et de m'accueillir dans ta vie si chaleureusement et ouvertement. » Nous avons comparé nos mains, nos pieds, le même rire, la même expression de la bouche, toutes les réponses aux questions de Nicole: « D'où est-ce que je tiens ça? » C'est quelque chose qui constitue un fil conducteur important dans nos vies: « Oh, voilà qui explique d'où je tiens *ça*. »

Après vingt-cinq années, je me sentais comme si un poids énorme m'avait été enlevé, et je me souviens d'avoir ressenti qu'absolument rien ne pouvait surpasser la joie que j'avais à enfin savoir qu'elle était en sécurité, en santé et qu'elle avait grandi dans une famille très aimante. Nous avons continué à passer du temps ensemble chaque semaine. Elle a connu ses nouveaux frères, et elle m'a bravement accompagnée à de nombreuses sorties avec nos amis, faisant connaissance avec tous les gens qui comptent dans ma vie, tout comme j'ai rencontré ses êtres chers.

Mon mari a pris un plaisir particulier à nos retrouvailles, puisque Nicole est presque ma copie conforme à son âge. Il adore sortir avec nous, car il croit avoir le meilleur de deux mondes, moi à mon âge actuel, et moi à l'âge où il m'a épousée. Même aujourd'hui, plus de deux années après les retrouvailles, il s'émerveille du fait que nous avons la même bouche, le même sourire et le même rire.

Je ne sais pas si je pourrai jamais exprimer adéquatement la gratitude que je dois à ses parents pour l'avoir si merveilleusement bien élevée. Ce sont deux personnes très spéciales, et je leur dois énormément. Ils m'ont accueillie dans leur famille avec les mêmes bras ouverts qu'ils ont eus pour Nicole. La carte que sa mère m'a donnée pour la fête des Mères, cette année-là, ne laissait rien à ajouter: « Je crois vraiment que les enfants sont des cadeaux de Dieu qui nous sont prêtés afin de leur enseigner à devenir des êtres indépendants et des atouts pour la société. Depuis que nous avons adopté Nicole, vous êtes dans mes pensées, tous les 17 février et surtout à la fête des Mères. Alors, joyeuse fête des Mères, non seulement avez-vous trouvé une fille, mais aussi une meilleure amie. » Et à elle, je dis merci aussi.

Kathy N. Jublou

L'aiguille

Rappelez-vous que le bonheur ne dépend pas de qui vous êtes ni de ce que vous avez; il ne dépend que de ce que vous pensez.

Dale Carnegie

« Chérie, pourrais-tu voir ce que tu peux faire au sujet de ces couvre-accoudoirs qui ne cessent de glisser? » m'a demandé mon mari pour la deuxième ou la troisième fois. Je l'avais observé se battre pour maintenir bien en place ces protections étriquées mais nécessaires, mais elles finissaient toujours par se retrouver sur le plancher.

La maison était vide quand j'ai décidé de m'atteler à la tâche. J'avais en tête l'image d'une aiguille de forme peu habituelle et spéciale que j'avais aperçue quelque part dans mes affaires de couture. J'ai entamé une recherche au petit bonheur dans diverses boîtes de couture et sur ma machine à coudre, puis je suis allée au vieux meuble de couture en noyer qui appartenait à ma mère. Je me suis assise par terre et j'ai commencé à en explorer les tiroirs. Pourquoi avais-je gardé tant de crochets? Je crochetais rarement plus d'un ou deux points. Oh, voici la boîte de vieilles dentelles et le vieux sac perlé que la tante de ma mère portait parfois pour garder sa monnaie à portée de la main. Une heure a vite passé, et je n'avais pas encore commencé à réparer les fauteuils. J'ai momentanément abandonné cette idée, et j'ai continué à savourer les souvenirs qui m'envahissaient comme je fouillais dans le cabinet. Puis, je l'ai trouvée, l'aiguille qui trottait dans ma banque de souvenirs et qui m'avait donné l'idée que je pouvais réparer les fauteuils. Elle était plutôt épaisse au centre mais son chas était d'une bonne taille, et elle était courbée en un arc plutôt marqué et utile.

Ma mère est morte il y a plus de trente-cinq ans, et je me souviens très clairement d'avoir demandé cette aiguille au moment où nous trois, ses enfants, devions choisir les choses qui nous étaient précieuses. J'ai aussi demandé ses fournitures de peinture et, à ce jour, je me sers de ses pinceaux et parfois je sens quasiment qu'elle est à côté de moi alors que je peins avec le petit pinceau trapu qui fait de si beaux nuages.

Mais l'aiguille restait un mystère pour moi. Pourquoi l'avais-je voulue et l'avais-je gardée, malgré au moins cinq déménagements dans différentes villes? Aujourd'hui, même dans mes années de retraite, je gardais encore l'aiguille. Je ne l'ai jamais utilisée. En fait, je ne suis même pas certaine de savoir comment m'en servir.

Néanmoins, tout ignorante que j'étais, j'ai pris l'aiguille, je l'ai enfilée et je me suis assise à côté du fauteuil pour étudier la situation. Puis, j'ai senti des larmes sur mes joues et j'ai su pourquoi j'avais gardé l'aiguille. J'avais environ 15 ans et je donnais une soirée. Je me suis plainte à maintes reprises à maman de la laideur de notre canapé, avec ses déchirures sur les appuie-bras et ses coussins miteux. « Qu'est-ce que mes amis vont penser de nous? » gémissais-je.

Ma mère m'a prise dans ses bras et m'a dit de ne pas m'inquiéter, que mes amis s'amuseraient parce qu'ils m'aimaient, et qu'elle verrait à enjoliver la pièce. Je suis montée à ma chambre faire mes devoirs, et quand je suis descendue quelques heures plus tard pour embrasser maman et lui souhaiter bonne nuit, elle était là, assise par terre, l'aiguille allant et venant, occupée à coudre un morceau de tissu assorti aux endroits usés du canapé. L'aiguille pénétrait la surface plate rembourrée, et maman tirait l'aiguille arquée encore et encore. Maintenant je savais pourquoi j'avais gardé cette aiguille toutes ces années et pourquoi je savais que je pouvais réparer ces fauteuils. Aucune leçon, aucune homélie, aucun cours aurait pu m'enseigner de façon plus percutante comment rendre une personne aimée à l'aise avec ce qu'elle a sous la main aussi bien que l'amour de ma mère en réparant le canapé pour moi.

J'ai réparé les fauteuils et j'ai soigneusement rangé l'aiguille. J'ai espéré qu'un jour une de mes filles trouverait une façon de s'en servir.

Julie Firman

La bague d'éducation

Disposez toutes les pièces qui vous sont données.

Virginia Wolf

C'est un chaud après-midi de juillet, typique de la plupart des étés en Alabama. L'air est lourd dans le comté rural de Morgan alors que des nuages d'orage s'assemblent à l'ouest. J'entre au cimetière communautaire de Somerville. Je me sens triste et pourtant, d'une certaine manière, exaltée à la vue de ce vieil endroit. Je me sens chez moi, ayant passé de nombreux Memorial Day ici, enfant. Le Memorial Day suivait toujours une semaine effrénée à tondre l'herbe, à nettoyer et à réparer toute pierre tombale abîmée. Chaque pierre tombale (certaines datant du début des années 1700) recevait des fleurs fraîches.

Les tombes de ma famille sont situées près de l'avant ou de la « nouvelle » partie du cimetière. La « vieille » partie est très ombragée par les pins géants et les cèdres odorants. Ella a toujours semblé sombre, renfermée et plus qu'un peu mystérieuse. À ma gauche se trouve une section pour les loyaux chiens chasseurs de ratons laveurs, et à ma droite une petite section clôturée renferme les restes des membres noirs de la communauté. Certaines de ces pierres tombales remontent à l'époque d'avant la guerre de Sécession.

Je tiens dans ma main une enveloppe simplement adressée « À maman ». Je commence au lot le plus vieux de ma famille, celui où il est inscrit Campbell et Smith. S'y trouve mon grand-père qui a été adopté et est devenu un cow-boy en Oklahoma, au tournant du siècle dernier. Ma grand-mère, qui fabriquait des vêtements pour ma poupée Barbie, est couchée à côté de lui. Je me déplace lentement près des pierres tombales de mes tantes, oncles et cousins pour m'arrêter au pied de celle de maman.

Les souvenirs sont amers. C'est la fin d'un long périple pour moi, un périple qui s'étend sur dix-neuf années. Maman est morte à 47 ans, dix mois seulement avant la naissance de son premier petit-enfant. Il est finalement temps de dire adieu. J'ouvre l'enveloppe et en relis le contenu une dernière fois. Quelque chose d'enfoui profondément dans un coin de mon cœur fait surface et coule sur mon visage pendant que je lis.

« *Maman, je me rappelle quand nous t'avons donné "la bague". Papa, Diane et moi t'avons réveillée le jour de ton anniversaire en nous entassant sur ton lit et en rigolant, remplis d'excitation. Je tenais la petite boîte blanche dans ma main. Quand tu l'as ouverte, le contenu était gros et scintillant à mes yeux de 5 ans. Papa avait chuchoté au préalable que c'était un carat complet et qu'il coûtait cinq cents dollars. Je ne pouvais pas m'imaginer une telle somme d'argent, ou même ce qu'était un carat. Je savais seulement que tu poussais de petits cris d'enchantement, et que tes yeux brillaient encore plus que le diamant, et que tu as longuement embrassé papa. Je n'ai su que des années plus tard que papa avait vendu sa montre de poche en or afin d'obtenir l'argent pour acheter la bague.*

« *Des années heureuses et tristes se sont rapidement succédé. Je suis tombée amoureuse des Beatles, et j'ai regardé Alan Shepard faire la première sortie dans l'espace. J'ai regardé avec horreur et fascination John Kennedy se faire tuer à Dallas. Ma graduation de l'école secondaire a eu lieu par une chaude soirée de mai, en 1965. Tu m'as donné une belle montre en argent pour l'occasion. Elle ne fonctionne plus, mais je la regarde souvent. Je suis certaine que ma graduation avait beaucoup d'importance pour papa et toi, puisque tu t'es mariée avant la fin de ta dernière année d'études secondaires et que lui est parti à la Deuxième Guerre mondiale sans que l'un de vous n'ait obtenu son diplôme.*

« *Tu étais déjà malade à l'été de 1965, et tout argent supplémentaire servait à régler les frais médicaux. L'université semblait un rêve impossible, mais tu as trouvé un moyen, maman. Je n'avais aucune idée de ce que je voulais faire, mais je savais déjà que j'étais passionnée d'histoire. Pour moi, c'était une aventure sans fin dans laquelle je pouvais toujours tenir le premier rôle.*

« *Le seul moment où je me souviens de t'avoir vu pleurer, maman, c'est le jour où papa et toi m'avez laissée à l'université, la première fois. Je n'avais que 17 ans.*

« *Les quatre années suivantes ont été remplies de nouvelles expériences. J'ai adoré chaque minute à l'université. J'ai pleuré quand une bombe a tué quatre petites filles dans une église de Birmingham, quand Robert Kennedy a été assassiné, et quand Martin Luther King Junior est mort sur un balcon de Memphis. Mais j'ai pleuré encore plus fort pour Fred Smith. C'était mon voisin de classe au cours de physique. Un jour, il n'est pas revenu après les vacances d'été. Il avait été tué au Vietnam. Il n'avait que 20 ans.*

« *Dans tout cela, il ne m'est jamais venu à l'esprit, lors de chaque semestre, de m'interroger au sujet des frais que ne couvrait pas mon prêt étudiant. D'une manière ou d'une autre, vous aviez toujours l'argent, même quand papa et toi avez fait faillite à cause des frais médicaux accablants. Tu as survécu à deux opérations cruciales pendant ces quatre années. Je sais que tu voulais désespérément me voir monter sur cette scène de l'université en tant que première des deux côtés de la famille à recevoir un diplôme universitaire.*

« *Je n'ai appris que plus tard d'où venait l'argent supplémentaire. Chaque semestre, "la bague" disparaissait pour réapparaître des semaines plus tard. Elle a passé plus de temps chez le prêteur sur gages qu'à ton doigt, durant ces quatre années. Tu as sacrifié ton bien le plus précieux pour me garantir l'un des plus grands cadeaux qu'un parent puisse donner à son enfant — une bonne éducation.*

« *Ton sacrifice a porté fruit, maman. Au prochain semestre, je commencerai ma vingt-deuxième année à enseigner l'histoire dans une école secondaire. Je ne peux toujours pas dormir la veille de la rentrée des classes, comme un enfant la veille de Noël. Chaque année, mes élèves et moi bâtissons et détruisons de grandes civilisations, faisons la guerre, peignons la chapelle Sixtine avec Michel-Ange, construisons une machine à voler avec Da Vinci, pleurons sur le bombardement d'Hiroshima et contemplons les horreurs de l'Holocauste. Ils me gardent jeune avec l'excitation de leur 15 et 16 ans à propos de la vie. Mon corps me dit que j'ai 44 ans, mais ma tête affirme que j'ai encore 22 ans et que j'enseigne à ma première classe. Certains de mes élèves sont devenus médecins, avocats, enseignants, travailleurs sociaux, prêtres, ingénieurs et policiers. J'enseigne maintenant à certains de leurs enfants.*

« *Maman, ton petit-fils, Joshua, va entrer, cet automne, à l'université où j'ai fait mes études. J'imagine que c'est la première fois où il me verra pleurer. Merci pour la bague, maman. Elle pourrait servir encore.* »

Je plie la lettre et la remets dans l'enveloppe. Je l'appuie doucement contre la pierre tombale, sous l'inscription « Arleta Smith Maxwell, 1925-1972 ». Alors que je quitte, une pluie douce et purifiante se met à tomber.

Brenda Jordan

Le soutien altruiste

Une mère est une personne qui, constatant qu'il n'y a que quatre pointes de tarte pour cinq personnes, annonce prestement qu'elle n'a jamais vraiment aimé la tarte.

                                        Tenneva Jordan

Je suis née un 25 février, qui se trouve être l'anniversaire de naissance de ma mère également. Il semble que ce synchronisme même ait prédit la profondeur future de notre relation. Au cours de mon enfance, de mon adolescence et de l'âge adulte, notre lien s'est renforcé. Chaque année, en célébrant notre anniversaire commun, nous devenions de plus en plus en harmonie, plus près l'une de l'autre par la compréhension, la connaissance et l'esprit. Nous partagions des rêves, des problèmes, des passe-temps, des journées de magasinage, des discussions approfondies, tout. Maman et moi formions une équipe en tout.

Nos longues conversations portaient sur une foule de sujets, dont mon avenir et la progression naturelle de notre amitié lorsque je me marierais. Jamais l'une de nous n'a envisagé la possibilité qu'un événement changerait le fondement de notre relation.

En grandissant et en déployant mes ailes, j'étais habitée du désir irrépressible de visiter l'Australie. Il n'y avait aucune raison à cela; je ne savais pas ce qui se trouvait là-bas ou même où se situait vraiment ce pays. Mais c'était quelque chose que je ne pouvais ignorer.

À l'aéroport, mon billet en main ainsi qu'un visa de vacances d'un an, maman et moi peinions à nous dire au revoir. Nous n'avions jamais été séparées si longtemps. Nous savions toutes deux que l'éloignement ne serait pas facile, cependant, il fallait y faire face. Certaines des dernières paroles de maman pour moi ont été: « Ne tombe pas amoureuse et n'épouse pas un Australien. » C'était une brave tentative d'humour, mais c'était une phrase que je n'oublierais jamais. Un an plus tard, quand je suis retournée à la maison et que j'ai essayé de reprendre mon ancienne manière de vivre, ses paroles sont revenues me hanter. Je n'étais pas tombée amoureuse d'un Australien. Mais j'étais tombée amoureuse d'un Anglais vivant en Australie, ce qui était du pareil au même quand il m'a demandée en mariage, un mois plus tard.

Dans le court laps de temps menant à mes noces et à mon émigration, maman et moi avons passé nombre d'heures ensemble, chacune de nous tentant de tirer le maximum du temps passé en Angleterre. Dans tout cela, maman n'a jamais mentionné comment elle se sentait vraiment à l'égard de mon départ à vingt mille kilomètres au loin, ou de la perte de nos conversations régulières, ou de la fin de son rêve de passer du temps avec les enfants que j'aurais peut-être. Elle n'a jamais parlé de sa déception de ne pas pouvoir s'offrir le billet d'avion coûteux qui lui aurait permis d'assister au mariage. Elle a plutôt choisi de me parler seulement de son ravissement grâce au bonheur que j'avais trouvé, de la fierté qu'elle éprouvait et à quel point je lui manquerais une fois partie. Pourtant, sous ses paroles enthousiastes, je pouvais voir son cœur brisé. Comment faire autrement?

Dix-huit mois après mon premier vol d'avion, nous étions encore là, ne sachant plus que dire, à l'aéroport. En passant les portes qui menaient à mon avenir, j'avais le cœur brisé pour tout ce que je laissais derrière. Seule la foule de gens autour de moi a permis que je me dirige en direction de l'avion. Mais en prenant ma place près du hublot, l'énormité de ma décision m'a frappée. Refoulant les larmes causées par la douleur physique que je ressentais, je voulais chasser de mon esprit le tourment qui me tenaillait de ne pas savoir quand je reverrais ma mère. Désespérément, et sans succès, j'ai tenté de tout refouler, sauf le fait que dans quelques jours je serais de nouveau avec mon fiancé.

Je suis arrivée en Australie en plein cœur de l'été. En sortant de mes bagages ma robe de mariée et mes cadeaux d'Angleterre, je ne pouvais m'empêcher de penser à quel point mon mariage serait différent de celui que j'avais imaginé durant tant d'années. Mon cousin australien me servirait de père, mais il n'y aurait aucun autre membre de ma famille présent. En fait, la plupart des invités étaient des amis de mon fiancé — des gens que je n'avais jamais rencontrés. Dans mon cœur, je savais que c'était la bonne décision, mais à chaque jour qui me rapprochait du mariage, la distance qui me séparait de ma mère me pesait de plus en plus.

Quelques jours avant le mariage, mon cousin m'a téléphoné et m'a dit qu'il avait besoin de discuter avec moi de ses tâches concernant la cérémonie. En me garant dans son entrée, j'étais remplie d'appréhension. Et s'il ne pouvait pas assister au mariage après tout? Me marierais-je sans aucun membre de ma famille avec moi? La panique s'était emparée de moi en frappant à sa porte. Finalement, la porte s'est ouverte, et je suis restée plantée là, médusée par ce que je voyais. Elle était là, ma mère.

En fait, lorsque ma mère m'avait vue franchir les portes de l'aéroport, elle aussi avait ressenti le déchirement. Et dans les cinq jours suivants, elle avait remué ciel et terre pour s'assurer de ne pas rater mon mariage.

À huit heures le matin, quelques jours plus tard, mon mariage a été célébré. Nous étions à vingt mille kilomètres de l'endroit où nous nous attendions qu'il ait lieu. Dans un parc pittoresque plutôt que dans une église traditionnelle. Il n'y avait ni robe de mariée à traîne ni musique d'orgue. Mais peu importe, parce que ma mère, aimante, altruiste et d'un grand soutien, était là pour me donner à l'homme que j'aimais.

Elizabeth Bezant

La robe de princesse

Il y a de ces âmes en ce monde qui ont le don de trouver la joie partout et de la laisser derrière elles quand elles partent.

Frederick Faber

Le téléphone a sonné un samedi soir. C'était Kelly.

« Maman, où étais-tu?, a-t-elle demandé. J'ai essayé de te téléphoner d'un magasin parce que je veux que tu m'aides à me décider. Oh, maman, j'ai trouvé la plus belle robe pour ma soirée! Je me sens comme une princesse en la portant, mais elle est vraiment chère. Que crois-tu que je devrais faire? Devrais-je l'acheter? »

Je n'ai pas hésité un instant. « Oui, ai-je répondu, achète la robe. » Mais dans ces quelques minutes au téléphone, je n'avais pas eu le temps ni les mots pour expliquer pourquoi je croyais qu'elle devait avoir la robe de « princesse » qu'elle avait trouvée. J'avais tellement de raisons à donner à ma fille...

Pour avoir grandi sans beaucoup de vêtements ou de vacances, parce qu'il n'y avait jamais assez d'argent, sans se plaindre pour aucune de ces choses — ce serait une des raisons.

Pour avoir étudié si fort et avoir fait chaque devoir lui méritant des crédits supplémentaires afin de pouvoir aller à l'université.

Pour toutes ces fois où elle a passé le ballon de soccer, même si elle savait fort bien qu'elle aurait pu facilement courir et marquer un but, mais préférait être membre d'une équipe plutôt qu'une vedette.

Pour cette détermination féroce quand elle s'est fait cogner le nez violemment durant une partie et, malgré le sang coulant sur son visage, elle continuait de crier: « Ça va, coach! Je ne saigne plus. Faites-moi jouer, coach! »

Pour avoir abandonné l'équipe de soccer universitaire parce qu'elle devait travailler et ne pouvait pas (ni ne voulait) laisser ses notes en souffrir.

Pour avoir laissé tomber le congé scolaire du printemps une certaine année et être allée construire des maisons pour les pauvres à Tijuana, et être rentrée à la maison, égratignée, pleine de bleus et malade, en s'exclamant: « Maman, c'était la chose la plus merveilleuse que j'ai jamais faite dans ma vie! »

Pour avoir décidé que, même si elle subvenait à ses besoins financiers, elle pouvait toujours trouver de l'argent pour parrainer un enfant du Salvador qui a encore moins qu'elle.

Pour avoir décidé que la foi est la chose la plus importante de toutes.

Pour m'avoir dit, quand je souhaitais pouvoir lui donner davantage: « Maman, je te vois comme mon ange », et m'avoir rappelé que l'amour est inestimable.

Oh, oui, je crois que cette fille qui est la mienne devrait avoir cette robe. Et elle a raison de dire que personne ne remarquera que ses souliers ne sont pas assortis (puisqu'il n'y a plus d'argent pour de nouvelles chaussures). Je sais que les gens ne verront que la joie qui brille dans ses grands yeux bruns, et ce sourire radieux qui pourrait illuminer un ciel nocturne. Mais Kelly avait tort sur un point. Je ne crois pas qu'elle aura l'air d'une princesse dans sa robe: pour moi, ma fille chérie est une reine.

Anne Goodrich

La naissance des filles

La vie est ce qu'on en fait,
elle l'a toujours été et le sera toujours.

Grand-maman Moses

Je suis finalement et victorieusement enceinte, après sept années de mariage. Je suis aussi absurdement inquiète de ce que va en penser ma mère. Je suis récemment retournée aux études pour faire une maîtrise. Mon mari n'a pas terminé un programme de doctorat. Je crois que nous sommes un peu inconscients, comme si nous n'avions pas le droit de même penser à avoir un enfant, sans parler de la planification stratégique des conditions optimales pour en avoir un.

Je répète donc nerveusement la « grande nouvelle ». Ma pire crainte est un sourcil haussé demandant: « Et comment penses-tu pouvoir élever cet enfant avec un revenu d'étudiante? » Me posant, en fait, LA question même que je me pose anxieusement: *Es-tu devenue folle?!*

Je finis par l'annoncer à mes parents en les invitant au dîner de l'Action de grâce, même si nous ne sommes qu'à Pâques. « Eh bien, c'est un peu trop en avance pour faire des plans… », répond mon père. Je lui dis que je sais déjà ce que je ferai — me préparer à accoucher de son premier petit-enfant. Il a l'air surpris, mais vraiment pas enthousiasmé.

Je sens mon estomac se retourner.

Je crois tressaillir alors que je regarde ma mère dans l'attente de sa réaction. C'est à mon tour d'être surprise. Elle bondit du canapé, esquisse un pas de danse de victoire et s'exclame: « Je le savais! Je savais que tu étais enceinte! Je reviens tout de suite! »

Et elle court à l'étage. Elle revient avec un petit sac-cadeau. « Tiens! dit-elle en me le tendant. Des présents pour le bébé! J'étais certaine que tu étais enceinte! Je me demandais quand tu allais nous l'annoncer. J'ai ces articles depuis plus d'un mois. »

Je ne le sais que depuis un mois, moi-même.

J'avoue à maman que je m'attendais à un sermon sur notre situation financière. Je vois que cette pensée ne lui a même pas effleuré l'esprit. J'entends les mots: « Oh, ne t'en fais pas pour l'argent. Tout ira bien. »

Maintenant, j'apprends que nous n'attendons pas un enfant. Nous en attendons *deux*. J'ai mis du temps à le réaliser. Cette fois, ma mère, elle-même une jumelle, est la première personne à qui je téléphone. À partir de ce moment, elle est devenue ma fidèle compagne de grossesse.

En rétrospective, mon ignorance m'embarrasse, mais j'imagine que je croyais qu'elle me tapoterait peut-être la tête, me conseillerait de manger des craquelins quand j'aurais envie de vomir, et m'enverrait des fleurs à l'hôpital.

Au lieu de cela, elle se comporte comme si elle venait de gagner à la loterie. Elle dit à qui veut l'entendre qu'elle va être grand-mère de jumeaux. Elle m'achète des vêtements de maternité. Elle « trouve » des articles pour les bébés. (« Bonjour, ma chérie, je viens juste d'acheter deux ou trois ensembles pour tes embryons. ») Elle m'envoie des cartes.

Elle me téléphone régulièrement.

Le travail commence de façon précoce et inattendue. Maman semble nerveuse mais transportée de joie.

Je souhaite qu'elle puisse être avec nous, mais nous vivons à des centaines de kilomètres de distance.

Environ six heures plus tard, l'infirmière m'annonce que j'ai de la visite dans la salle d'attente. Et maman arrive. Je crois que la fatigue et la douleur me font halluciner.

« Comment t'es-tu rendue ici? » demandai-je, incrédule. Je sais qu'elle ne peut pas avoir conduit — il n'y a pas eu assez de temps. « J'ai pris l'avion, puis un taxi. »

Elle me répond cela d'un ton neutre, comme si c'était le genre de déplacement qu'elle fait tous les jours. Comme moi, elle déteste l'avion, probablement encore plus qu'elle hait conduire. « Crois-tu que quelque chose au monde m'aurait fait manquer ça? » m'a-t-elle demandé.

« Tout ce que je sais, c'est que je voulais vraiment que tu sois là. »

« Je sais, ma chérie, c'est pour ça que je suis venue. »

Quand elle voit ses minuscules petites-filles braillardes pour la première fois, elle ne se rend pas plus loin qu'à mon mari. Elle l'enlace et commence à pleurer. C'est comme si elle n'allait jamais arrêter. Et je sais que ses larmes sont des larmes de profond soulagement. Je sais que ce sont des larmes de joie intense et d'amour profond. Je sais que ce sont les larmes qu'une mère verse pour son enfant. Je le sais parce que je peux les goûter dans le sel de mes propres larmes.

Je lui offre deux minuscules corps et je sens les liens qui nous attachent étroitement alors qu'elle prend ses petites-filles dans ses bras pour la première fois.

« Il y a des choses que tu ne comprendras jamais tant que tu n'auras pas eu d'enfants. Tu verras », m'avait-elle toujours répété. Et assise dans ce lit d'hôpital, complètement épuisée et à vif émotionnellement, voyant ma mère tenir mes deux filles toutes neuves et incroyablement légères, je crois que je vois. Je vois que devenir mère ne m'a pas seulement fait le don d'aimer un enfant avec une intensité dont je ne soupçonnais pas l'existence, mais m'a aussi fait cadeau de ma propre mère, et de la prise de conscience soudaine que je suis aimée, et l'ai toujours été, de la même façon.

Puisse le cercle ne jamais se rompre.

Karen C. Driscoll

Emménager avec maman

Chaque jour apporte ses propres cadeaux.

Martial

Cinq semaines avant la naissance prévue de ma fille, le travail a commencé avant terme et j'ai été condamnée à rester au lit. Je ne pouvais me lever que pour les rendez-vous hebdomadaires chez le médecin, les examens de réactivité fœtale deux fois la semaine et pour aller à la salle de bain.

En me donnant ses directives, le médecin a dit que je ne devrais pas être seule; j'avais besoin de quelqu'un pour m'emmener à l'hôpital au premier tiraillement d'une contraction. Mon mari, Jack, avait accumulé ses journées de vacances pour après la naissance du bébé, et nous détestions tous deux l'idée de les prendre maintenant. Nous avions aussi découvert qu'il ne serait pas pratique pour moi de retourner à la maison puisque notre chambre à coucher était à l'étage. Monter et descendre l'escalier était sur ma liste d'activités défendues.

Comme Jack et moi épuisions nos possibilités, ma mère (qui n'avait pas quitté ma chambre d'hôpital) s'est fait entendre. « Pourquoi ne viens-tu pas rester chez moi? » a-t-elle demandé de sa voix affirmative. Jack croyait que c'était la solution parfaite; ma mère pouvait être avec moi toute la journée, elle demeure à un pâté de maisons de l'hôpital, et elle a une chambre d'amis au rez-de-chaussée. J'étais plus sceptique. Comme la plupart des filles, j'avais eu ma part de conflits avec ma mère, et je ne savais pas si je pourrais supporter des semaines en sa présence constante. Finalement, malgré tout, j'ai réalisé que c'était la meilleure solution et je suis retournée « à la maison ».

Je passais mes journées à faire la tête, agissant davantage comme une adolescente revêche que comme une charmante invitée. Quand Jack venait après le travail, et que ma mère visitait des amis ou faisait les courses qu'elle ne pouvait pas faire pendant la journée, je pleurais. Je voulais rentrer chez moi. Je voulais être loin de ma mère. Surtout, je voulais que tout redevienne normal. J'avais toujours un ton sec avec ma mère.

« Es-tu obligée de parler à tout le monde de mes problèmes médicaux? » lui criais-je quand j'écoutais ses conversations au téléphone. « Est-ce que je peux avoir un peu d'intimité ici? » gémissais-je quand elle vérifiait que je n'étais pas tombée durant mes douches de deux minutes. Ma mère, qui n'avait jamais hésité à me dire « ça suffit » quand c'était nécessaire, s'excusait.

Quelques jours plus tard, c'était l'Action de grâce. Je ne me sentais pas très reconnaissante, mais j'avais une envie folle de la purée de pommes de terre de ma mère. La veille, elle était allée à l'épicerie et avait acheté tout ce que je voulais.

Le lendemain, étendue sur le canapé, je regardais ma mère préparer un repas de gourmet pour trois — filtrant même la sauce parce que le moindre grumeau me donnait envie de vomir. Je voyais à quel point cette journée était difficile pour elle; mon père était décédé six mois plus tôt, et c'était notre première fête « en famille » sans lui. Quand le dîner a été servi, ma mère s'est assise et a longtemps contemplé son assiette. « Vous ne mangez pas? » lui a finalement demandé Jack.

« Dans un instant », a répondu ma mère, des larmes perlant à ses yeux. « Je pensais seulement à quel point je suis reconnaissante d'avoir un petit-enfant qui s'en vient. Je n'aurais jamais pu traverser ces derniers mois sans ce bébé à attendre avec plaisir. Et je sais que vous allez aimer être parents autant que papa et moi l'avons toujours aimé. »

Je me suis rendu compte alors de quelle chance j'avais: tandis que mon mari travaillait toute la journée, puis passait ses soirées à assembler le berceau, monter la balançoire et la table à langer, et à tout préparer pour le bébé, j'avais ma mère pour prendre soin de moi.

Durant les dix jours suivants, j'ai laissé ma mère me dorloter, et je me suis laissée apprécier sa compagnie. Elle m'a raconté des histoires sur sa grossesse et mon enfance. Nous avons lu ensemble des livres et des magazines sur les bébés. Nous avons ri en écoutant des émissions médiocres et pleuré en regardant des films tristes. Nous avons mangé tous mes plats favoris. J'ai pu connaître la personne qu'est ma mère.

Je ne peux pas dire que tout était parfait, cependant. Je devais prendre un médicament « anti-contraction » toutes les six heures, y compris à deux heures du matin, et ma mère avait tendance à me réveiller à deux heures quinze, après que j'avais déjà éteint le réveille-matin, pris la pilule et que je m'étais rendormie. Elle était convaincue que si j'élevais les bras, j'étranglerais le bébé (malgré que mon médecin l'ait rassurée à maintes reprises que ce n'était pas possible), alors elle paniquait chaque fois que j'essayais d'atteindre quelque chose. Et elle disait des trucs comme: « Peut-être qu'après avoir eu le bébé, tu vas te raser les jambes de nouveau. »

Peu m'importait. En fait, je trouvais cela plutôt drôle. Et j'étais reconnaissante. Je savais que mon mari et moi nous serions débrouillés seuls s'il avait fallu. Mais avoir ma mère près de moi rendait les choses plus faciles.

Quand ma mère m'a accompagnée à l'hôpital pour mon troisième examen de réactivité fœtale, l'infirmière a dit: « Entrez, grand-maman. Ne voulez-vous pas entendre le cœur du bébé? » En même temps que le son du battement de cœur de mon bébé emplissait la pièce, j'ai entendu un autre son — celui des sanglots de ma mère.

« Le cœur du bébé va-t-il bien? a-t-elle demandé. Est-ce que tout est normal? » Quand l'infirmière a répondu que tout semblait parfait, je voyais ma mère rayonner à travers ses larmes, et j'étais si contente qu'elle soit là. Mon père était mort d'une crise cardiaque, et je me rendais compte que c'était un cadeau pour ma mère d'entendre le battement du cœur fort et en santé de son premier petit-enfant. Elle a serré ma main pendant que nous écoutions. Puis elle s'est tournée vers l'infirmière et a dit: « Et vous êtes certaine que Carol va bien? »

« Oui, Carol est en pleine forme, a souri l'infirmière. Vous prenez bien soin d'elle. »

« Eh bien, c'est mon bébé », a répondu ma mère en m'embrassant sur la joue.

À ce moment-là, j'ai vu que, pendant que je mettais ma vie en suspens pour faire ce qu'il y a de mieux pour mon bébé, ma mère mettait aussi la sienne en suspens pour faire ce qu'il y a de mieux pour son bébé. Et en tenant sa main, j'ai su que je suivais son exemple. Chaque fois que ma fille aura besoin de moi — peu importe l'âge ou l'humeur qu'elle aura — je serai là, tout comme ma mère me l'a enseigné.

Carol Sjostrom Miller

Voyons, ne sois pas ridicule... élever ma fille
ne m'a pas du tout privée de mes moyens !

Reproduit avec la permission de Kathy Shaskan.

La chaise berçante

Il y a autant de grandeur d'esprit à reconnaître un service qu'à le rendre.

Sénèque

J'ai trébuché d'épuisement, cherchant le téléphone qui sonnait. Max, âgé de trois mois et souffrant de coliques, ne dormait que deux heures de suite, et mon mari était absent, encore en voyage. Mon corps fatigué avait mal. J'ai trouvé le téléphone sous une petite couverture et j'ai répondu.

Ma mère a demandé: « Est-ce que Max dort mieux? »

« Un peu. »

« Tu ne dors pas du tout, n'est-ce pas? » Son ton était inquiet.

Mes yeux fatigués me brûlaient. « Pas beaucoup. »

« Ça doit être tellement difficile. »

Ma gorge s'est serrée. « Oh, maman, je suis épuisée! Je peux à peine penser. »

« J'arrive. »

Dehors, une tempête de décembre gémissait dans l'obscurité. Ma mère aurait à prendre le volant sur des routes glacées de canyon pour venir chez moi. J'ai répliqué: « Il neige beaucoup ici. Ne viens pas. Ça ira. »

« Je suis déjà en route. » Elle a raccroché. Des larmes d'épuisement et de soulagement me brouillaient la vue. Ma mère a toujours été ma force.

Le trajet habituel de trente minutes lui a pris une heure. Ma mère est arrivée les joues roses de froid, de la neige couronnant ses cheveux brun roux. Elle a pris bébé Max de mes bras et m'a donné l'ordre d'aller au lit. « Mais Max doit être nourri la nuit. »

Elle a secoué la tête. « Je sais comment réchauffer une bouteille. Au lit! » Son regard déterminé me disait de ne pas discuter.

Mon oreiller moelleux m'attirait, de même que ma chaude douillette de duvet. Je suis montée en me sentant soulagée, mais une fois couchée, je n'arrivais pas à dormir. La culpabilité m'envahissait. Je devrais être capable de prendre soin de mon bébé. Au moins, j'aurais pu offrir mon aide. Ma mère ne m'aurait pas laissée faire, me suis-je rendu compte. Je l'ai entendue roucouler pour Max en montant l'escalier. Bientôt, la chaise berçante a grincé dans la chambre de Max, d'avant arrière, d'avant arrière.

Soudain, je me suis souvenue de ma mère qui me berçait quand j'ai eu la varicelle. J'étais trop grande pour être bercée, mais des cloques avaient envahi ma gorge, mes oreilles et même le dessous de mes paupières. En me berçant, ma mère chantait: « Berce, berce ma grande, grande fille. » Le chant monotone me réconfortait. Quand je me réveillais la nuit, ma mère me donnait de petites gorgées d'eau et posait des débarbouillettes froides sur mon front brûlant. J'avais un sommeil agité, mais le matin, les cloques avaient séché, et je me sentais mieux.

Maintenant, j'entendais ma mère chanter à Max: « Berce, berce mon petit garçon. » Son chant monotone m'a relaxée, tout comme il l'avait fait quand j'étais enfant. J'ai glissé dans le sommeil, sachant que mon bébé était entre bonnes mains. Au matin, j'enlacerais ma mère, la remercierais, et lui dirais comment son amour nous a bercés, Max et moi, vers le sommeil.

Kendeyl Johansen

Reproduit avec la permission de Mark Parisi.

Mère toujours

Y a-t-il quelque chose de plus précieux, de plus stable, de plus constant ou de plus permanent que l'amour d'une mère?

La voir s'inquiéter et se tourmenter en attendant des nouvelles de sa petite fille qui avait subi une opération au cerveau était presque plus que je ne pouvais en supporter. À travers ses larmes, elle racontait des anecdotes de sa petite fille et exprimait son désir d'être auprès d'elle. Comme elle regardait constamment sa montre, faisant le décompte du temps que prendrait la chirurgie selon le médecin, j'essayais de penser à des paroles de réconfort. Mes mots ne semblaient pas appropriés parce que je n'avais jamais vécu sa situation. Comment pouvais-je comprendre cette veille, l'angoisse que lui causait cette attente?

Finalement, le téléphone a sonné. Marie avait bien traversé l'opération et récupérerait avec le temps. Le soulagement se lisait sur le visage de la mère alors que son corps relâchait visiblement l'étreinte sur ses nerfs. Enfin, cette mère de 86 ans pouvait se détendre, sachant que sa « petite fille » de 70 ans allait s'en remettre.

Elizabeth Sharp Vinson

2

L'AMOUR
D'UNE FILLE

*Ma mère voulait que je sois ses ailes,
que je vole comme elle n'a jamais vraiment
eu le courage de le faire. Je l'aime pour cette
raison. J'aime le fait qu'elle voulait
donner naissance à ses ailes.*

Erica Jong

La colombe d'Abigail

Aimer une autre personne,
c'est voir le visage de Dieu.

Victor Hugo

C'était la pire tempête de neige depuis dix ans, et je m'y étais fait prendre. Après avoir entendu que la neige ne débuterait que plus tard dans la soirée, je m'étais portée volontaire à notre église pour aller livrer des sacs d'épicerie et des médicaments d'ordonnance à des paroissiens âgés dans le besoin. Puisque mon mari était en voyage d'affaires, j'ai téléphoné à ma mère et elle est venue chez moi sans tarder pour garder ma fille de trois ans, Abigail.

« Quelqu'un d'autre ne pourrait-il pas aider ces gens? » m'a-t-elle demandé, inquiète pour ma sécurité. « J'ai un mauvais pressentiment à propos de tout cela, et il semble qu'il va neiger d'une minute à l'autre. »

J'ai jeté un coup d'œil par la fenêtre et j'ai dû admettre que le ciel était menaçant. Un doute m'a envahie.

« Ça va aller pour maman », a dit ma fille en souriant, prenant la main de sa grand-mère. « Elle aime aider les gens. En plus, je vais prier pour elle! »

Mon cœur s'est gonflé à ces mots. Notre relation était si profonde que parfois, quand je respirais, c'était comme si Abigail expirait. J'ai décidé alors que je devais agir conformément à ce que j'avais inculqué à ma fille: que parfois, il faut simplement sortir avec confiance et croire que Dieu va nous protéger. Après avoir embrassé mère et fille, je suis partie faire mes visites. À mon dernier arrêt, la neige a commencé à tomber.

« Vous n'auriez pas dû venir ici », m'a grondée Bill Watkins, un membre de notre communauté de 92 ans. Il a toussé, tentant de sortir du lit, mais l'effort était trop épuisant. Capitulant, il est retombé sur ses oreillers. « J'ai dit au pasteur que je ne m'attendais pas à ce que quiconque s'aventure dans les bois pour moi. »

« Balivernes », ai-je ricané, en déposant goûters et boissons près de son lit. Sous son extérieur bourru, Bill était aussi doux que la soie. Il devait prendre son médicament pour le cœur tous les jours, mais comme il n'avait qu'un modeste revenu et qu'aucun membre de sa famille n'était vivant, il avait besoin de toute l'aide possible.

« Eh bien, regardez ce que votre entêtement vous a apporté », a-t-il dit, pointant par la fenêtre la route couverte de neige. Ses doigts ont serré ma main. « Restez ici, Karen. Je veux que vous soyez en sécurité. »

J'ai déposé un baiser sur sa tête, mais j'ai décidé de braver l'état des routes. *Ce serait encore pire plus tard*, ai-je raisonné.

« Ça va aller », lui ai-je dit, me souvenant des mots doux de ma fille avant que je parte. La pensée d'Abigail a fouetté ma détermination de rentrer à la maison. Elle me manquait déjà.

Je suis montée dans ma Volkswagen et j'ai essayé graduellement de descendre la côte abrupte. Ayant en tête les vieilles directives sur la façon de conduire dans la neige, j'ai gardé la voiture en deuxième vitesse. Le vent soufflait plus fort, créant des bourrasques de blanc aveuglant. Comme je plissais les yeux pour voir à travers le pare-brise, retenant mon souffle, j'ai hurlé et donné un coup de volant, ratant de justesse le chevreuil immobilisé par mes phares.

Ma voiture a frappé le remblai, plongé sur le côté de la route, et glissé jusqu'au fond d'un ravin plus bas. Lorsque le roulement a enfin cessé, j'ai ouvert les yeux et je me suis rendu compte que j'avais perdu conscience pendant quelque temps. Le soir était tombé — et avec lui, l'accumulation de neige prévue. En proie à la panique, j'ai essayé d'ouvrir la portière, mais elle ne cédait pas à la pression de la neige. Me glissant sur le siège du passager, je me suis aperçue que cette portière était coincée par un arbre. J'ai tourné la clé pour démarrer le moteur, mais la batterie était à plat. Mes espoirs de faire descendre les vitres électriques pour me sortir en rampant se sont évanouis. Sans chauffage ni vêtements adéquats, je me suis recroquevillée sur le siège arrière et j'ai attendu du secours.

L'air glacial m'enveloppait. Grelottante, je me maudissais de ne pas m'être préparée à des circonstances semblables. J'avais déjà les orteils et les doigts engourdis. Une éternité a semblé passer, et en écoutant le vent et la neige frapper contre la voiture, je priais pour ma famille qui devait être morte d'inquiétude à présent. Abigail me ferait probablement des dessins quand je rentrerais. Depuis qu'elle était assez grande pour tenir un crayon, elle dessinait pour ensoleiller les journées de ses proches.

Afin de calmer mon inquiétude croissante, j'ai fermé les yeux et je me suis concentrée sur des pensées agréables. Glissant dans le sommeil, j'ai vu Abigail dans la chaude lumière du soleil, riant en me tendant une belle colombe blanche. La présence gracieuse et sereine de la colombe et l'amour brillant dans les yeux de ma fille m'ont remplie de paix.

La nuit a encore refroidi. Oscillant entre le sommeil et l'éveil, j'ai fixé mon esprit sur l'image d'Abigail et de sa colombe. Ensemble, elles m'ont tenu compagnie durant la nuit. Des heures plus tard, aux premières lueurs de l'aurore, j'ai entendu frapper sur la vitre. Soulagée de voir une équipe de secours, mes lèvres raidies ont tenté de sourire pendant qu'on me hissait sur une civière puis dans une ambulance. À l'hôpital, on m'a soignée pour une légère engelure et une blessure à la tête, avant qu'on me dise que je devais passer la nuit sous observation. Très désireuse de voir ma famille, je me suis dressée sur les oreillers et j'ai attendu impatiemment.

Avant longtemps, la porte s'est ouverte et ma mère est entrée en trombe dans la pièce. « Nous étions tellement inquiètes pour toi! » s'est-elle écriée, se précipitant pour m'enlacer. « Je savais que tu étais mal prise! Les mères sentent ces choses-là. » Son instinct maternel a fait surface quand elle a évalué le plateau de nourriture posé tout près. « Ton thé est froid! Je reviens tout de suite. »

Saisissant l'occasion de m'avoir à elle seule, Abigail est montée sur le lit et a enfoui son visage dans mon cou. Je l'ai ramenée encore plus près. « Tu m'as tellement manqué », ai-je murmuré doucement, dégageant une mèche de cheveux soyeux de son visage. « Et qu'est-ce que tu as fait pendant mon absence? »

« Oh! j'oubliais! » s'est-elle exclamée, bondissant hors de mes bras pour s'emparer d'un gros cylindre de papier de bricolage. « J'ai dessiné ça pour toi hier soir, quand on ne savait pas où tu étais. Je pensais que tu avais peur, et je voulais que tu te sentes mieux. »

Comme si c'était une carte au trésor, je l'ai déroulé et me suis exclamée sur les images. « Eh bien, c'est notre voiture », ai-je dit, indiquant le carré rouge. « Et c'est moi », ai-je rigolé, touchant du bout des doigts un bonhomme allumette avec de longs cheveux. « Mais qu'est-ce que je tiens? »

Les yeux d'Abigail brillaient alors qu'elle glissait son doigt vers le petit objet sur le papier. « C'est l'esprit de Dieu. Je l'ai dessiné comme une colombe, comme j'ai vu à l'école du dimanche. » Elle a pressé ses lèvres douces sur ma joue et a ajouté: « Je ne voulais pas que tu sois toute seule, maman, alors je t'ai donné le meilleur ami que je pensais. »

« Oh, ma chérie », me suis-je exclamée, me rappelant la colombe blanche qui m'avait réconfortée dans la nuit la plus sombre. « Ta colombe *était* avec moi. » Prenant sa main, je me suis émerveillée du lien céleste entre mères et filles.

« Et que regardez-vous toutes les deux? » a interrompu ma mère, en posant une tasse de thé fumant sur la table de chevet. Elle allait s'éloigner quand j'ai saisi sa main et que je l'ai placée entre celle d'Abigail et la mienne. C'était un sentiment extraordinaire, cette incroyable connexion entre trois générations.

« Nous regardons l'amour qui coule entre nous », ai-je chuchoté, déposant un baiser sur la tête de ma fille tout en croisant le regard complice de ma mère. Jetant de nouveau le regard sur le dessin d'Abigail, j'ai observé attentivement le bel oiseau qui, par une nuit si lugubre, avait relié le cœur de ma fille au mien.

Des années plus tard, cet événement extraordinaire de notre relation mère-fille a porté le nom de « miracle ». Le miracle de la colombe d'Abigail.

Karen Majoris-Garrison

La mère de la fête des Mères

Qui accourait pour m'aider quand je tombais,
Et qui me racontait de jolies histoires,
Ou embrassait le bobo pour le guérir?
... ma mère.

Jane Taylor

Elle n'a peut-être pas été la première personne à suggérer une journée consacrée aux mères, mais il est clair que les efforts d'Anna M. Jarvis sont directement responsables de la célébration d'aujourd'hui. Mme Jarvis est née à Webster, en Virginie, en 1864. Après l'université et une brève carrière d'enseignante, elle s'est installée à Philadelphie avec sa sœur aveugle et sa riche mère, Anna Reese Jarvis, à qui elle était dévouée.

Anna avait 41 ans quand sa mère est morte, et elle est devenue la gardienne de sa sœur et de biens considérables. Durant la période de deuil, elle a eu l'idée d'une fête des Mères. Au deuxième anniversaire de la mort de sa mère (le deuxième dimanche de mai 1908), Anna a annoncé à ses amis qu'elle voulait instituer la fête des Mères.

Ironiquement, le Sénat américain a voté contre la fête des Mères, en 1908. D'après les recherches, certains sénateurs ont fait cette remarque: « Nous pourrions aussi bien avoir une fête des Pères ou une fête des Grands-pères ou une fête des Belles-mères. » Mais l'année suivante, Anna Jarvis a commencé la tradition d'un service religieux pour la fête des Mères et a persuadé les édiles de Philadelphie d'observer la fête des Mères dans toute la ville. En 1912, la Virginie-Occidentale a fait de la fête des Mères une fête d'État, puis les

États d'Oklahoma, de Washington, de Pennsylvanie et d'autres ont suivi. En 1914, le Sénat a changé d'idée, et en mai, le président Woodrow Wilson a signé une résolution conjointe du Congrès, qualifiant les mères comme « la plus grande source de force et d'inspiration du pays ».

Anna M. Jarvis est décédée en 1948 à Philadelphie, sans le sou et aveugle, ayant consacré la dernière partie de sa vie et une grande part de sa fortune à promouvoir la fête des Mères. Son héritage est son cadeau à la mère qu'elle aimait tant.

Hallmark

À tes yeux

À tes yeux, maman,
J'ai toujours été la plus jolie,
La plus brillante, la plus drôle,
Celle qui avait le potentiel
D'accomplir n'importe quoi.

À tes yeux,
Mes échecs ne sont
Que des répétitions pour le succès;
Mes faiblesses,
Que des forces en devenir;
Mes erreurs,
Qu'une occasion d'apprendre.

À tes yeux,
Je suis la plus forte
Et la plus douce.
Je suis l'épaule sur laquelle
Le monde peut venir pleurer
Et le rocher sur lequel
Il peut s'appuyer.

À tes yeux,
Je suis la plus créative
Et la plus artistique:
Chaque bonhomme allumette,
Une Mona Lisa;
Chaque figurine d'argile,
Un David.

À tes yeux,
Je suis la plus aimée et aimante
La meilleure amie de chacun
La fille parfaite
La mère parfaite
L'épouse parfaite
Une belle personne à connaître.

Et quand je me vois
Réfléchie dans tes yeux,
Je vois quelqu'un.
Dix fois la personne que je serai jamais —
Je te vois.

Melissa Peek

Un voyage en autocar
pour maman à la fête des Mères

Je ne veux pas être une passagère
dans ma propre vie.

Diane Ackerman

Au début de mai, je devais assister à un congrès à la Nouvelle-Orléans. C'était justement ce que voulait entendre ma mère de 86 ans.

« Pourquoi ne puis-je pas y aller, moi aussi? J'aimerais bien revoir la Nouvelle-Orléans! »

J'avais des réserves à propos des voyages pour maman, surtout depuis qu'une vieille blessure à la hanche se manifestait de nouveau. Mais elle était tellement enthousiaste que je me suis dit qu'un court voyage en avion serait très bien. Ce n'était pas ce que maman avait en tête, toutefois.

« Tu te souviens quand tu étais enfant et que nous voyagions partout en autocar? N'était-ce pas amusant? » a demandé maman avec un sourire.

Des souvenirs d'heures très éprouvantes à des gares routières et de sandwichs avalés en toute hâte dans des restaurants au bord de la route évoquaient des termes autres « qu'amusant » à mon esprit. Puis, maman a sorti ses canons: « C'est presque la fête des Mères. Un voyage en autocar à la Nouvelle-Orléans pourrait être le cadeau que tu m'offres. »

Adieu mes protestations.

Nous sommes donc parties de San Diego par un matin frisquet, en direction de l'est. Maman s'est vite liée d'amitié avec les hommes hispaniques qui retournaient chez eux dans Imperial Valley après avoir travaillé toute la semaine à San Diego. Avant que je puisse déposer ou sortir son sac du porte-bagages, deux jeunes hommes au teint foncé m'y avaient devancée. Et maman s'extasiait à la vue des montagnes et du désert.

« Regarde tous ces légumes qui poussent, encore plus que lorsque nous avons traversé Imperial Valley auparavant. »

Les cactus géants de l'Arizona l'ont enchantée, et le Texas a répondu à toutes ses attentes: les fleurs sauvages, les collines, les ruisseaux gazouillants, et les chèvres broutant les champs broussailleux. Maman avait fait l'élevage de chèvres quand j'étais petite. La plupart des passagers du car au Texas étaient afro-américains, et maman a évoqué avec eux l'époque où notre famille s'est d'abord installée en Californie, à la fin des années 1940. Je pouvais toujours savoir à quelle rangée de l'autocar se trouvait maman lorsque je revenais avec des goûters. Elle était là où il y avait des rires.

Le chili à la station routière de San Antonio était si savoureux que maman a insisté pour féliciter la fille qui l'avait mitonné. À compter de ce moment, et bien après notre retour à la maison, maman a voulu manger du chili, mais il ne goûtait jamais aussi bon que celui à San Antonio.

Quand nous sommes arrivées à la Nouvelle-Orléans, je craignais que maman commence à se fatiguer. Je me rappelais encore les opinions plutôt défavorables qu'avaient émises mes amis à propos d'une vieille dame de 86 ans passant autant de temps à bord d'un autocar.

« Nous allons prendre une chambre d'hôtel à la Nouvelle-Orléans et nous reposer quelques jours avant de retourner à la maison », ai-je dit à maman.

« Non, a-t-elle fait en riant, je veux remonter dans l'autocar et tout voir dans l'autre direction ! »

Donc, après une journée à regarder les bateaux sur le Mississippi, à écouter la sérénade de musiciens de jazz et à flâner dans le quartier français, nous avons repris la route vers l'ouest.

Maman se souvenait de tous les paysages et avait hâte de revoir les lumières au-dessus de Sierra Blanca et les chèvres.

Voir maman se donner du bon temps s'est révélé le clou du voyage. Ma présentation au congrès a sombré dans l'insignifiance.

Quand nous sommes revenues à San Diego, maman a régalé tout un chacun de nos aventures. Ses amis et la famille se tordaient de rire au récit de la pagaille d'avoir « perdu » notre autocar à Phoenix. Je ne sais trop comment, nous étions descendues sans cartes d'embarquement, puis nous ne trouvions plus notre autocar. J'ai dit à quelqu'un que tout ce que nous savions, c'est que notre chauffeur était dans la cinquantaine et portait des lunettes. Quand nous avons transmis cette description à un agent irrité, il a grogné que « tous les chauffeurs sont dans la cinquantaine et portent des lunettes ».

Notre famille a fait nombre de voyages en autocar, en train et, finalement, dans la voiture familiale avec maman au volant, tirant une remorque. Mais c'était le premier voyage pour maman et moi seules. J'ai été effrayée en me rendant compte à quel point j'ai bien failli ne pas faire ce voyage avec maman, une expérience qui s'est révélée être l'un de nos plus doux souvenirs.

Maman est demeurée parmi nous sept autres années, et presque jusqu'à la fin, elle mentionnait le voyage à la Nouvelle-Orléans au moins une fois par jour. Ses yeux s'illuminaient, et elle disait: « Te souviens-tu de toutes ces chèvres? » et « Je ne peux toujours pas croire qu'il a fallu monter des escaliers roulants pour voir le Mississippi! »

Il y a trois ans, maman nous a quittés pour les rivages d'un monde meilleur, mais je savoure encore le souvenir du meilleur cadeau de la fête des Mères que je lui ai offert, et quel cadeau ce fut pour moi. J'avais craint que 86 ans ne soit trop vieux pour une telle aventure, mais tout s'est très bien passé. Maman était la passagère la plus âgée de l'autocar, et toujours celle qui s'amusait le plus.

Anne Schraff

Comme la vie serait plaisante à vivre si chacun tentait de faire la moitié seulement de ce qu'il attend des autres.

William J. H. Boetcker

Bras dessus, bras dessous

Quand je n'ai pas pensé à ma mère depuis un moment et que quelqu'un ou quelque chose me la rappelle, elle m'apparaît d'abord comme je la voyais à mes 10 ans. Elle marche dans notre rue, vêtue d'un manteau à carreaux, portant un ou deux sacs d'épicerie. Je suis à la fenêtre du salon et je surveille, et quand elle est assez près pour que je puisse voir son visage, je bondis hors de la maison et je cours à sa rencontre. Elle sourit en m'accueillant, et mon cœur se gonfle. Je lui prends peut-être un sac, ou elle refuse peut-être mon aide. Dans un cas ou dans l'autre, je pose ma main dans le creux de son coude, et nous faisons le reste du chemin ensemble.

L'image me reste parce qu'elle représente l'essence de notre relation: toutes deux ensemble, surmontant tous les aléas et les obstacles que la vie peut présenter à une femme abandonnée par son mari et élevant seule son unique enfant.

J'ai en mémoire une foule d'images tout aussi lumineuses.

Notre maison est située dans un croissant, donc, quand j'entamais le trajet du coin de la rue, je pouvais déjà voir la lumière à la fenêtre. Derrière cette lumière, je savais que ma mère serait en train de travailler à la cuisine ou, des années plus tard, qu'elle attendrait dans son grand fauteuil le bruit de mes pas sur la véranda.

Il y avait toujours cet échange de sourires, cet instant d'enchantement partagé avec cette femme qui a été mon parent, ma chère amie, ma compagne de vie.

Je me souviens de sa silhouette robuste penchée sur une pelle ou un râteau dans la cour. Sa tâche n'était pas de dorloter de fragiles floraisons ou des légumes naissants. Ma mère était celle qui tondait, taillait, raclait, et traînait sur le trottoir de grands sacs remplis de feuilles aux couleurs vives. Un été, je l'ai regardée abattre six pins de plus de deux mètres avec une scie de boucher, la seule étant assez petite pour qu'elle puisse la manier.

Dans mes jeunes années, je tenais les sacs à feuilles ouverts pour qu'elle les remplisse. Puis, nous travaillions côte à côte. Beaucoup plus tard, j'ai hérité de la tâche, qui a ensuite été confiée à un homme engagé. Mais elle a toujours aimé « surveiller son domaine », comme elle le disait avec ironie, coupant une branche ici, ramassant un papier égaré là, me permettant de glisser ma main sous son avant-bras pour son équilibre. Puis, elle n'a plus été capable de faire même cela.

Les années ont donc passé pour nous: des Noëls avec des arbres qui devenaient plus petits chaque année, puis qui ont disparu, laissant à deux anges en velours rouge le soin de claironner la saison; des anniversaires avec des gâteaux dont la taille diminuait aussi, contrairement aux cartes dont les sentiments devenaient plus expansifs et plus doux-amers.

Une fois, nous avions imaginé que j'aurais une vie plutôt distincte de la sienne, une vie remplie de triomphes qu'elle pourrait partager. Il y en a eu quelques-uns. S'il y a eu autant de chagrins d'amour, peu m'importait; elle les partageait aussi. Nous avions cru qu'elle me rendrait visite dans une autre maison, une autre ville, un autre monde. Nous n'avions pas planifié que j'atteindrais l'âge mûr à deux pas d'elle, dans le même corridor. Mais c'est ainsi qu'il en a été, et je n'ai pas de regrets. Elle m'a donné les rires, la sagesse et l'amour sans limites.

Elle a vieilli, et souvent au petit matin, bien avant l'aube, je me réveillais et lui jetais un coup d'œil furtif pour m'assurer qu'elle respirait, complétant le cercle des préoccupations entamé par elle quand je suis née.

Parfois, nous lisions ou regardions un film ensemble, en fin de soirée, et je la regardais, absorbée par l'histoire, ou somnolant tranquillement, et je pensais: *Cela me suffit.*

Maintenant, elle a dû quitter notre chez-nous, et pour moi ce n'est plus qu'une maison. Je vais la voir et je m'assois près d'elle. Je regarde sa main fragile qui tient la mienne pendant qu'elle dort, et je peux finalement dire: « Cela ne suffit pas. Pas pour elle. »

« Deux cœurs qui battent à l'unisson, blaguait-elle à propos de nous. Si on en retranche un, l'autre saignera. » Oui, mais au bout du compte, l'un doit continuer sans l'autre.

J'aime croire qu'il y a une vie après la vie, bien que cette certitude me manque ainsi que le réconfort que cela apporterait. Je crois quand même que tant d'amour et tant d'énergie doivent aller quelque part. J'aime les histoires de gens qui disent traverser des tunnels vers une lumière blanche et rencontrer des êtres chers « de l'autre côté ».

La vie étant ce qu'elle est, je ne peux même pas être certaine que ma mère partira la première. Peut-être la précéderai-je, terrassée par le fardeau d'un deuil anticipé.

Quoi qu'il arrive, j'espère que les histoires sont vraies: que nous nous reverrons. Si c'est le cas, je sais que nous sourirons en nous rencontrant, tout comme nous l'avons fait, il y a de cela une vie entière, quand j'étais petite et qu'elle était jeune, et que l'espoir était invincible. Nos cœurs se gonfleront alors, et nous marcherons le reste du chemin ensemble.

Pam Robbins

La pire mère du monde

Les fleurs poussent malgré les moments sombres.

Corita Kent

Après m'avoir maternée pendant trente ans, ma mère, debout dans la cuisine de ma maison, m'a annoncé: « J'ai été la pire mère du monde, et j'en suis si désolée. » Elle a continué à s'excuser pour toutes les choses qu'elle n'a pas su faire en m'élevant. Je me suis rendu compte qu'elle était remplie de culpabilité au sujet des règles strictes des années de mon éducation qui m'ont fait manquer plein de danses à l'école. Elle était mortifiée que mon père et elle fussent trop pauvres pour me payer ma bague de graduation. Elle avait honte d'elle à cause des punitions qui duraient des semaines. Elle était attristée d'avoir essayé de choisir mes amis. Elle était intarissable sur ses erreurs et ses regrets alors que des larmes noyaient son visage.

À ce moment précis, maman paraissait si belle. Je me suis demandé pourquoi toute ma famille, moi y compris, la tenait pour acquise. Comment dites-vous à votre mère tout ce qu'elle signifie pour vous? Je voulais lui dire que les punitions et les règles strictes de mon enfance n'occupent qu'un petit recoin de ma mémoire en comparaison de mes souvenirs des soirées où elle me laissait me coucher tard et confectionner des biscuits avec elle. J'ai gardé le silence au lieu de lui mentionner à quel point j'avais été touchée qu'elle ait gratté ses fonds de tiroirs pour payer mes souliers de mariage et la bourse assortie. Je n'arrivais pas à libérer l'émotion dans ma gorge pour que je puisse lui expliquer les millions de façons qu'elle a de me faire sentir spéciale. Ce jour-là, j'aurais dû dire à ma mère que, de toutes les personnes dans ma vie, aucune ne m'a aimée inconditionnellement comme elle le fait.

Quatre années ont passé depuis ce jour où je n'ai pas signifié à ma mère que ses erreurs étaient de minuscules taupinières, et que son amour et sa compréhension étaient de majestueuses et belles montagnes dans ma vie. Mais je lui dis maintenant. *Merci, maman, et merci, mon Dieu, pour la pire mère du monde.*

Polly Anne Wise

« Est-ce que tu crois vraiment qu'un gâteau
sans sucre, c'est le clou d'une fête d'ados ? »

Reproduit avec la permission de David Cooney.

Un secret pour maman

Avec de la chance, un seul fantasme peut transfor-
mer un million de réalités.

Maya Angelou

En songeant à l'arrivée des fêtes, je pense à tous les chaleureux et merveilleux Noëls de mon enfance, et je sens un sourire se dessiner sur mon visage. C'étaient vraiment des moments inoubliables. En vieillissant, les souvenirs de Noël se sont estompés, et les fêtes sont plutôt devenues une période triste et déprimante pour moi… jusqu'à l'année dernière. Je crois alors avoir appris comment revivre cette joie et cet émerveillement que je ressentais enfant.

Chaque année je tergiverse, ne sachant jamais quoi offrir à ma mère pour Noël. Une autre robe de chambre et des pantoufles, du parfum, un chandail? Tous de beaux cadeaux, mais ils ne traduisent pas mon amour comme ils le devraient. Je voulais quelque chose de différent, quelque chose qu'elle aimerait pour le reste de sa vie. Quelque chose qui lui redonnerait son beau sourire et son pas alerte. Elle habite seule et, bien que je veuille passer du temps avec elle, je ne peux que lui faire une visite occasionnelle à cause de mon horaire. J'ai donc pris la décision de devenir son père Noël secret. J'étais loin de me douter que c'était précisément ce que le médecin avait prescrit.

Je suis sortie et j'ai acheté toutes sortes de petits cadeaux, puis je me suis dirigée vers les sections plus coûteuses du centre commercial. J'ai acheté des petits riens, des articles que seule ma mère aimerait. J'ai tout apporté chez moi et enveloppé chaque objet différemment. Puis j'ai fait une carte à l'ordinateur pour chaque cadeau, d'après la chanson « Les douze jours de Noël ». Et mon aventure a commencé. La première journée était si excitante. J'ai déposé un cadeau à sa porte. Je suis retournée à la maison en vitesse et lui ai téléphoné, prétextant m'enquérir de sa santé. Elle débordait de joie. Quelqu'un lui avait laissé un cadeau et avait signé « Père Noël secret ».

Le lendemain, le même scénario s'est déroulé. Après quatre ou cinq jours, je suis allée chez elle, et mon cœur a chaviré. Elle avait déposé tous les cadeaux sur sa table de cuisine et les montrait à tout le monde de son immeuble. Les emballages et tout le reste étaient étalés, et chaque cadeau portait sa carte. Elle n'a pas arrêté de parler de cet admirateur secret de toute ma visite. Ses yeux brillaient et sa voix était rythmée. Elle était au septième ciel. Chaque jour, elle me téléphonait pour me donner des nouvelles du dernier cadeau trouvé à son réveil. Puis, elle a décidé d'essayer de prendre au piège la personne responsable, et elle a dormi sur le canapé, la porte entrouverte. Alors j'ai déposé le cadeau plus tard dans la journée, et elle s'est inquiétée que les cadeaux n'arrivaient plus. J'étais tout aussi excitée qu'elle. Le dernier jour, la carte l'invitait à s'habiller ce samedi-là et à aller chez Applebee's pour dîner. C'est là qu'elle rencontrerait son père Noël secret. Elle était folle de joie. La carte spécifiait aussi de demander à sa fille Susan (c'est moi) de l'y conduire, et qu'elle reconnaîtrait son père Noël secret au ruban rouge qu'il porterait. Je suis donc allée la chercher et nous voilà parties.

À notre arrivée, l'hôtesse nous a placées, et maman a regardé autour. Son sourire s'est évanoui, et elle a demandé quand elle allait rencontrer son père Noël secret. J'ai retiré mon manteau lentement et elle a vu le ruban rouge. Elle s'est mise à pleurer et à s'inquiéter à propos de tout l'argent que j'avais dépensé et de la façon dont je m'y étais prise pour tout manigancer. Je ne l'avais jamais vue aussi heureuse.

Quand tout a été terminé, j'ai constaté à quel point je me sentais bien et, aussitôt, je me suis rappelé quelque chose de très important. Quand j'étais enfant, ma mère m'a enseigné qu'il est plus agréable de donner que de recevoir. La réalité m'a frappée de plein fouet. Toutes ces années où j'avais été triste durant les fêtes, c'était probablement parce que j'attendais de « recevoir » plutôt que de « donner ». Cette prise de conscience m'a apporté un peu d'humilité, et maintenant, j'en suis certaine, maman a raison...

Susan Spence

Elle va toujours me manquer

J'ai ouvert le tiroir des linges à vaisselle pour la sixième fois environ, espérant qu'ils seraient apparus comme par magie. Mais bien sûr, les tout nouveaux linges ne s'y trouvaient pas. « Qu'est-ce que maman en a fait? » me questionnai-je à voix haute. Je savais qu'ils devaient être quelque part parce que je les lui avais offerts pour Noël, quelques mois auparavant seulement. Ce n'est pas que les linges étaient terriblement importants, mais que, lorsqu'on attend des invités, on aime bien que tout soit impeccable. D'accord, peut-être ne trouverais-je pas les linges à vaisselle. Mais là encore, les invités n'arriveraient pas avant le lendemain. Amplement le temps de me soucier des linges à vaisselle plus tard. À bien y penser, peut-être devrais-je les oublier tout à fait.

La nièce de mon père et son mari ne semblaient pas du genre à s'enfuir en courant parce que leur hôtesse n'avait pas sorti les nouveaux linges à vaisselle. Quoi faire d'autre? Peut-être devrais-je voir si je peux mettre la main sur la plus belle nappe de maman. La nappe était toujours une des choses sur lesquelles insistait ma mère quand nous avions des invités. J'ai ouvert le tiroir où maman rangeait ses nappes et, assurément, elle y était. Mais quand j'ai sorti la nappe brodée à la main et que je l'ai dépliée, j'ai été consternée. Au beau milieu se trouvait une énorme tache. Comment donc la plus belle nappe de maman, celle qu'elle avait mis tant de mois à finir, avait-elle abouti avec une tache? Oh, oui, c'est vrai. Nous étions tous ici à Noël, et un des enfants de mon frère avait renversé par mégarde un verre de boisson gazeuse. L'image de son petit-fils sanglotant de remords avait été plus importante que la nappe, et maman avait dit être certaine que la tache partirait au lavage.

Bon, il semblait donc que je doive oublier la nappe, aussi. Peut-être serais-je mieux de passer aux plus grosses tâches immédiatement, comme passer l'aspirateur. Contente de finalement faire un certain progrès, j'ai sorti l'aspirateur. Sauf que... pourquoi faisait-il un drôle de bruit? Et pourquoi n'aspirait-il pas les morceaux de papier sur la moquette du salon? J'ai retiré le tuyau de fixation et remis l'appareil en marche. A-ha! Voilà pourquoi. Pas de succion. Le tuyau était bouché. Bien sûr qu'il était bouché. Je ne pouvais pas trouver les linges à vaisselle. La plus belle nappe de maman avait une grosse tache. Pourquoi le tuyau de l'aspirateur ne serait-il pas bouché?

Et c'est à ce moment-là que je me suis mise à pleurer. Qu'allais-je faire maintenant? Est-ce qu'un cintre pourrait réparer l'aspirateur? Pas de linges à vaisselle neufs ni de nappe était déjà assez malheureux, mais je ne pouvais absolument pas laisser entrer les invités sans passer l'aspirateur. Je suis allée dans le placard de maman, j'ai trouvé un cintre et l'ai déplié. Trente minutes plus tard, toutefois, l'aspirateur était toujours bouché.

Où était papa? Je savais qu'il était dehors, et parce que nous étions à la mi-avril, il faisait probablement des petits travaux dans son jardin, mais pourquoi n'était-il pas ici quand j'avais besoin de lui? Après avoir été agriculteur pendant plus de cinquante années, il pouvait réparer n'importe quoi. Et d'ailleurs, j'avais beaucoup d'autres tâches à accomplir. À ce moment précis, il est entré dans la maison. « Qu'est-ce qui ne va pas? » a-t-il demandé, voyant mon visage strié de larmes.

Même s'il y avait des années que je ne l'appelais plus « papa », le mot est sorti tout seul, accompagné de nouvelles larmes. « Oh, papa, je ne trouve pas les nouveaux linges à vaisselle. La nappe a une grosse tache. L'aspirateur est bouché. Et, et... » Je me suis arrêtée et j'ai avalé difficilement. « ... je m'ennuie de ma mère. » Voilà. Je l'avais dit. Et à cet instant, le monde entier a semblé s'arrêter alors que papa prenait une grande respiration et expirait lentement.

« Je sais qu'elle te manque. À moi aussi. »

Voyez-vous, seulement trois semaines auparavant, maman avait reçu un diagnostic de cancer avancé de la vésicule biliaire. Elle était morte le samedi soir, et nous étions le lundi suivant. La nièce de mon père et son mari roulaient plus de 450 kilomètres en automobile pour venir assister aux funérailles et ils allaient séjourner à la maison. Comme papa me regardait, j'ai remarqué à quel point il avait vieilli au cours des dernières semaines. Son visage était couvert d'une barbe argentée de plusieurs jours. Les matins où mon père ne se rasait pas étaient rares, mais naturellement, les deux jours précédents avaient été loin d'être ordinaires. « Et tu sais quoi?, a repris papa. Elle va toujours te manquer. En fait, cela ne s'effacera jamais tout à fait. Même quand tu seras aussi vieille que moi. »

Les funérailles terminées et les parents de mon père partis, j'ai trouvé les linges à vaisselle. Maman les avait rangés dans un tiroir de sa commode. Et après plusieurs lavages, la tache sur la nappe a finalement disparu. Papa a réussi à réparer l'aspirateur, aussi. Mais rien ne pouvait réparer le fait que ma mère était partie. Et maintenant, après toutes ces années, je me rends compte que papa avait raison — elle va toujours me manquer.

Mais j'ai aussi compris ce qu'il essayait de me dire d'autre, ce jour d'avril 1985 — que m'ennuyer de ma mère la garde vivante dans mon cœur.

LeAnn R. Ralph

Est-ce trop demander?

Les visages de notre famille sont des miroirs magiques. À regarder les personnes qui sont des nôtres, nous voyons le passé, le présent et l'avenir.

Gail Lumet Buckley

À la remise des diplômes d'études secondaires, des prix étaient attribués pour l'accomplissement, la contribution à l'école, à la communauté, les bourses d'études et autres. J'ai écouté patiemment, sachant qu'ils n'étaient pas pour moi. Le prix de l'aumônier était décerné à l'élève qui incarnait le mieux la devise de l'école: « La voie, la vérité, la vie ». J'aimais cette devise et j'étais certaine qu'elle définirait ma vie, même si j'ignorais encore de quelle manière.

Le directeur a lu la liste des qualités qu'avait la candidate de cette année: la plus généreuse, elle a contribué le plus aux activités communautaires, la plus, la plus, la plus. Je ne peux même pas répéter tous les qualificatifs qui ont été nommés. Je me disais: *Pourquoi parlent-ils de ma mère, pourquoi recevrait-elle un prix lors de la remise des diplômes?* Je savais qu'elle était comme ça. Notre communauté le savait aussi. Ces paroles la décrivaient parfaitement.

Quand j'ai entendu prononcer mon nom, je me suis mise à pleurer. Je suis montée sur la scène pour recevoir le prix que ma mère, dans mon for intérieur, avait mérité. Sans m'en rendre compte, je l'avais intégrée en moi et, debout sur la scène, je me reconnaissais aussi. J'ai cru que je ne demanderais jamais rien d'autre que la joie de ce moment.

Est-ce trop demander?, me suis-je interrogée, des années plus tard.

Mon vœu le plus cher était d'aller à l'école de théologie de Yale, celle que je voulais plus que toute autre, la carrière pour laquelle je savais être appelée, le parcours entamé lors de la remise des diplômes. Quand la lettre d'acceptation est arrivée, je me suis dit que ce n'était peut-être pas trop demander. Mais comment allais-je pouvoir payer ces études? Ce serait sûrement trop demander, voire d'espérer que ma mère puisse régler mes droits de scolarité. Mais même dans mon doute, je connaissais la réponse. Rien n'était trop demander à ma mère. Et ainsi, je suis allée à l'école de théologie de Yale.

Des années plus tard, moi-même prêtre de l'Église épiscopalienne, mariée à un autre prêtre épiscopalien, je me suis demandé de nouveau, après des années à essayer de concevoir: *Est-ce trop demander d'avoir un enfant?* J'avais tant déjà: l'amour, une congrégation, mes parents, ma grand-mère, ma sœur, ma santé et mon mari. J'avais un profond désir d'avoir un enfant, mais en demandais-je trop?

Peu après, nous avons eu un fils et, encore une fois, j'ai cru que c'était tout ce que je demanderais à la vie.

Mais je savais au fond de mon cœur que je chérirais une fille. J'ai prié pour être guidée et je me suis surprise à penser de temps à autre: *Est-ce trop demander d'avoir une fille?*

Quelques mois plus tard, j'ai été exaucée. « Oui, a dit le médecin, vous êtes enceinte d'environ deux mois. Voulez-vous connaître le sexe du bébé? »

« Je le connais déjà », ai-je souri. De nouveau, j'ai fait une prière silencieuse de gratitude, et j'ai su que je ne demanderais rien d'autre à la vie.

Ma fille est née, en santé et magnifique, et je sais maintenant que ce que je vais bientôt obtenir n'est pas trop demander. Dans les moments qui vont suivre, les quatre-vingt-cinq années qui séparent ma grand-mère de son arrière-petite-fille vont s'effacer. Je me rends compte, dans un instant d'étonnement, que tout comme j'ai intégré ma mère en moi, ma mère aussi a intégré sa bonne et généreuse mère en elle; puisse ma fille, si je pouvais demander juste une chose encore, nous intégrer toutes dans son être.

En attendant mon vol de nuit, je ne demande rien et je dis du fond de mon cœur: « Merci ».

La révérende Melissa Hollerith

3

SOUVENIRS

*Il n'est possible d'être heureux à jamais
qu'en vivant au jour le jour.*

Margaret Bonano

Les années du pot magique

J'aime ces petites personnes; et ce n'est pas une mince affaire quand elles, venues tout droit de Dieu, nous aiment.

Charles Dickens

Un jour, une mère a apporté à la maison un petit pot et l'a donné à sa fille lors de son anniversaire. Elle a raconté à sa petite fille que le pot était magique, qu'elle pouvait écrire à sa maman à propos de quoi que ce soit, déposer le papier dans le pot et, plus tard, à la place de son mot, il y en aurait un pour elle. Le pot est vite devenu un élément privilégié de leur vie.

La petite fille adorait recevoir des lettres de sa mère. Ces lettres lui disaient toujours à quel point elle était spéciale et contenaient des tas de xxxx et de oooo. Souvent, il s'y trouvait des rappels d'une activité qu'elles avaient prévu faire ensemble le lendemain, ou une lettre lui souhaitant bonne chance s'il y avait bientôt un récital de ballet. Parfois aussi, il y avait un petit cadeau dans le pot, et une note lui rappelant à quel point sa maman était fière d'elle. Elle gardait toutes les lettres de sa maman dans une jolie boîte près de son lit.

La mère chérissait aussi chacune des lettres de sa fille. Il y avait des « je t'aime » dessinés aux crayons de couleur, des invitations à un thé, des demandes de chaussons de ballerine, et même des cartes de la fête des Mères qui avaient été maintes et maintes fois repliées pour entrer dans le pot. Ces dernières faisaient toujours sourire la mère. Dans une de ces cartes, sa petite fille lui disait qu'elle avait peur dans le noir et, le soir même, une veilleuse a été installée dans sa chambre, et tout était bien. Une autre de ses favorites lui est parvenue quand leur chienne Muffin attendait des chiots; dans le pot se trouvait une petite note qui disait: « Tu vas être grand-maman! » La mère conservait toutes ces lettres si uniques en sécurité dans un coffre, au pied de son lit.

Les années ont passé, la petite fille est devenue une jeune femme qui s'est mariée et a fondé son propre foyer. Pour la première fois, le pot restait vide. La mère l'époussetait chaque jour et parfois jetait un coup d'œil à l'intérieur, constatant avec tristesse la fin des années du pot magique.

Un jour, la jeune femme est venue rendre visite à sa mère. Elle est allée tout droit dans la chambre de sa mère, a ouvert le coffre au pied du lit et trouvé ce qu'elle cherchait. Elle a plié le bout de papier et l'a déposé dans le pot qu'elle a tendu à sa mère. La mère a ouvert le pot magique, et il y avait ce mot écrit tant d'années auparavant: « Tu vas être grand-maman! »

Et quand ce petit garçon est né quelques mois plus tard, le pot trônait dans sa chambre de bébé, un ruban bleu autour l'enjolivant, et un mot qui disait: « Les années du pot magique ne finissent jamais; elles ne font toujours que commencer. »

Cassie Marie Moore

La plus belle journée

Nous avons tous eu un ou plusieurs de ces appels téléphoniques qui bouleversent une vie.

« Maman, je suis à l'hôpital. »

« Maman, je suis enceinte. »

« Maman, j'ai vraiment besoin d'emprunter mille dollars tout de suite. »

Parfois, ces appels vous serrent le cœur d'angoisse et de peur.

Parfois, ils sont carrément joyeux. D'autres fois, ils vous font tourner la tête. J'ai reçu un appel qui m'a donné le vertige, par une chaude journée de juillet 2002.

« Maman, Canyon et moi avons décidé de nous marier — dans trois jours. Nous voulons que tu viennes! »

C'était ma fille aînée, celle qui a une maîtrise en beaux-arts de Yale, celle dont les prêts étudiants excèdent le budget annuel entier d'un État moyen. Celle qui vivait avec son petit ami juif depuis douze ans, le petit ami à qui toute notre famille accordait un dix à l'échelle des bons partis.

Quand on reçoit un de ces appels, on se sent soudain comme un trapéziste de cirque. Le cœur fait quelques sauts périlleux tandis qu'on se demande désespérément s'il s'agit d'un mariage ordinaire et, le cas échéant, comment diable vont-ils pouvoir y arriver en trois jours? Puis, l'esprit s'empare du trapèze, fait un grand flip et attrape la barre à la toute dernière seconde quand votre fille vous informe que ce sera une cérémonie civile simple, suivie d'une célébration spirituelle concoctée par eux dans un parc, puis d'un repas et d'une promenade en bateau.

Ah! Ils ont tout préparé, se dit-on. *Tu es tirée d'affaire. Et ça semble amusant! Vas-y et profites-en.*

« Nous allions nous enfuir pour nous marier, mais quelques-uns de nos amis l'ont appris, eh bien, je crois qu'il y aura environ douze personnes maintenant, toi comprise. »

C'est le moment où la mère commence à hésiter et à bégayer: « Euh, bon... où te maries-tu exactement? Est-ce qu'il y aura une réception? Est-ce que ce sera une soirée habillée? Quand devrais-je arriver? Tu dis que c'est ce jeudi? Je pourrais y être après demain, mercredi matin. Ça te va? »

Alors que mon cœur continuait de pirouetter, ma bouche posait des questions de plus en plus idiotes. Jeanne m'a finalement interrompue: « Maman, nous allons nous marier à l'hôtel de ville du bas Manhattan, pas très loin de Ground Zero. Puis, nous irons au parc Riverside, près du fleuve Hudson, pour une cérémonie religieuse. Ensuite, nous mangerons à la terrasse d'un café, près du fleuve. Après quoi, nous monterons tous à bord du bateau qui fait la croisière autour du bas Manhattan. »

« Ça semble merveilleux, ma chérie. Je te verrai mercredi! »

J'ai alors remercié Dieu du bon sens de ma fille et de ses talents d'organisatrice. J'ai aussi poussé un soupir de soulagement pour mes amis pilotes de ligne qui m'avaient donné des laissez-passer peu coûteux pour les passagers en attente.

J'allais prendre l'avion pour New York dans deux jours, à vil prix. J'ai particulièrement remercié Dieu que Jeanne, tout comme moi, n'ait pas hérité de gènes de préparation de grands mariages, car ceux-ci, avec leurs extravagances de luxe et leur mégastress me donnent le trac. Imaginez, un mariage à New York, et tout ce que j'avais à faire, c'était de me rendre, d'essayer d'être d'une quelconque utilité et de profiter de la journée.

Ce qu'il y a eu de merveilleux au mariage de Jeanne et Canyon? Le pur et délicieux plaisir improvisé de tout cela, entre autres. Regarder Jeanne revêtir la ravissante robe, faite à la main, simple, bleu nuit, ajustée et aux genoux, dans le style des années 50, qu'elle a achetée dans une friperie pour 15 $. Que la mariée et son futur me demandent de fabriquer une *chuppah* (baldaquin pour les mariages juifs) le matin de la noce. À la maman chrétienne que je suis, donnez seulement un pistolet à colle chaude, beaucoup de rubans, un parapluie et je suis aux anges. C'était une extraordinaire *chuppah*.

Qu'est-ce que j'ai aimé d'autre de cette journée? Nous trois qui allions prendre le métro de New York pour nous rendre au palais de justice et, en route, nous sommes arrêtés dans un petit restaurant pour demander à la propriétaire si nous pouvions avoir une de ses serviettes de table blanches empesées, afin d'entourer le verre à vin que Canyon devait briser à la fin de la cérémonie au parc, et la propriétaire, originaire du Moyen-Orient, tout sourire, comprenant finalement notre demande, nous a salués et donné la serviette en disant avec un fort accent : « Félicitations, félicitations! »

Ce fut un jour de fous rires absurdes devant la juge très grincheuse et sa cérémonie civile de 45 secondes, puis de profonde spiritualité quand Canyon et Jeanne ont échangé leurs alliances de nouveau et ont récité des prières dans le parc, ce qui ressemblait beaucoup plus à un mariage que ce qui s'était passé au palais de justice. Ce fut un jour d'émerveillement, au temps radieux, et au champagne entré en douce sur le bateau de mini-croisière.

Mais surtout, ce fut un engagement devant Dieu et devant les hommes. Un mariage, pur et simple. Un jour béni de spontanéité, de plaisir avec des amis, d'amour profond entre mari et femme, et d'admiration et de joie d'une mère très heureuse et très fière.

Patricia Lorenz

La plus belle chose que ma mère m'a dite

Le cœur de la mère est la classe de l'enfant.

Henry Ward Beecher

Quand j'avais environ 12 ans, ma mère me racontait les choses intelligentes que je faisais quand j'avais 3 ans. Ses souvenirs, sans aucun doute altérés par les années, me dépeignaient comme la parfaite enfant d'âge préscolaire. Je me comparais défavorablement avec la charmeuse aux cheveux dorés qu'elle évoquait. Pas encore tout à fait adolescente, j'étais maladroite avec mes lunettes à monture d'écaille et mes cheveux frisés par des permanentes maison (ce qui n'était pas la mode à l'époque).

Les autres filles se faisaient agacer par les garçons « odieux » à l'école et se tenaient en groupes joyeux. Mes amours étaient toutes imaginaires, et mes amis, peu nombreux. « À quel âge étais-je la mieux? » lui ai-je demandé, quelque peu hésitante.

Maman m'a jeté un regard d'étonnement. « Maintenant, dit-elle. Tu es au meilleur âge que tu as jamais été. »

Lors d'un déjeuner, la veille de ma remise de diplôme universitaire, ma mère parlait du temps qui file si rapidement. Il nous semblait que seulement un mois auparavant, elle était cheftaine des guides, et j'étais une guide. À l'université, je n'avais pas été meneuse de claques. La mode était aux cheveux bouffants, mais les miens tenaient en une mince queue de cheval.

Je passais la plupart de mes soirées au bureau du dortoir, sonnant aux chambres des autres filles à l'arrivée de leurs cavaliers. Je n'avais pas posté de demandes d'admission à des études supérieures ni au Corps de la Paix. J'ai répliqué à ma mère que je supposais que sa petite fille devait lui manquer.

« Ciel, non, s'est-elle écriée. Tu es au meilleur âge que tu as jamais été. »

Trois années plus tard, je vivais encore chez mes parents, cette fois-ci avec deux bébés dans la chambre d'amis. J'avais épousé mon amour de jeunesse, et il m'avait quittée. Seulement pour deux mois, en vérité, jusqu'à ce que nous puissions le rejoindre à la base aérienne d'Okinawa, mais j'en étais là, avec les couches, les hochets et la poudre pour bébé.

Aux prises avec des nourrissons qui se réveillaient à l'aube, qui rejetaient leur gruau puis mâchouillaient le journal, j'ai transformé la maison bien rangée de mes parents en pouponnière.

Je mangeais un peu trop, dormais un peu trop et maugréais un peu trop. Pour m'excuser, j'ai dit à ma mère que j'étais certaine qu'elle serait contente de revenir à la normale; pour les enfants, ça allait, mais j'étais un peu vieille pour être encore son enfant.

« Oh, non, a-t-elle repris. J'aime ces petits garçons, mais présentement, tu es au meilleur âge que tu as jamais été. »

Et puis soudain, mes « bébés » étaient des adolescents avec des appétits insatiables. Ma maison n'était jamais tout à fait propre, et j'avais une forte tendance à commencer à planifier le souper vers 16 h 45. Les cheveux frisés étaient enfin à la mode, mais les miens étaient raides comme de la corde. Néanmoins, lors d'une visite, ma mère a dit: « Tu es au meilleur âge que tu as jamais été. »

La semaine suivante, mon fils de 16 ans et moi avons eu une discussion. Bien que j'en aie oublié le sujet, je me rappelle qu'elle était, disons, plutôt animée.

Nous avions souvent des discussions animées puisque nos opinions différaient radicalement à propos de bénéfices compensatoires de la télévision, de la définition d'une chambre rangée, et à savoir si le réservoir d'essence rempli juste un peu en dessous du quart qu'il me laissait contenait encore pas mal d'essence ou était presque vide.

« Bon sang, s'est-il exclamé à la fin, exaspéré. Je parie que tu souhaiterais que j'aie encore deux ans pour pouvoir me donner des ordres. »

Mais levant les yeux (!) sur lui, j'ai pris seulement un moment avant de lui affirmer sincèrement: « Non, Dan, c'est faux. Présentement, tu es au meilleur âge que tu as jamais été. »

Et avec ces mots, j'ai légué un don d'acceptation, un sentiment de valeur, de mérite et de sécurité. J'ai transmis le cadeau d'amour de ma mère.

Marilyn Pribus

La reine de la salade de chou

*L'amour n'a rien à voir avec ce que vous vous atten-
dez à obtenir — seulement avec ce que vous enten-
dez donner — c'est-à-dire tout.*

Katharine Hepburn

Pour ma mère, les quatre principaux groupes alimen-
taires de base sont la viande, les produits laitiers, les
céréales et la salade de chou. Elle croit que, si ce n'est pas
un ingrédient utilisé dans la salade de chou, ce n'est pas
un légume, c'est inutile et ça ne mérite pas d'être cultivé,
au départ. Chez nous, la salade de chou est servie sur la
table dans un bol que — eh bien, disons que si nous faisions une recette de punch, nous n'aurions rien dans
lequel le mettre. Il en ressort sur le dessus une immense
louche en acier inoxydable de style cafétéria, baptisée la
« cuillère d'institution » par mon frère, qui se comportait
souvent comme un pensionnaire d'une dite institution.

J'adorais la salade de chou de ma mère, mais je me
souviens d'une fois où elle a provoqué une panique totale
en moi.

Au début de ma première année d'école, j'ai couru à la
maison, à l'heure du dîner, avec une série de feuilles que
m'avait donnée l'institutrice. Passant en trombe la porte
d'entrée, j'ai couru immédiatement à la cuisine où ma
mère brassait une soupe poulet et nouilles. Tirant sur
son tablier d'une main et tenant un paquet de feuilles de
l'autre, j'ai supplié: « Lis-les-moi, maman, je t'en prie! »

Maman a pris les feuilles et nous nous sommes assises à la table. Elle a commencé à lire lentement à haute
voix. J'écoutais attentivement chaque mot, ne prêtant
aucune attention au bol de soupe devant moi. Je poussais

des cris de ravissement comme elle me lisait la liste presque infinie des aventures passionnantes qui m'attendaient au cours de l'année à venir.

Et puis, c'est arrivé.

« Il est de coutume pour les mères d'apporter un plat
fait maison pour la classe, à partager lors de l'anniversaire de naissance de chaque enfant. Rien de recherché,
seulement quelque chose que vous aimez cuisiner. »

Ces paroles flottaient au ralenti dans l'air, planant
au-dessus de ma tête dans la vapeur de la soupe chaude.

« Seulement quelque chose que vous aimez cuisiner...
aimez cuisiner... aimez cuisiner. » La phrase faisait lour-
dement écho en moi, provoquant la même sensation
d'estomac retourné qui accompagne la phrase fatidique:
« Vous avez une carie... une carie... une carie. »

La réponse habituelle de ma mère à quiconque com-
plimentait sa salade de chou était: « Ce n'est rien de
recherché, seulement quelque chose que j'aime cuisiner. » Oh! Comme ces mots me chaviraient.

Jusqu'à mon anniversaire en avril, j'ai vécu dans la
peur que ma mère se pointe à l'école en poussant une
pleine brouette de sa fameuse salade de chou à partager
entre tous. J'imaginais la vieille cuillère d'acier inoxydable sortant d'une montagne de chou tandis qu'elle dirigeait la brouette le long des allées. Alors qu'elle
manœuvrait le tout, un paquet de gobelets en carton
« Joyeux anniversaire » danserait à son poignet dans un
sac de plastique fermé par un cordonnet.

Quand je suis partie à l'école, le matin de mon anniversaire, il y avait deux grosses pommes de chou dans le
réfrigérateur et un drôle de sourire sur le visage de ma
mère. Une panique totale m'a envahie.

À mon grand soulagement, maman est arrivée à 13h30 précises, avec un plateau rempli de délicieux petits gâteaux au chocolat. Chacun avait deux bonbons colorés pour les yeux, et une série de quatre ou cinq autres en demi-cercle pour le sourire. Tous, sauf le mien. Un des « yeux » était coupé en deux sur le mien, de sorte que mon gâteau me faisait un clin d'œil. Encore aujourd'hui, maman m'assure que ce n'est qu'une coïncidence, mais je n'en suis pas convaincue.

Je dois un merci à ma mère pour les gâteaux et la salade de chou. Mais surtout, je lui dois ma gratitude pour le souvenir d'elle debout à la table de la cuisine, son tablier attaché avec une grosse boucle dans le dos. Maman râpait toujours le chou au rythme de l'air qui jouait à la radio. Je me demande si elle sait que je l'avais remarqué. Je l'ai fait, vous savez. Ma mère ne prépare pas seulement la meilleure salade de chou, elle fabrique aussi les meilleurs souvenirs.

Annmarie Tait

Le coussin magique

Avec chaque bonne action, vous semez une graine, même si pouvez ne pas voir la récolte.

Ella Wheeler Wilcox

La Saint-Valentin était arrivée, et comme à chaque autre jour de l'année, j'étais très occupée. Mon romantique mari, Roy, avait planifié une sortie comme nous n'en avions jamais eu auparavant. Une réservation à un restaurant chic avait été faite. Un cadeau magnifiquement emballé trônait sur ma commode depuis quelques jours précédant la fête des cœurs.

Après une dure journée de travail, je suis rentrée à la maison en hâte et j'ai sauté sous la douche. Quand mon chéri est arrivé, je portais mon plus bel ensemble et j'étais prête à sortir. Juste au moment où il m'enlaçait, la gardienne est arrivée. Nous étions tous deux enthousiastes.

Malheureusement, le plus jeune membre de notre maison n'était pas aussi heureux.

« Papa, tu devais m'emmener acheter un cadeau pour maman », a dit Becky, notre fillette de 8 ans, en marchant tristement vers le canapé pour s'asseoir à côté de la gardienne.

Roy a regardé sa montre et a constaté que, pour garder nos réservations, nous devions partir immédiatement. Il ne disposait même pas de quelques minutes pour l'emmener à la pharmacie du coin afin d'acheter une boîte de chocolats en forme de cœur.

« Je suis désolé, je suis arrivé tard à la maison, ma puce », répondit-il.

« Ça va, reprit Becky. Je comprends. »

La soirée entière a été douce-amère. Je ne pouvais pas m'empêcher de me soucier de la déception dans les yeux de Becky. Je me rappelais combien la lumière joyeuse de la Saint-Valentin avait disparu de son visage juste avant que nous refermions la porte derrière elle. Elle voulait que je sache à quel point elle m'aimait. Elle ne s'en rendait pas compte, mais je le savais déjà très bien.

Aujourd'hui, je ne peux me souvenir de ce qui était emballé dans la belle boîte offerte par mon mari, mais je n'oublierai jamais le cadeau spécial que j'ai reçu, de retour à la maison. Becky était endormie sur le canapé, serrant une boîte contre elle. Quand j'ai embrassé sa joue, elle s'est réveillée. « J'ai quelque chose pour toi, maman », s'est-elle exclamée, un sourire magnifique recouvrant son visage.

La boîte était emballée dans du papier journal. Quand j'ai déchiré le papier et ouvert la boîte, j'ai trouvé le plus délicieux cadeau de la Saint-Valentin que j'ai jamais reçu.

Après notre départ, Becky s'était activée. Elle avait pillé ma boîte à ouvrage. Elle avait brodé les mots « Je t'aime » sur un morceau de tissu rouge qu'elle avait découpé en cœur, elle avait cousu deux autres morceaux désassortis ensemble, avait orné le tout de dentelle et l'avait rembourré de coton. C'était un coussin asymétrique en forme de cœur, rempli d'amour, que je chérirai pour toujours.

Encore aujourd'hui, plus de treize années plus tard, mon merveilleux présent de la Saint-Valentin occupe une place spéciale dans ma chambre à coucher. Alors que Becky grandissait et devenait une jeune femme, bien des fois, j'ai serré ce coussin sur mon cœur. Je ne sais pas si un coussin peut renfermer une certaine magie, mais celui-ci m'a certainement donné quantité de joies au fil des ans. Il m'a aidée à traverser plusieurs nuits sans sommeil depuis que Becky a quitté la maison pour l'université. Je chéris non seulement le cadeau, mais aussi le souvenir.

Je sais que je suis une mère très chanceuse, vraiment, d'avoir une fille si merveilleuse, qui voulait si désespérément partager son cœur avec moi. Aussi longtemps que je vivrai, aucune autre Saint-Valentin ne sera pour moi plus spéciale que celle-là.

Nancy B. Gibbs

« Ce dessin est pour maman. Si jamais je deviens célèbre, son frigo va valoir une fortune ! »

Reproduit avec la permission de Stephanie Piro.

Le courage
au terrain de jeu

*Toutes choses sont possibles jusqu'à ce qu'on les
prouve impossibles, et même l'impossible ne peut
l'être que pour l'instant.*

Pearl S. Buck

Tu te tiens debout à une hauteur casse-cou sur des
barres horizontales en métal, ignorante du danger.
« Non, c'est dangereux », dis-je pour te mettre en garde.
Tu m'obéis en grognant et tu te suspends plus près du
sol. Je monte la garde quand même, mais je détourne les
yeux un instant, distraite par le crépuscule.

Je me retourne vers toi, seulement pour te voir tomber par terre, impuissante.

Tu te relèves, le souffle coupé, le nez et la bouche déjà
en sang. Horrifiée, je t'étreins et j'essaie d'absorber la
douleur qui te fait pleurer très fort. Et je pleure pour
toutes les manières dont je ne peux pas te protéger.

Mais en quelques instants, tu te calmes. En reniflant
longuement et en prenant bravement une respiration
tremblante, tu secoues le paillis fait de copeaux d'écorce
dont je ne t'ai pas débarrassée et tu me fais un petit
sourire du coin des lèvres, les yeux encore mouillés de
larmes.

« Maman, je veux vraiment y retourner. Et cette fois,
je veux faire un saut périlleux arrière. » Tu me dis cela
malgré ta lèvre qui saigne encore.

Et en cette minute, ma surprise se mêle d'admiration, de respect et de fierté, et je vois bien plus que ma fille de 3 ans barbouillée de larmes qui se tient debout devant moi. Je vois la matière brute du courage. Je vois se fabriquer la persévérance et la détermination. Je vois une fille avec quelque chose que je n'ai pas mis en elle, une fille qui a quelque chose que personne ne peut lui enlever. Je te vois, toi, ma fille, une enfant qui tombe mais qui se relève et continue à danser. Et je vois une fois de plus que je suis l'élève, et toi, l'inspiration.

Alors que je soulève ton petit corps jusqu'à une barre horizontale, ma pensée devient une prière, pour toi et moi: *Ne lâche jamais prise sur cela.*

Karen C. Driscoll

Rien que la vérité

Suzy a toujours été une enfant imaginative, expressive, enthousiaste. Très petite, elle ne voyait jamais qu'un seul chien, mais ouvrant grand les bras, elle affirmait: « Il y avait des millions de chiens là-bas. » Je craignais qu'elle ne perde bientôt la capacité de discerner ce qui est réel de ce qui est fantastique. Nous avons donc parlé des mensonges et de la vérité, et des commandements de Dieu à propos de dire la vérité. Comme le moment de commencer l'école approchait, j'ai cru devoir prendre des mesures plus fermes pour enseigner la vérité à Suzy. J'ai décidé que la prochaine fois où elle me raconterait des histoires énormes, je trouverais une façon de vraiment lui apprendre.

L'après-midi même, alors qu'elle jouait dans la cour, elle est rentrée en courant tout excitée et en criant: « Maman, il y a un ours dans la cour. Un gros ours brun! »

« Suzy, qu'est-ce que je t'ai dit à propos de la vérité? Va dans ta chambre maintenant et parle à Dieu à ce sujet. »

Suzy est disparue dans sa chambre et a été très tranquille pendant un moment. Je suis allée voir comment elle se sentait et, avec un sourire béat, elle a raconté ceci: « J'ai parlé à Dieu et il a dit que, lui aussi, à première vue, il croyait que c'était un ours. »

Winfield Firman

Cendrillon

L'amour que vous prenez est égal à l'amour que vous donnez.

John Lennon et Paul McCartney

Ma mère s'est suicidée quand j'avais 13 ans, quatre années après la mort de mon père. Ma sœur Alyce, une épouse battue et mère de deux enfants, est donc devenue ma tutrice et la seule mère que j'allais vraiment connaître. En moins de deux ans, nous nous sommes enfuies à Los Angeles pour échapper à son mari violent.

Un jour, au cours de notre deuxième année à L.A., alors que je feuilletais des catalogues d'universités, Alyce m'a demandé: « Qu'est-ce que tu fais pour le bal de fin d'année? »

J'ai haussé les épaules. « Avec qui irais-je? »

« Nous verrons bien. » Elle m'a fait un sourire de mère idéale. « Toutes les filles doivent aller à leur bal de fin d'année. »

Je me sentais davantage exclue de ne pas avoir été invitée au bal que je l'avais été lors de ma première journée à l'école secondaire de L.A. Ce jour-là, on m'avait remarquée parce que j'étais une fille de ferme qui ressemblait à l'un des *Allumés de Beverly Hills*. Et en tant qu'adolescente, avoir de bonnes notes n'améliorait pas ma cote. Alors, avec tous mes « A », je n'avais aucune chance de trouver un cavalier pour le bal des finissants. Je me suis cachée derrière un sourire fier et j'ai répondu à Alyce: « Le bal des finissants n'a rien de spécial. »

J'ai montré la pile de livres que j'avais dans les mains. « Je ferais mieux d'étudier. Tu sais à quel point c'est important pour moi d'obtenir une bourse d'études. »

Alyce m'a ébouriffé les cheveux. « Tu vas aller au bal. »

J'ai étudié très fort pendant le reste de ce semestre pour m'assurer d'obtenir une bourse. Par ailleurs, Alyce semblait battre la campagne pour me trouver un cavalier au bal. Un jour, elle est rentrée du travail en annonçant: « Je l'ai trouvé. »

« Qui? »

« Ton cavalier pour le bal. » Le visage d'Alyce était illuminé d'un large sourire.

« Quoi? Tu blagues sûrement. Je n'ai aucunement l'intention d'aller à un bal stupide avec un gars que tu as soudoyé. »

« Je n'ai soudoyé personne. C'est le fils d'une collègue. »

« Je ne peux pas croire que tu fasses cela. Je n'y vais pas. »

Puis, elle a sorti une robe longue de satin doré que j'imaginais être portée seulement par la princesse Grace. La robe avait des manches très courtes, un décolleté arrondi et un corsage qui moulerait ma poitrine. La jupe ample s'évasait gracieusement à partir de la taille, qui était soulignée par une large ceinture-écharpe assortie de satin doré. « Qu'est-ce que c'est? » ai-je demandé en pointant la robe.

« Ta robe de bal. Si elle te plaît, bien sûr. »

Elle était magnifique, et après une vie à avoir hérité de vêtements de seconde main, la pensée de porter ma première robe vraiment élégante faisait presque fondre l'horreur d'être accompagnée au bal de fin d'année par un garçon acheté.

« Essaie-la. » Alyce m'a tendu la robe, mais je ne l'ai pas prise.

« Vas-y. Juste pour voir comment elle fait. »

Je savais ce qu'elle tramait. Elle croyait qu'une fois la robe sur moi, je changerais d'idée. Elle avait raison. J'ai été prise au dépourvu et j'aurais dû me rappeler son obstination quand elle avait une idée en tête. Pourtant, avec cette splendide robe brandie devant mon visage, j'ai temporairement oublié que ma sœur était une experte de la persévérance obstinée.

Je savais qu'il ne fallait pas lutter contre la détermination d'Alyce, alors je lui ai pris la robe des mains et je me suis retirée dans ma chambre pour l'essayer. En glissant la robe par-dessus ma tête et le long de mon corps, je frissonnais de plaisir à la magnifique douceur du satin. J'ai fermé les yeux et caressé la jupe et le corsage soyeux. Puis, j'ai tournoyé pour entendre le bruissement du tissu neuf.

Quand je suis revenue au salon pour présenter la robe, Alyce a sorti les souliers de satin à talons hauts et le sac assortis. J'ai secoué la tête, incrédule. Quand elle a montré le manteau neuf de laine blanche, j'ai capitulé.

« Tu as pensé à tout », ai-je répliqué.

« Presque. Je dois prendre rendez-vous pour ta coiffure et ta manucure. Tu vas les éblouir, à ce bal. »

« Hmmm », ai-je fait, et je me suis enfuie dans ma chambre avec mon butin. Assise sur mon lit, tapotant chaque article étalé devant moi, j'ai rêvé au bal. Mais ensuite, j'ai pensé: *Et si je déteste mon cavalier?* J'ai crié à ma sœur: « Comment s'appelle mon cavalier? »

« Troy Marvel. »

« Ah, le merveilleux Troy », ai-je ricané, en me demandant si elle avait inventé ce nom, tout aussi parfait que la robe. Plus tard ce soir-là, j'ai découvert que Troy était étudiant à l'université de Californie à Los Angeles et qu'il conduisait une voiture sport. Non seulement avais-je un cavalier, mais c'était un homme plus âgé, un étudiant à l'université.

Le jour du bal, Alyce a tenu sa promesse et m'a traînée au salon de coiffure. « Je vais devoir faire un miracle », a dit Michael, le coiffeur, en passant ses doigts dans mes cheveux. « Ils sont tellement fins et plats. »

Il m'a lavé les cheveux avec un shampooing parfumé qui me picotait la tête. Je commençais à sentir la transformation se produire, de femme de ménage à Cendrillon. Pendant que j'étais assise sous le séchoir, une manucure a transformé mes mains — cuticules à vif, ongles fendillés et tout — en des mains que je n'avais vues que dans des magazines.

Comme j'admirais mon nouveau vernis à ongle perlé, une femme en sarrau rose portant une valise s'est approchée de moi et a pris ma main droite nouvellement parfaite. « Je m'appelle Bobbie », a-t-elle dit en me poussant vers un tabouret devant un miroir. « Asseyez-vous ». J'ai fait ce qu'elle m'a demandé. Elle a posé la valise sur une tablette sous le miroir devant moi. Elle l'a ouverte et a étalé des couches de maquillage coloré.

« Oh, non! » ai-je crié à tue-tête en jetant un regard mauvais à Alyce. « C'est déjà assez moche de me plier à tout ce truc, mais cela? » en pointant la valise.

« Ça ne fera pas mal, a rigolé Bobbie. D'ailleurs, il vous faut un peu de couleur. » Bobbie a fait un clin d'œil.

J'ai grogné mais j'ai cédé quand Alyce s'est approché.

Quand Bobbie a terminé sa tâche, je n'ai pas reconnu la fille dans le miroir. Michael avait créé une coiffure souple en hauteur mais sophistiquée, et la magie de Bobbie donnait à ma peau un éclat qui paraissait complètement naturel. Je ne m'étais jamais imaginé avoir cette allure.

« Pas mal », ai-je apprécié, penchant la tête d'un côté à l'autre. En secret, je me sentais comme un cygne plutôt que comme le vilain petit canard que je croyais être. Pour une fois, je n'ai pas fait la grimace à l'image se reflétant dans le miroir.

À 19 heures précises ce soir-là, Alyce et moi avons entendu frapper à la porte. Je voulais déguerpir de la pièce, mais Alyce a été trop rapide. Elle a ouvert la porte tout grand et a fait entrer Troy, un superbe garçon de 21 ans, avec des cheveux noirs bouclés et des dents blanches impeccables. « Il est beau comme un dieu », ai-je marmotté.

Troy m'a donné un bouquet de corsage composé de rosettes blanches liées par des rubans de satin doré assortis à ma robe. Puis, dans un mouvement leste, il m'a aidée à mettre mon manteau, a pris mon bras et m'a conduite à l'extérieur. J'étais sous le charme.

La voiture sport de Troy nous a emmenés rapidement au stationnement de l'école. Il a fait le tour de la voiture pour ouvrir ma portière, et j'étais assise comme une reine en l'attendant. Plusieurs étudiants se sont arrêtés pour voir qui il était. Il m'a tendu la main et m'a aidée à sortir de mon siège. J'ai essayé de me souvenir de la leçon d'Alyce: il fallait balancer les deux jambes à l'extérieur en même temps. On pouvait entendre les murmures d'étonnement du groupe quand je suis sortie de la voiture et qu'ils m'ont reconnue.

Troy et moi sommes entrés dans le gymnase, transformé pour cette occasion en station balnéaire hawaïenne, avec des chutes miniatures, des fontaines sculptées en forme de poisson, des palmiers en pot, des torches enflammées, et du punch non alcoolisé servi dans des noix de coco. Un silence a rempli la salle et, tous les yeux étant rivés sur nous, Troy a placé son bras droit autour de mon dos pour danser. Puis, comme si quelqu'un avait donné l'ordre d'une attaque, les mêmes filles qui m'avaient ignorée durant les deux années précédentes nous ont entourés et m'ont accueillie, moi, leur nouvelle meilleure amie.

Le prince charmant m'avait sauvée et avait complété la métamorphose entamée par ma sœur. Pour une soirée, j'ai été un cygne, Cendrillon sous la touche de sa marraine la bonne fée — et c'était fantastique. Cependant, comme tous les fantasmes, celui-là a connu une fin abrupte. Beaucoup trop tôt, je me suis de nouveau retrouvée à la maison, retirant la belle robe et les souliers assortis.

Quand Troy a découvert que je n'étais pas la femme élégante fabriquée par Alyce, Michael et Bobbie, il a continué son chemin. Contrairement à la véritable histoire de Cendrillon, Alyce n'était pas une belle-mère cruelle, et la pantoufle de vair ne m'allait pas. Pourtant, cette soirée unique demeurera à jamais spéciale pour moi, parce que j'ai appris sur l'amour d'une sœur — ma mère — et jusqu'où elle irait pour mettre de la magie dans ma vie.

Tekla Dennison Miller

Assoiffée

Quand vous aurez atteint 90 ans et que vous regarderez en arrière, ce ne sera pas la somme d'argent gagnée ou le nombre de prix reçus qui comptera, mais ce sera vraiment ce que vous avez représenté. Avez-vous changé positivement les choses pour les autres?

Elizabeth Dole

« J'ai soif », criait ma petite fille, Becky, de nombreuses nuits où elle ne trouvait pas le sommeil. Comme toutes les bonnes mères, je me levais et l'accompagnais au réfrigérateur pour lui servir quelque chose à boire. Nous nous assoyions ensemble à la table de la cuisine devant un verre d'eau. Nous parlions des choses qui étaient importantes pour elle. Comme tous les autres dans la maison dormaient à poings fermés, ces quelques minutes servaient de temps de qualité passé ensemble.

Parfois nous rigolions, d'autres fois nous versions quelques larmes. Les conversations se terminaient toujours par de gros câlins et, dès que le verre était vide, par un baiser de bonne nuit. Puis, Becky, satisfaite, filait dans son lit tandis que je me glissais doucement dans mes draps et que je remerciais Dieu du bienfait de ma petite fille et de notre moment intime.

Les années ont déboulé. Avant même que je le réalise, Becky était une adolescente. Nous magasinions ensemble et regardions quelques films mais, hélas, le temps passé ensemble était souvent trop court. Quand elle n'étudiait pas, elle était occupée à jouer dans la fanfare de l'école secondaire et à faire tourner des drapeaux. Ça me manquait de ne pas l'avoir à la maison durant la journée et j'avais toujours hâte à son retour chaque soir. C'est à cette époque où je me suis mise à avoir soif d'elle. Mais heureusement, bien des nuits, toujours devant un verre d'eau, elle partageait avec moi ses soucis d'adolescente. J'ai découvert qu'elle ne recherchait pas toujours mes conseils de mère. Elle avait simplement besoin que je l'écoute. Nos moments intimes ont donc continué, sporadiquement, même durant son adolescence.

Je me suis rendu compte que ma vie allait changer radicalement à la fin des études secondaires de Becky. Mes fils jumeaux étaient déjà partis de la maison. Becky était notre dernière enfant. J'étais très fière d'elle et je savais qu'elle avait besoin d'acquérir un sentiment d'indépendance, même si son absence allait laisser un grand vide dans ma vie. Les premiers jours après son départ de la maison, je ne pouvais pas supporter d'aller dans sa chambre. Finalement, quand j'ai ouvert la porte, environ une semaine plus tard, j'ai vu son visage sur tous les objets. Le grincement familier de la porte m'a fait pleurer. Je pouvais encore sentir les odeurs divines de ses parfums et de ses poudres. Sa chambre inoccupée a creusé davantage un vide dans mon cœur. J'ai constaté à quel point nos conversations nocturnes me manquaient. J'avais vraiment soif d'elle maintenant qu'elle était partie.

Trois semaines après qu'elle a quitté la maison, j'ai souri au souvenir des nombreuses nuits d'autrefois. Puis un soir, peu avant minuit, juste après être allée au lit, j'ai entendu la porte arrière s'ouvrir.

« J'ai soif », a crié Becky en entrant. J'ai sauté hors du lit, je suis allée à la cuisine et, tout comme avant, je lui ai servi à boire. Nous nous sommes assises et avons partagé les moments amusants de sa journée. De nouveau, elle entretenait la conversation pendant que j'écoutais attentivement.

Juste avant qu'elle parte, elle m'a fait un autre gros câlin. Je suis retournée me coucher, riant encore de ses histoires et, cette fois, j'ai remercié Dieu du bienfait de ma fille adulte. Même si nos vies sont très différentes à présent, je suis convaincue que nos moments intimes et nos gros câlins de minuit ont fait en sorte que l'amour entre nous ne vieillira jamais.

Et après avoir craint momentanément que notre rituel nocturne prenne fin quand elle partirait, je crois désormais que Becky reviendra assoiffée à la maison bien d'autres fois dans le futur, surtout lorsqu'elle aura besoin d'un gros câlin pour traverser la nuit.

Nancy B. Gibbs

Ne ferme pas la porte

À ma première année d'université, j'ai reçu par la poste une grosse enveloppe de maman. C'était une carte d'encouragement, accompagnée d'un cale-porte en plastique brun.

« Ne "ferme pas la porte" tout de suite », écrivait-elle.

J'ai détesté l'université au début... et pas de la façon dont plusieurs nouveaux la détestent pendant la première demi-heure. Ils s'en remettaient tous lors de la première fête de fraternité. Je ne m'en suis pas remise pendant une année. Je voulais retourner à la maison, dormir dans ma chambre, fréquenter une école publique où je pourrais me rendre en voiture, et ne subir qu'un minimum de changements. Le cale-porte m'a accompagnée durant cette année, rappel constant de persévérer. J'y suis parvenue, avec le soutien et l'encouragement que m'apportaient les miens. J'ai aimé l'université par la suite.

Au cours de ma deuxième année, maman m'a demandé de réserver du temps pendant une visite à la maison, lors d'un congé scolaire. Une réunion de famille. Elles étaient fréquentes dans certaines familles, mais pas dans la nôtre. Je ne crois pas que nous ayons jamais été convoqués à une réunion de famille. J'étais intriguée et je pensais qu'il s'agissait de bonnes nouvelles à annoncer aux trois enfants ensemble. Un remariage, peut-être?

Mais une fois à la maison, j'ai appris que non seulement maman ne se remariait pas, mais que les nouvelles n'étaient pas bonnes du tout, et que ma sœur et mon frère le savaient déjà. Ma mère était assise devant le foyer, John à côté d'elle, ma sœur sur le canapé, et mon frère sur la causeuse. J'étais sur un fauteuil.

Cancer.

À ses côtés, j'ai pleuré. Il était revenu après s'être dissimulé pendant cinq ans, juste comme elle allait célébrer son triomphe. La marque magique de cinq ans lui a tout juste échappé quand les médecins lui ont appris une rechute.

C'était l'Action de grâce et son anniversaire, et j'étais bien déterminée à ne pas retourner à l'université. Quand le cancer avait été découvert cinq années auparavant, ma tante était venue me prendre à l'école, et j'avais passé les jours suivants à apporter de l'eau et de la soupe à maman, à ramasser ses mouchoirs de papier et à lui brosser les cheveux comme je le faisais enfant pour l'inciter à s'endormir, de sorte que je pouvais rester debout plus tard.

Cette fois, je voulais l'accompagner à Boston où elle allait obtenir une deuxième et une troisième opinions. Elle n'a pas voulu, cependant, me disant de ne pas gâcher un semestre de travail; elle irait bien, elle me donnerait des nouvelles par téléphone... mais il n'y aurait pas beaucoup de nouvelles à donner de toute façon, et je serais à la maison pour Noël dans peu de temps.

Je suis retournée à l'université, aussi détachée que je l'avais été la première année, l'esprit ailleurs et sans grand enthousiasme, me languissant d'être à la maison, à ses côtés, comme je l'avais été lors de la première attaque sur le corps de ma mère. Mais je savais que je devais rester, sinon pour moi, alors pour elle. Je savais que la dernière chose dont elle avait besoin était de s'inquiéter en plus que je perde une année universitaire.

Cette année-là, j'avais aussi essayé de trouver un sujet de thèse et j'étais découragée par mon manque d'inspiration. J'étais jalouse que les étudiants d'autres concentrations aient de nobles objectifs à explorer: une campagne de relations publiques pour accroître les dons d'organes; un scientifique travaillant à un traitement contre le cancer. Que diable pouvait bien faire une photographe pour changer les choses? Mon univers se définissait par l'art, non par la recherche de remèdes.

Enfin, l'inspiration m'est venue un jour. Mes deux problèmes partageaient un point commun.

J'ai entrepris un projet pour ma mère. C'était un hommage photographique aux survivants du cancer. Au moyen de paroles et d'images, j'ai été témoin de la lutte des survivants du cancer — quiconque est assez courageux pour mener cette lutte est un survivant à mes yeux — et de la source d'inspiration sur laquelle ils se concentraient pour supporter les traitements débilitants et insoutenables. Je suis allée rencontrer des groupes d'entraide et j'ai demandé des volontaires. Presque tous voulaient coopérer.

Maman m'a rendu visite pendant que j'étudiais à Londres, et je l'ai emmenée à l'école Vidal Sassoon pour sa « première » coupe de cheveux après la radiothérapie et la chimiothérapie. Je l'ai photographiée peu après, avec la nouvelle coupe audacieuse qu'elle désirait depuis des années mais n'avait jamais osé. Elle était la pièce maîtresse de ma thèse. À la remise des diplômes, elle est venue et a vu sa photographie exposée. Celle-ci était intitulée « Instinct de survie », et ma mère en était l'incarnation. Elle et les autres personnes photographiées définissent la persévérance. La leçon qu'elle m'avait servie des années plus tôt revenait à son point de départ.

Nous avons récemment organisé une fête pour le cinquantième anniversaire de naissance de maman. J'ai découvert ultérieurement qu'elle ne croyait pas vivre jusqu'à 50 ans. Elle est en santé aujourd'hui, et plus jeune que jamais. Elle pourrait bien vivre jusqu'à 100 ans.

En ce qui concerne le cale-porte, étrangement, je ne me souviens plus où il se trouve, mais je peux encore me le représenter: brun, en plastique et triangulaire, avec des rayures et des marques. L'objet n'est plus là, mais le souvenir de cette enveloppe et de tout ce qu'elle signifiait est pour toujours un encouragement à persévérer et à garder mon cœur ouvert. C'est la plus grande leçon que j'ai apprise de ma mère.

Christie Kelley Montone

Joyeux anniversaire, mon bébé

Les gens ont tendance à devenir
ce qu'on leur dit qu'ils sont.

Dorothy Delay

Il m'a fallu un bon moment pour réaliser quel jour nous étions. Je me suis réveillée sous un ciel gris et une probabilité de neige dans les prévisions du mercredi 28 janvier. Mon anniversaire de naissance. J'avais 35 ans. Je me suis détournée de mon radio-réveil et j'ai souhaité avoir pris congé de mon travail. Je voulais rester au lit et me blottir dans mon apitoiement parce que j'étais seule — encore une fois — en cette journée importante.

Ma tentative amoureuse la plus récente s'était effondrée et réduite en cendres deux semaines auparavant, et la plaie était encore fraîche. La relation n'avait pas duré très longtemps, et elle portait à peine ce nom, mais elle avait ravivé mes espoirs et mes rêves d'avoir quelqu'un à retrouver à la maison le soir. Étendue dans mon lit, je me rappelais avoir soufflé mes bougies l'année précédente et avoir souhaité rencontrer l'homme de mes rêves — certaine que la chance me sourirait cette année-là. « Qu'est-ce qu'il va falloir, bon sang? » ai-je demandé aux murs, en colère et terrifiée à la fois.

Quand le téléphone a sonné, je m'attendais à entendre les vœux chaleureux de mes parents ou de mes frères. C'était plutôt un homme pour qui j'avais déjà pleuré, m'appelant pour dire bonjour et oubliant tout à fait mon anniversaire. Ma belle-sœur a téléphoné ensuite, me donnant les dernières nouvelles de sa vie heureuse avec mon frère, et passant l'appareil à ma nièce de 2 ans pour qu'elle chante pour moi. J'ai raccroché, nourri mon chat, et essayé de me rappeler ce que j'aimais de ma vie de célibataire fascinante quand j'étais dans la vingtaine.

Pour ajouter à ma mélancolie, il y avait le fait que je n'aimais plus mon travail de journaliste. Je me traînais à la station de radio chaque jour, tâchant de trouver un ailleurs où je me sentirais à ma place et ce que je pourrais faire d'autre. *Aujourd'hui sera supportable,* me disais-je, parce qu'on va probablement me fêter au travail, ou peut-être que mon récent « ex » va faire quelque chose d'inattendu et m'envoyer des fleurs. J'avais hâte aussi d'interviewer un musicien de jazz en vogue dont le saxophone et le sens de l'humour étaient habituellement merveilleux. J'étais loin de me douter qu'il serait de mauvaise humeur à cause d'un récent traitement de canal, et si peu coopératif que j'aurais voulu lui crier: « Vous et votre humeur pouvez aller vous faire foutre, je ne devrais même pas être ici aujourd'hui! » Et comme si ça ne suffisait pas, mes collègues ont oublié mon anniversaire, et je suis retournée chez moi en faisant la gueule, les mains vides, glissant sur la neige et me maudissant de porter des bottes à talons, sans semelles antidérapantes.

Un souper de fête avec un groupe de femmes épatant a été le clou de ma journée, car mes amies m'ont fait rire et voir le bon côté de mon dernier désastre romantique. Mais après leur départ, la tristesse est revenue. Je ne voulais pas être seule à la fin de la journée, seule à 35 ans, et je ne savais pas où allait ma vie. Mes parents m'avaient laissé un message, et j'étais contente d'avoir raté l'appel, parce que je ne voulais pas leur parler au moment où je me sentais comme un échec lamentable en tant que fille et en tant que femme. Je remettais en question mes choix de vie, et je me demandais pour quoi j'avais laissé passer le mariage et la maternité. Qu'est-ce que ma vie indépendante avait de si spécial?

Je me suis versé un verre de vin et me suis assise pour trouver du réconfort dans les cartes de souhaits que j'avais ramassées dans ma boîte aux lettres, en rentrant du travail. Une enveloppe m'a attirée par l'écriture familière et féminine de ma mère, qui rappelait celle de ma grand-mère. J'ai pris la carte rose qui se lisait ainsi: « La seule chose qui surpasse le fait d'avoir une fille charmante est de l'observer devenir une femme superbe. » À l'intérieur se trouvaient ces mots étonnants.

« En écrivant ceci, il neige dehors — tout comme le jour où tu es née, il y a 35 ans. Je n'oublierai jamais le moment où on t'a déposée dans mes bras, et où j'ai su ce que je devais faire de ma vie. J'étais si contente d'avoir une petite fille — c'était un rêve devenu réalité! Au fil des ans, tu es toujours un enchantement pour moi, si gentille et attentionnée, intelligente et talentueuse. Je suis si reconnaissante pour notre amitié, et j'admire ton courage et ton esprit d'aventure. Tu es une femme chaleureuse et belle, Kim Childs, et tu es ma meilleure amie. Sache que je te souhaite une merveilleuse année, remplie de tout ce que tu désires et mérites! Je t'aime, xxoo, Maman. »

Mes larmes sont tombées sur le papier en lisant ces puissants mots d'amour. Je pleurais à cause du lien profond que j'avais avec cette femme qui me considérait comme un cadeau, un succès et une inspiration. Son message a remué mon âme et a insufflé une nouvelle vie en moi. Je savais, en me couchant ce soir-là, que j'étais choyée, et que ma vie comptait et apportait la joie à quelqu'un que je chérissais. C'était le deuxième plus grand cadeau d'anniversaire de ma mère — 35 ans après le premier.

Kim Childs

Fabriquer des souvenirs

Le petit-déjeuner terminé, ma petite fille me demande: « Maman, veux-tu regarder cette émission avec moi? » Je regarde la vaisselle dans l'évier, puis ses grands yeux bruns.

« D'accord », répondis-je, et nous nous pelotonnons sur le canapé pour regarder son émission favorite.

Après l'émission, nous assemblons un casse-tête, puis je me dirige vers la cuisine pour laver cette vaisselle sale quand le téléphone sonne. « Salut, dit mon amie, qu'est-ce que tu fais? »

« Eh bien, j'ai regardé avec ma fille son émission de télé préférée et nous avons fait un casse-tête. »

« Oh, alors tu n'es pas occupée aujourd'hui », fait-elle.

Non, me dis-je en moi-même, *je suis seulement occupée à fabriquer des souvenirs.*

Après le dîner, Erica me dit: « Maman, s'il te plaît, joue un jeu avec moi. » Je vois maintenant non seulement la vaisselle du petit-déjeuner, mais aussi celle du dîner qui s'empile dans l'évier. Mais une fois de plus, je regarde ces grands yeux bruns et je me rappelle à quel point c'était spécial lorsque ma mère jouait avec moi quand j'étais petite.

« Ça semble amusant, mais seulement une partie », répliquai-je. Nous jouons à son jeu favori, et je vois qu'elle est ravie de chaque instant.

Quand le jeu se termine, elle demande: « S'il te plaît, lis-moi une histoire. »

« D'accord, mais juste une. »

Après avoir lu son histoire préférée, je vais à la cuisine pour m'attaquer à cette vaisselle. La vaisselle terminée, je commence à préparer le souper. Ma petite assistante zélée se présente pour m'aider à la tâche. Je suis en retard et je me dis que je ferais tout cela bien plus vite si ma douce petite pouvait seulement aller jouer ou regarder une vidéo, mais son empressement à aider et sa soif d'apprendre comment faire ce que fait sa maman me vont droit au cœur, et je réponds: « D'accord, tu peux aider », sachant qu'il faudra sans doute deux fois plus de temps.

Le repas presque prêt, mon mari rentre du travail et demande: « Qu'as-tu fait aujourd'hui? »

« Voyons. Nous avons regardé son émission préférée, et nous avons joué à un jeu et lu une histoire. J'ai fait la vaisselle et passé l'aspirateur; puis mon petit marmiton m'a aidée à préparer le souper. »

« Super, reprit-il, je suis content que tu n'aies pas eu une journée occupée aujourd'hui. »

Mais j'étais occupée, pensai-je, *occupée à fabriquer des souvenirs.*

Après le souper, Erica propose: « Faisons des biscuits. »

« D'accord, faisons des biscuits. »

Après avoir fait cuire les biscuits, une fois de plus je contemple la montagne de vaisselle du souper, mais avec l'arôme des biscuits chauds se répandant dans la maison, je nous verse un verre de lait froid, je remplis une assiette de biscuits chauds que j'apporte à la table. Nous nous y rassemblons pour manger des biscuits, boire du lait, jaser et fabriquer des souvenirs.

Dès que j'en ai fini avec la vaisselle, ma petite douce me tire par la blouse en demandant: « Est-ce qu'on peut faire une promenade? »

« D'accord, allons marcher. » Au deuxième tour du pâté de maisons, je pense à la montagne de lessive qui m'attend et à la poussière qui enveloppe notre maison, mais je sens la chaleur de sa main dans la mienne et la douceur de notre conversation alors qu'elle profite de toute mon attention, et je décide qu'un tour de plus me semble une bonne idée.

À notre arrivée, mon mari s'informe: « Où étiez-vous? »

« Nous fabriquions des souvenirs. »

Une brassée dans la machine à laver, et ma petite fille baignée et en pyjama, la fatigue commence à se faire sentir quand elle me propose: « Peignons-nous les cheveux. »

Je suis si fatiguée! me rappelle ma tête, mais j'entends ma bouche répondre: « D'accord, brossons-nous les cheveux. » Cette tâche accomplie, elle sautille d'excitation: « Mettons-nous du vernis à ongles! S'il te plaît! » Elle vernit donc mes ongles d'orteils, et je lui peins les ongles des doigts, puis nous lisons un livre en attendant qu'ils sèchent. Je dois tourner les pages, évidemment, parce que ses ongles ne sont pas encore secs.

Nous rangeons le livre et faisons nos prières. Mon mari glisse la tête dans la porte: « Que font mes filles? »

« Nous fabriquons des souvenirs. »

« Maman, veux-tu rester couchée avec moi jusqu'à ce que je m'endorme? »

« Oui », mais je me dis intérieurement: *J'espère qu'elle va s'endormir rapidement pour que je puisse me lever; j'ai tant à faire.*

Presque à l'instant, deux précieux petits bras encerclent mon cou alors qu'elle me chuchote: « Maman, personne sauf Dieu ne t'aime autant que je t'aime. » Je sens les larmes rouler sur mes joues tandis que je remercie Dieu de la journée que nous avons passée à fabriquer des souvenirs.

Tonna Canfield

4

DÉFIS

Rappelez-vous, nous trébuchons tous,
chacun d'entre nous.
Voilà pourquoi il est réconfortant
d'aller main dans la main.

Emily Kimbrough

Une deuxième chance

Sentir qu'on a sa place dans cette vie
résout la moitié des problèmes.

George Woodberry

J'ai grandi en famille d'accueil dès l'âge de 8 ans. Contrairement à la plupart des enfants de ma connaissance, je n'ai jamais vraiment eu de mère biologique. Je n'ai jamais eu accès à l'amour inconditionnel ou à l'émerveillement que donne une mère à son enfant. Donc, grandir a été un peu plus difficile pour moi que pour la plupart des autres enfants. Un changement radical s'est produit soudainement quand j'étais en 4e secondaire. Depuis les cinq dernières années, j'étais dans ma deuxième famille d'accueil, entourée de personnes chaleureuses et aimantes. Mais quelque chose me peinait quand même profondément. Je sentais que je n'étais « pas à ma place ». Je n'étais pas leur enfant biologique, alors je restais distante, ne me permettant pas d'aimer cette famille autant que j'aurais pu.

En une soirée, les choses ont changé pour le mieux et pour toujours. Je faisais mes devoirs en attendant que le reste de la famille revienne de leurs activités. C'était un rituel quotidien. Je passais la plupart de mes soirées seule, cherchant de quoi me garder occupée. Tandis que je lisais un paragraphe pour mon cours d'anglais, j'ai entendu la porte arrière se fermer et ma mère adoptive m'appeler. Je suis allée à la cuisine où elle tenait un livre pour enfants qu'elle avait emprunté à son travail. « Je veux que tu lises ceci, a-t-elle dit avec animation. C'est absolument merveilleux. » Elle m'a donné le livre, et je l'ai regardé avec curiosité. *The Kissing Hand*, d'Audrey

Penn. J'allais l'interroger quand elle a repris en souriant: « Fais-moi confiance. Tu vas l'adorer! »

À contrecœur, j'ai pris un tabouret, je me suis installée confortablement au comptoir de la cuisine et j'ai commencé la lecture du livre. Je l'ai sincèrement aimé. Il racontait l'histoire touchante d'une maman raton laveur qui dépose un baiser dans la paume de la main de son petit pour lui rappeler que si jamais il est effrayé, il n'a qu'à presser sa « main du baiser » sur sa joue. De cette façon, il peut toujours se rappeler que sa maman l'aime. Je me demandais pourquoi ma mère adoptive m'avait demandé de lire ce livre. Mais j'ai ignoré la réponse inconnue et je suis retournée dans ma chambre terminer mon devoir.

Plus tard ce soir-là, j'étais assise au même endroit où j'avais lu le livre et je parlais à ma mère quand, soudain, elle a fait quelque chose de tout à fait inattendu. Elle m'a pris la main très gentiment et y a déposé un doux baiser affectueux au centre de ma paume. Elle a ensuite tranquillement refermé ma main et l'a tenue entre les siennes, puis a prononcé les mots que je rêvais d'entendre depuis si longtemps. « Quand tu es effrayée ou que tu es triste, rappelle-toi que ta maman t'aime. »

Comme les larmes me venaient aux yeux, j'ai commencé à comprendre, et c'est alors que j'ai fait un sourire qui a chaviré mon cœur jadis blessé. J'ai véritablement une mère. Non, elle n'était pas biologique, mais c'était la mienne tout autant.

Cynthia Blatchford

Petite poupée

*Chaque mère a le magnifique privilège de partager
avec Dieu la création d'une nouvelle vie. Elle con-
tribue à faire naître une âme qui vivra pour l'éternité.*

James Keller

J'aimerais pouvoir dire aujourd'hui que j'ai aimé ma
fille de tout mon cœur dès le début. Mais au premier
regard que j'ai jeté sur Elisheva, née six semaines trop
tôt, ma première pensée — Dieu me pardonne — a été
poulet. C'était un bébé poulet décharné, le genre de bébé
dont je m'étais toujours moquée quand il était né d'autres
parents. Je ne pouvais pas m'en empêcher. Mon premier
enfant, un garçon, avait été un bébé en or et en santé qui
roucoulait et souriait presque aussitôt sorti de mon utérus, qui a fait ses dents sans douleur, qui parlait en
phrases complètes, qui a su lire tôt et — à six ans et demi
— sera probablement candidat à un prix Nobel un jour.

Mais ma fille était différente. La première fois que je
l'ai vue, je me suis littéralement évanouie. Le fait qu'elle
ait eu un tube intraveineux directement dans le front et
que sa tête ait été recouverte de ce qui ressemblait au
verre d'une cloche à gâteau pour lui fournir de l'oxygène
n'a pas aidé, mais c'était peut-être seulement à cause du
long travail et du fait que j'aie insisté pour marcher au
lieu d'utiliser un fauteuil roulant. Je suis revenue à moi
sous le regard impuissant de trois pédiatres néonataux,
qui essayaient sans doute de figurer quoi faire pour une
patiente de taille adulte.

Mais si je trouvais épouvantables sa maigreur et sa
peau jaune rougeâtre, toutes mes images de poulet se
sont dissipées rapidement quand, le lendemain matin, je

l'ai entendue pleurer pour la première fois. Ma seule pensée à ce moment-là — je l'admets, il y a probablement un niveau spécial d'enfer pour les mères comme moi — a été *goéland*. Quand les infirmières m'ont annoncé qu'elle était réveillée et qu'elle avait faim, j'ai entendu une mouette pousser des cris perçants et rauques au loin et, en m'approchant de l'unité des soins intensifs, je me suis rendu compte que le bruit devait émaner de mon minuscule bébé oiseau. Je ne pouvais pas imaginer comment un son pouvait percer les parois de son incubateur de plastique et retentir dans tout le corridor, mais il l'avait fait. J'ai ralenti le pas, redoutant le premier contact physique avec une créature qui, seulement deux jours plus tôt, me martelait les côtes de l'intérieur et pressait sur ma vessie, me faisant courir aux toilettes à toutes les dix minutes.

Six semaines avant que j'aie même pensé sentir mes premières contractions, déjà épuisée et en post-partum, je ne voulais pas ni n'avais besoin d'une petite mendiante affamée dans ma vie. Le regard trouble, je suis entrée à l'unité des soins intensifs. Je l'ai identifiée par le son plutôt que par toute reconnaissance visuelle. Je me disais que son aspect lui venait de quelque part ailleurs sur l'échelle de l'évolution.

« Allez vous asseoir confortablement », m'a recommandé l'infirmière, me dirigeant vers une chaise berçante dans une salle de jeux tranquille à l'extérieur de l'unité. Je me suis assise, j'ai empilé des oreillers sur mes genoux et j'ai attendu le bébé avec appréhension. Bientôt, l'infirmière était là devant moi, portant un paquet rose coiffé de ce qui semblait être un bas.

« Qu'est-ce que c'est? » ai-je demandé.

« Un bonnet de laine. Les bénévoles les ont tricotés pour les bébés de la Nouvelle Année. »

Elle m'a montré les pompons scintillants et le ruban doré entourant le bonnet, dans une tentative de donner une allure de fête aux crânes chauves des prématurés. Je me suis seulement préparée à prendre le bébé.

J'ai tendu les bras. « Êtes-vous prête? » m'a-t-elle demandé. J'ai dû faire signe que oui. « La voici », dit-elle en se penchant, puis dans un demi-chuchotement ravi, elle a ajouté: « Voici votre petite poupée. » Ses mots gentils m'ont sortie de ma torpeur; soudain, l'expression « bébé poulet » n'existait plus. Tout ce que j'entendais encore et encore dans mon esprit était « petite poupée ». J'ai regardé longuement le bébé, je l'ai approchée, et — contrairement à mon fils qui était toujours trop occupé pour se nourrir au sein convenablement — elle a immédiatement compris et a commencé à boire.

Mon cœur s'est attendri; je m'imaginais sentir des larmes de soulagement couler dans ces premières riches gouttes de colostrum, le premier lait qui accueille un nouveau-né après le choc de la naissance. C'était le lait, ai-je pris conscience, qui la ferait engraisser, de sorte que les autres aussi reconnaîtraient en elle ce que seules l'infirmière et moi avions aperçu — une parfaite petite poupée; ma petite fille bien à moi, blottie contre moi, un bonnet scintillant coiffant ses rares cheveux délicats.

À un moment au cours de son premier été, comme ma mère et moi la regardions gigoter les jambes, couchée sur le tapis, pour le seul plaisir de voir ses genoux doubles et ses cuisses dodues s'agiter, ma mère s'est retournée et a demandé: « D'où vient cette petite fille boulotte et heureuse? » J'ai regardé ma fille et haussé les épaules, comme si je n'avais jamais douté, à l'instar de cette infirmière descendue du ciel, que j'avais été capable de voir sa beauté dès le début.

Jennifer M. Paquette

Des cheveux en bas-culotte

Le bonheur est un papillon qui, poursuivi, ne se laisse jamais attraper, mais qui, si vous savez vous asseoir sans bouger, sur votre épaule viendra peut-être un jour se poser.

Nathaniel Hawthorne

Quand j'avais 6 ans, je prenais les bas-culottes de ma mère et les portais... sur ma tête; ils devenaient ainsi mes propres longs cheveux épais en bas-culotte. Je recourais à ce subterfuge parce que ma mère me coupait continuellement les cheveux en une de ces « mignonnes petites coupes à la garçonne ». J'étais devenue experte dans l'art de superposer plusieurs paires, de sorte que je pouvais tresser et coiffer mes cheveux en bas-culotte à maintes jambes. Je n'avais jamais la permission de porter en public mes beaux cheveux faits de bas, mais à la maison, j'en étais très fière. Je m'étais promis, avec la détermination forcenée de mes 6 ans, que si jamais j'avais une petite fille, je ne lui couperais jamais, au grand jamais, les cheveux.

Donc, lorsque j'ai su à 32 ans que j'étais enceinte d'une petite fille, j'ai ressenti deux choses. D'abord, j'ai senti une joie absolue me chatouiller tout le corps. Ensuite, j'ai été envahie d'une protection maternelle féroce envers les tresses encore invisibles de ma petite fille.

Imaginez la joie avec laquelle j'attendais les boucles de princesse de conte de fées de ma petite fille. Toutes mes envies contrariées de longues tresses, tous mes désirs frustrés d'une chevelure enviable seraient corrigés, pris en compte et sublimés par les mèches intouchables de ma propre fille. J'ai frénétiquement acheté des accessoires pour cheveux: des boucles, des bandes élastiques, des pinces, des chouchous, des petites boucles s'attachant par un velcro, j'ai tout acheté, dans toutes les couleurs de l'arc-en-ciel et tous les modèles que j'ai pu trouver. En fait, ma petite fille avait plus d'accessoires pour cheveux qu'elle ne pourrait jamais espérer en porter, à moins bien sûr que je ne pare sa tête de quatre ou cinq accessoires à la fois, ce que je ne trouvais ni exclu ni exagéré de quelque façon.

J'ai été à peine découragée quand Jasmine Rain est née avec très peu de cheveux, un léger duvet vanille. Je me suis mise à orner fièrement sa petite tête duveteuse de ces bandeaux pour nouveau-né qui ont l'air de jarretières (en dépit de la désapprobation impolie que j'ai essuyée de l'un de mes beaux-frères, à savoir que je comprimais le petit cerveau de ma fille, qu'il les retirerait subrepticement à mon insu — comme si je ne le remarquerais pas — et qu'il essaierait sans relâche de convertir mon mari à sa philosophie du « pas de bandeau »).

La nature m'a donné espoir. Les chatons, les chiots, les lapins naissent tous sans poils. Et en peu de temps, ils portent tous des pelages luxuriants. Je n'étais pas inquiète. J'ai attendu patiemment les premier, deuxième et troisième mois. Naturellement, je brossais soigneusement le blond duvet qui se trouvait là sous forme d'encouragement et je lui accordais une attention constante.

Puis, au quatrième mois, toujours pas de cheveux. J'ai commencé à m'inquiéter. Je lisais tous les articles sur lesquels je mettais la main au sujet de la pousse des cheveux et des prévisions de leur croissance. Je questionnais mes amis et collègues sur leurs expériences et je regardais tristement toutes les têtes de bébés abondamment chevelus qui semblaient attirer mon regard affligé partout où j'allais. Qu'est-ce que je faisais de mal?

Les rubans, boucles et espoirs assortis accumulaient la poussière sur la tablette du placard, triste testament de mes attentes optimistes encore toutes récentes. J'étais horrifiée d'entendre les mêmes paroles qui m'avaient tant mortifiée enfant prononcées à l'endroit de ma Jasmine (« Quel joli petit garçon ! »), toujours offertes de la manière la plus sincère et joviale. Mais je ne perdais pas espoir. Chaque petite touffe qui poussait était accueillie avec un enthousiasme débordant et un plaisir heureux.

Enfin, quand Jasmine a eu 2 ans, ma patience et ma foi ont été récompensées. Ses cheveux se sont mis à pousser (je ne sais pas si c'était simplement le temps ou si ma danse rituelle avait fonctionné). Quelle qu'en soit la raison, j'avais maintenant le plaisir suprême de contempler les parures appropriées dans la chevelure de Jasmine.

Malheureusement, contempler est tout ce que j'ai pu faire. Croiriez-vous que chaque fois où j'essaie de lui faire des nattes, elle pousse un cri aigu et ne me permet absolument pas de le faire ? Croiriez-vous que chaque bandeau que je dépose amoureusement sur ses cheveux est immédiatement retiré d'un air très ennuyé ? Pouvez-vous croire que maintenant que ses cheveux sont à la bonne longueur pour enfin utiliser sa vaste gamme d'ornements capillaires, elle refuse avec véhémence de le faire ?

J'ai lu qu'affirmer ses opinions et préférences est la première étape sur le chemin de son indépendance en développement. Cela démontre, semble-t-il, un niveau sain de confiance en soi et d'autonomie naissante. J'essaie de n'y voir que du bon et je suis heureuse qu'elle ait son propre esprit opiniâtre. Mais tout de même, c'est un peu décevant pour moi. Et franchement, je commence à craindre que Jasmine soit tout mon contraire, qu'elle déteste les cheveux longs et qu'elle croie que je l'ai forcée à les porter ainsi, et qu'elle finisse par se raser le crâne juste pour se venger. J'espère que lorsqu'elle sera assez vieille pour le faire, je l'accepterai sereinement, quel que soit le « look » qu'elle choisira. Peut-être qu'alors je me serai aussi rasé la tête, par pure frustration!

Au moins, maintenant, j'ai mes propres cheveux longs pour me consoler. Et, autre chose, Jasmine permet parfois un chapeau à la mode.

Annette Marie Hyder

« *Mes cheveux sont superbes parce que ma mère est coiffeuse! Ils sont coupés avec amour!* »

Reproduit avec la permission de Stephanie Piro.

Un ange déguisé

« Je ne serais pas ta fille même si tu me payais! » ai-je déclaré violemment à ma nouvelle belle-mère, qui venait de me présenter comme sa fille à l'homme réparant nos fenêtres. C'était l'un des nombreux conflits que nous avons eus durant mes années au secondaire. Pendant ma jeunesse rebelle, mon insécurité me poussait à attaquer, à heurter les gens avant qu'ils ne me blessent.

Imaginez une femme divorcée, habitant le Colorado avec deux jeunes enfants âgés de 3 et 5 ans, qui rencontre un homme du Nouveau-Mexique dont elle tombe amoureuse et qu'elle décide d'épouser. À cette fin, elle doit vendre sa maison, abandonner son poste d'enseignante qu'elle aime tant, et aller en cour affronter son ex-mari afin d'obtenir l'autorisation de sortir ses deux enfants de l'État. Après tout cela, elle fait face à deux adolescents indisciplinés, mon frère et moi, qui sont convaincus qu'elle est l'ennemie et la source de tous leurs problèmes. Lorsqu'elle trouve un poste d'enseignante d'histoire à leur école secondaire, ils informent leurs amis et autres élèves que c'est une « garce ». Ils se moquent de ses enfants avec une cruauté implacable. Ils l'embarrassent, l'insultent et l'ignorent. Comment réagit-elle?

Avec un amour pur, inconditionnel. D'instinct, Mary Jo a appliqué l'amour ferme bien avant que l'expression ne devienne populaire. Elle a établi les règles. Le souper était à 18h30. Je devais téléphoner avant 18 heures si je ne devais pas y être. Outre les soupers en famille, il y aurait des soirées en famille et des vacances en famille.

J'étais habituée à mon indépendance, j'allais et venais à mon gré. Mary Jo voulait connaître mon horaire et mes amis. La règle minimale consistait à dire « Bonjour » en arrivant à la maison et « Au revoir » avant d'aller où que ce soit. J'essayais d'éviter même cela, entrant en douce dans la maison et montant dans ma chambre avec des amies. Elle apparaissait immédiate-ment: « Salut, je suis Mary Jo, la belle-mère d'Alice. Comment vous appelez-vous ? »

Quand elle essayait de me parler, je criais et m'en allais. Quand elle tentait de me serrer dans ses bras, je la repoussais. Elle disait: « Je sais que tu n'aimes pas ça, mais je vais quand même te prendre dans mes bras. » Elle m'écrivait des lettres et signait: « Je t'aime! Mary Jo. » Je les déchirais et les jetais aux ordures où elle pourrait les voir. La lettre suivante disait: « Je sais que tu vas la déchirer. Je t'aime de toute façon! Mary Jo. »

À mon seizième anniversaire de naissance, Mary Jo et moi nous sommes disputées parce que je me moquais de sa fille. J'ai été envoyée dans ma chambre. J'ai téléphoné à mes amies pour leur dire de m'attendre au coin de la rue et je suis sortie par la fenêtre. Je suis revenue à la maison vers 18 heures, craignant de rentrer. En ouvrant la porte, j'ai entendu « Surprise! ». Six de mes amies étaient assises autour de la table, qui regorgeait de nour-riture et de cadeaux. Mary Jo avait organisé la fête et cuisiné pour moi. Elle me traitait comme une princesse devant mes amies. Je me sentais si spéciale et, pourtant, si coupable. La fête terminée, Mary Jo a dit: « Joyeux anniversaire. Je t'aime. Tu es privée de sortie. »

Un jour, je suis passée devant la chambre de mon père et Mary Jo. Je l'ai entendue pleurer. Je ne me souviens pas de ce qu'elle disait, mais c'était à propos de moi et à quel point elle ne s'attendait pas à ce que tout cela soit si difficile. Il serait exagéré de penser que j'ai cessé mon comportement et que nous ne nous sommes plus jamais disputées, mais entendre sa souffrance m'a fait avancer d'un pas plus près d'elle.

Une grande partie de ma colère et de ma blessure con-cernait mon père, ses gestes passés, et les murs que nous avions dressés entre nous au fil des ans. Mary Jo était souvent prise au milieu. Avec le temps, j'en suis venue à l'aimer et à la respecter. Depuis le jour où mon père nous l'avait présentée, je la trouvais belle. Je lui demandais parfois sincèrement: « Qu'est-ce que tu vois en lui? » Elle m'énumérait toutes les qualités de mon père que je tentais désespérément d'oublier dans un effort pour le haïr. J'ai posé cette question et entendu la réponse tant de fois que j'ai commencé à voir le bon qu'elle voyait en lui. J'ai commencé à prendre l'amour et l'acceptation que Mary Jo avait versés en moi et à les exercer sur mon père. Après un certain temps, il y a eu un pont là où se trouvait un mur.

Quand je faisais des mauvais coups, Mary Jo traitait directement mon comportement. Elle me disait ce que j'avais fait de mal et ce qu'était la punition. Elle ne faisait pas tout un cinéma. Elle indiquait clairement ce qu'elle tolérait et ne tolérait pas. Ce faisant, elle a nourri mon estime de moi en prononçant des paroles comme: « Tu vaux mieux que cela » et « Je m'attends à mieux de quelqu'un comme toi. » Après avoir entendu pendant des années des commentaires comme: « Tu fais toujours ce genre de bêtises » et « Vas-tu être un problème permanent? », j'avais l'impression que les sermons de Mary Jo me faisaient grandir de cinq centimètres.

Il y avait plus important que la manière dont elle composait avec mes comportements indisciplinés: elle m'enseignait des alternatives positives et me présentait des solutions qui me faisaient me sentir bien. Pour quelqu'un d'autre, jouer aux cartes, cuisiner et dîner en famille peuvent être des activités ordinaires, mais pour moi c'étaient des sources de joie et de conscience de ma propre valeur. C'était le remède à une maladie qui aurait pu durer toute ma vie.

L'un des remèdes les plus efficaces que j'ai goûtés est la course à pied, qui était aussi un cadeau de Mary Jo.

Elle a couru seize kilomètres le jour où elle a épousé mon père. Je n'avais jamais couru auparavant, mais je me suis dit que si elle le pouvait, je le pouvais aussi. Je marchais presque autant que je courais. Cependant, j'ai couru et j'ai gagné bien des courses depuis ce jour. Mary Jo et moi avons couru ensemble dans des montagnes et des quartiers. À l'école secondaire, je faisais de la course sur piste et de fond. Je prétendais que cela n'avait pas d'importance que Mary Jo assiste à mes courses ou non, et je l'ignorais quand elle était présente. Parfois je ne l'informais même pas que j'avais une course, mais elle le découvrait par l'école. Avant de commencer, je balayais la foule des yeux. Quand je voyais son visage, même si je n'en soufflais mot à personne, un sentiment de réconfort m'envahissait.

Dire que Mary Jo a eu une influence positive dans ma vie est un euphémisme. Elle a apporté une différence fondamentale dans ma vie. Elle m'a servi de modèle, de mère et d'amie. Elle m'a enseigné ce que signifie « être une famille » et a créé des activités qui comptent parmi mes souvenirs les plus chers. Elle a fait de chaque congé une célébration. Elle m'a transmis le don de la course, lequel m'a donné force, paix, intimité, un endroit où pleurer, prier, évoluer. Elle m'a enseigné les manières qui m'ont permis d'exceller dans les affaires et dans la vie.

Par-dessus tout, Mary Jo m'a enseigné l'amour. Elle m'a montré que l'amour guérit, l'amour adoucit, l'amour voit sous la carapace, l'amour change les gens, l'amour est créateur de métamorphoses. Aujourd'hui, je suis fière que Mary Jo m'appelle sa fille, et j'ai le privilège de l'appeler mon amie.

Alice Lundy Blum

Réflexions sur une garde-robe

Toutes les mères d'adolescentes savent de quoi il s'agit. Magasiner des vêtements avec ce groupe d'âge est une épreuve de patience, d'endurance physique, de retenue et de bonté humaine fondamentale.

« Maman, laisse tomber! Ces pantalons sont bien trop bouffants! »

« Ils te collent à la peau! »

« Ouais, ces souliers-là sont pas mal et ils ressemblent à ceux griffés et ils me font bien, mais, maman, ils n'ont pas le petit animal sur l'étiquette et tout le monde va le savoir! Je vais payer moi-même les vingt dollars de différence pour les souliers griffés, d'accord? »

« Quand les poules auront des dents, oui. »

« Maman! Crois-tu vraiment que je me laisserais voir morte dans une telle robe? »

« Non, je pensais davantage au bal de la remise des diplômes, mais si tu continues sur ce ton... »

Mon Dieu, donne-moi de la patience. Guide-moi hors de ce magasin et vers l'endroit où ils vendent des biscuits chauds aux brisures de chocolat. Vite.

Après quelques excursions lamentables et épuisantes de magasinage avec mes filles, excursions qui m'ont presque malmenée avec leur logique adolescente, j'ai décidé de les laisser magasiner seules dorénavant, avec l'argent qu'elles ont gagné elles-mêmes.

Merci, mon Dieu, pour cette brillante idée. Je vais peut-être survivre comme mère seule, après tout.

Puis un jour, quelques années plus tard, c'est arrivé.

« Maman, m'a demandé Julie doucement, est-ce que je peux emprunter ta blouse jaune pour aller à l'école demain? Et peut-être ta jupe brune imprimée? »

« Bien sûr, ma chérie! » Je suis presque tombée de mon tabouret, au comptoir de la cuisine. Enfin, mes filles grandissaient. Nos goûts vestimentaires commençaient à se confondre. Je me suis soudain sentie dix ans plus jeune.

Quelques minutes plus tard, Jeanne est passée par la cuisine.

« Maman, est-ce que je peux essayer certains de tes vêtements? J'aimerais peut-être emprunter ta jupe de lainage et l'un de tes foulards. »

« Sers-toi, ma chère », ai-je souri d'un air suffisant.

Ou bien je deviens vraiment « in » en ce qui concerne les vêtements, ou bien elles ont enfin découvert la mode sensée, ai-je songé.

Être une mère seule était soudainement amusant. Au lieu de me battre à propos du prix des vêtements et des styles que mes filles choisissaient plutôt que ceux qui avaient de l'allure dans le monde réel, des visions de nouvelles excursions excitantes de magasinage mère-fille ont tout à coup dansé dans ma tête. Je nous voyais toutes les trois dîner après nos aventures dans les boutiques, discuter de nos rabais et de nos styles apparentés, devant quiches et croissants.

À ce moment précis, Jeanne et Julie sont sorties de ma chambre, vêtues presque de la tête aux pieds d'éléments de ma garde-robe, y compris bijoux et accessoires.

« Merci, maman! C'est parfait! »

Je n'étais pas très certaine des combinaisons qu'elles avaient choisies, mais je n'allais sûrement pas les critiquer. Après tout, je ne voulais pas gâcher ce moment spécial, ce tendre passage de l'adolescence à l'âge adulte.

« Oui, ils sont parfaits, maman, a acquiescé Jeanne. C'est la journée vieux jeu à l'école demain… tu sais, tout le monde s'habille comme dans les années 50, très quétaine. Ces choses sont parfaites. »

« Oh… »

Seigneur, es-tu là? Il me faut plus de patience. Beaucoup plus. Tout de suite, Seigneur. M'écoutes-tu?

Patricia Lorenz

« Je vois des choses étranges dans votre avenir…
des souliers qui disparaissent,
des blouses envolées de votre placard…
Vous n'auriez pas une fille adolescente par hasard? »

Reproduit avec la permission de Kathy Shaskan.

Diplôme de passage
de l'enfance à l'adolescence

Soyons reconnaissants envers les gens qui nous rendent heureux; ils sont les jardiniers qui font fleurir notre âme.

Marcel Proust

À MA FILLE, SARAH
POUR SON TREIZIÈME ANNIVERSAIRE DE NAISSANCE
UNE DÉCLARATION ET QUELQUES PROMESSES

Je reconnais par la présente que tu n'es plus une enfant, et que ta nouvelle personne a besoin d'un genre de mère nouveau et différent, et d'une nouvelle façon d'appartenir à cette famille. À cette fin, je promets:

D'avoir foi en ton bon sens, en ton intelligence, en ta capacité de prendre de bonnes décisions dans ton meilleur intérêt, et en ton bon cœur, quoi que tu fasses. J'interviendrai parfois parce que j'ai aussi confiance en mon propre bon sens et je sais que tu n'as pas encore mûri, mais je ne douterai jamais que tu fais de ton mieux. En mon for intérieur, je te fais confiance.

Je vais respecter et aimer qui tu es, peu importe le moment, sachant que tu fais ce que tu dois faire. Tu peux compter sur moi pour encourager ton développement, ton apprentissage et la découverte de ton identité de toutes les manières possibles. Je sais que tu vas changer maintes fois avant de pouvoir découvrir qui tu es, que cela peut être pénible pour nous deux, et que cela comportera aussi de la joie.

Je ne compterai pas sur toi pour l'amitié, pour partager ma vie ou pour être une enfant quand j'en ai besoin, mais je serai toujours heureuse de passer du temps avec toi quand tu le désireras. Merci d'avoir été une merveilleuse copine au cours de ces douze dernières années. J'ai hâte que nous soyons de nouveau copines dans l'avenir. Entre-temps, je ne t'imposerai pas mon besoin de toi; tu as suffisamment de quoi t'en faire à toi seule.

Tu n'as pas à prendre soin de moi, à te sentir coupable de ce que tu ressens à mon endroit ou à me mentir pour me réconforter. Je ne veux pas ajouter à ta souffrance ou à ta confusion. Je garderai pour moi tout doute que je puisse nourrir à propos de ma réussite comme mère d'une enfant. Je ne peux pas corriger le passé, mais je peux essayer de faire ce qu'il faut dans le présent.

Quand tu étais une enfant, j'ai fait en sorte que tu deviennes autonome et débrouillarde, et il t'a peut-être semblé que je refusais de t'aider, de t'accompagner, de prendre des dispositions, etc., quand j'aurais pu. Je crois aujourd'hui que tu es devenue une personne autonome et débrouillarde, et je t'aiderai chaque fois que je le pourrai.

Je vais exiger que tu sois aussi honnête que tu puisses l'être, que tu demandes de l'aide quand tu en as besoin, que tu me dises ce qui se passe dans ta vie autant que tu le peux, que tu prennes les responsabilités pour lesquelles tu es prête et non celles qui te dépassent, et que nous ne perdions jamais de vue que nous sommes seulement deux êtres humains tâchant de jouer le jeu de la meilleure façon possible. Je serai la mère, tu seras la fille, et nous ferons de notre mieux.

Alors que tu navigueras sur ces six prochaines années, tu peux compter sur moi pour être là, pour t'aimer, te respecter, te guider chaque fois que tu en auras besoin. Je serai disponible pour parler de n'importe quoi, n'importe quand, sans te condamner. Je n'agirai pas comme ton thérapeute ou ton enseignante. Je vais tenter de t'entretenir de sujets dont il faut parler au cas où tu n'oserais pas demander. Si je fais quelque chose de stupide, ou que je manque à une de ces promesses, tu peux me le dire. Bonne chance!

J'ai hâte de connaître la femme ravissante, intelligente, capable, aimante que tu es en train de devenir.

Rebecca Reid

Garde la paix en toi, ensuite offre-la aux autres.

Thomas à Kempis

Et deux avec le bébé

La relation entre une mère et sa fille est aussi variée, aussi mystérieuse, aussi changeante et interreliée que les motifs d'un kaléidoscope qui se touchent, s'éloignent et se touchent de nouveau.

Lyn Lifshin

Je n'avais pas tout à fait 20 ans quand j'ai donné naissance à ma toute mignonne fille, et j'étais terrifiée par la responsabilité de bien l'élever. Avant qu'on la dépose dans mes bras, je me suis demandé si je m'attacherais à cette petite étrangère. Au cours du premier allaitement, elle avait réquisitionné le reste de ma vie à seule fin de l'aimer. Elle m'a fait dépasser ce que je croyais être les limites de ma patience, de mon ingéniosité, de ma créativité, de mon endurance et de ma capacité d'aimer — surtout durant les années de son adolescence!

À l'été de ses 12 ans, ma fille, Tiffany, et moi sommes allées à Virginia Beach. Je voulais assister à un séminaire d'une semaine sur l'Égypte ancienne pour un livre que j'écrivais. J'étais aussi en vacances et j'avais très hâte de combiner ma participation au séminaire et des vacances à la mer avec ma fille. Elle était inscrite à un programme pour adolescents pendant que les parents assistaient au séminaire. Nous allions manger et passer nos soirées ensemble. Nous nous sommes installées dans un motel sur la plage. Tiffany n'était pas certaine de vouloir y être, même si elle avait toujours aimé la mer. Elle se demandait constamment ce qu'elle manquait chez nous. Que faisaient ses amis?

Quand je suis devenue mère seule, ma fille avait 6 ans. J'avais alors pris la décision de maintenir la dynamique de notre communication très réelle, de ne pas imposer mon autorité avec des phrases comme « ... parce que je l'ai dit » ou « ... parce que je suis ta mère ». J'essayais que tout sujet de conversation soit admissible. J'avais opté pour la communication basée sur la confiance, l'honnêteté et une franche discussion des problèmes. Cependant, cette option ne semblait pas très bien aller, et j'avais commencé à me demander si je ne devais pas réviser mon approche.

Ma fille était boudeuse, querelleuse et non communicative depuis bientôt un an. Verseau du 6 février, qui croit impératif de faire toutes choses avant les autres, ma fille avait décidé que 12 ans était l'âge de son indépendance. Elle essayait de vivre toute son adolescence dans le plus court laps de temps possible. Il y avait un nouveau groupe d'amis avec qui traîner dans le quartier. Elle a essayé de fumer, puis elle a cessé. Elle a fait l'expérience de la marijuana et elle a adopté une attitude provocante concernant le contact avec les garçons. Comme elle devenait plus secrète et repliée sur elle-même, notre communication en souffrait. C'était contraire à notre façon habituelle d'entretenir des rapports l'une avec l'autre. Nous avions toujours été plutôt proches.

Quand le séminaire a débuté, elle et les autres jeunes ont formé un groupe étroitement lié. Leurs activités pendant la journée étaient organisées, et le soir ils étaient livrés à eux-mêmes. Tiffany a choisi de passer autant de temps que possible avec ses nouveaux amis. Nous ne nous voyions pas beaucoup, sauf aux repas, et le soir au motel. Je l'interrogeais sur sa journée, lui demandais si elle s'amusait ou pas. Elle répondait par monosyllabes. C'était comme le scénario d'une comédie de situation; alors j'essayais de prendre les choses avec humour, en répondant à mes propres questions en détail avec ce qui était ostensiblement sa voix. Ses regards étaient méprisants ! Perdant mon calme, j'alternais entre la patience et l'exaspération. Après tout, c'étaient mes seules vacances de l'année et j'avais grand besoin de me ressourcer. Et pourtant, je me retrouvais avec une fille de 12 ans au visage long qui ne voulait pas être là et certainement pas avec sa mère, entre tous.

Un soir, vers la fin de la semaine, j'étais assise seule sur la plage, songeant à notre relation. Je me sentais frustrée et triste. Ma fille me glissait entre les doigts, et je me sentais impuissante à l'en empêcher. J'ai entendu des voix et des rires s'approcher de la plage derrière moi. Un groupe de jeunes « à peine » adolescents traversaient la rue pour aller marcher sur la plage. Ils étaient si occupés entre eux qu'ils ne m'ont pas remarquée. Particulièrement occupés étaient Tiffany et Thomas, un charmant garçon un peu plus âgé qu'elle. Ils marchaient ensemble, son bras passé autour d'elle. Je les observais de loin, voyant le cercle d'énergie exubérante émanant du petit groupe.

Les autres m'ont remarquée en premier. Je les ai entendus couiner: « Tiffany, ta mère... », lui donnant des coups de coude et indiquant ma direction. L'alarme était sonnée. Elle s'est vite dégagée de l'étreinte décontractée de Thomas. J'ai regardé tout cela, puis je l'ai appelée vers moi. Le groupe s'est dissout, ne sachant pas trop où aller, mais apparemment soulagé de ne pas être ceux pris en défaut. Chacun, surtout Tiffany, était persuadé qu'elle était dans un sérieux pétrin.

Elle s'est arrêtée à quelques pas de moi, d'un air buté et honteux à la fois. Il fallait tuer tout cela dans l'œuf, sur-le-champ. J'ai dit: « Tiffany, Thomas avait-il passé son bras autour de toi, tantôt? »

« Oui », répondit-elle d'une voix de défi mais quelque peu tremblotante.

« Voulais-tu qu'il t'enlace avec son bras? »

« Oui », de nouveau.

« Croyais-tu qu'il y avait quelque chose de mal dans le fait qu'il passe son bras autour de ta taille avant que tu me voies ? »

« Non. » Elle se demandait où je voulais en venir. Elle ne s'attendait pas à ces questions.

« Voulais-tu qu'il cesse de le faire? »

« Non. »

« Alors, ne me laisse jamais te surprendre, peu importe qui est en cause, à agir contrairement à ce en quoi tu crois. Pas même si c'est moi. »

Elle m'a regardée, incrédule, tentant de concilier mon ton sévère avec la grâce de mon message. Ses yeux se sont remplis de larmes. À cet instant, ma fille a eu un moment de vérité. Elle ne se fermerait plus jamais à moi ni ne travestirait plus notre relation. Je n'étais plus seulement une mère, une figure d'autorité à défier! Tiffany a pris conscience qu'elle pouvait compter sur moi pour l'aimer vraiment, peu importe ce qu'elle faisait. Elle s'est sentie s'abandonner à cette vérité, et la confiance qui s'en est dégagée s'est déversée sur toute son hostilité et sa rébellion comme un baume. Elle a fondu en larmes, dans mes bras, où mes baisers ont séché ses pleurs. Ce soir-là, les écluses se sont ouvertes, et elle a commencé à me parler. Ce fut indéniablement un point tournant dans notre relation. Elle ne m'a plus jamais traitée comme une étrangère.

Cie Simurro

Qui va arroser mes larmes?

Je ne crois pas que la vie doive nous faire sentir bien, ou nous faire sentir malheureux non plus. La vie est simplement censée nous faire sentir.

Gloria Naylor

Les larmes de ma fille ont commencé alors que nous sortions en voiture de notre allée et roulions dans les rues de notre quartier vers les autoroutes qui nous mèneraient à quelque quinze cents kilomètres au Colorado et à sa première année d'université. Nous avions emprunté ces rues, elle et moi, en des centaines d'occasions joyeuses, allant ici ou là, maintes fois en échangeant pensées et plaisanteries. Comme elle est perspicace, ai-je souvent pensé, pour comprendre les gens et les situations, aller à l'essentiel de toute question et exprimer clairement ses pensées. Elle est tellement plus habile en ces matières que je ne l'étais à son âge.

Aujourd'hui, elle ne trouvait pas les mots pour expliquer ses larmes en une occasion qui aurait dû être surtout heureuse. Je croyais qu'elle aurait ressenti l'excitation de commencer sa propre vie, loin de la maison — qu'elle serait ravie à l'idée d'être seule et libérée du regard scrutateur constant de ses parents. Qu'est-ce qui n'allait pas?

Pleurait-elle parce qu'elle serait loin pendant une longue période pour la première fois, parce qu'elle quittait ses amis, des endroits et visages familiers, et sa famille ou parce qu'elle quittait son meilleur ami et premier amour, un jeune homme qu'elle avait rencontré quelques mois auparavant? C'était la perte qui semblait avoir le plus d'effet sur elle à ce moment.

J'espérais que le long voyage serait une autre occasion heureuse pour nous deux où nous pourrions parler librement et intimement pendant les deux jours de route. Son chagrin rendait difficile de converser sur les bons moments du passé et les nouvelles expériences qu'elle pouvait espérer. Même si les larmes ont finalement disparu, il n'y aurait pas de lien affectif ce jour-là, et j'avais raté la chance de l'impressionner avec mes sages conseils. Nous avons surtout partagé le silence.

Le lendemain, quand les montagnes ont été visibles et ont semblé tout près, il en a été de même pour la réalité de son avenir dans ce magnifique pays. À mesure que grandissaient les montagnes, sa hâte et son moral en faisaient autant. Nous avons parlé de tout et de rien.

Finalement, nous sommes arrivées sur le campus, et elle a emménagé dans sa chambre. Elle et sa compagne de chambre se sont bien entendues dès le départ. Elles aimaient toutes deux le café fort et la musique country; les deux étaient désordonnées et devaient régler le réveille-matin de l'autre côté de la chambre pour sortir du lit le matin. Je n'aurais jamais cru que je verrais ces habitudes comme étant des traits positifs.

La séance d'orientation était informative mais épuisante, et nous a rappelé à toutes deux de seulement survivre au présent. Il y avait des rencontres pour parents seulement, pour étudiants seulement, et pour parents et étudiants ensemble. J'ai appris que cette université s'inscrit au palmarès des dix écoles les plus fêtardes du pays, que les maladies transmises sexuellement y sont une épidémie, et que les deux tiers de la classe des nouveaux sont en période d'essai universitaire après le premier semestre. Pourquoi avions-nous accepté qu'elle fréquente cette école?

Il était difficile de nous retrouver sur un campus de six cents acres où tous les bâtiments se ressemblaient et où je ne pouvais lire les noms qu'avec mes lunettes. Nos différentes méthodes de repérage causaient plus de frictions entre nous que toute autre chose. J'étais portée à lire les cartes, et elle préférait se fier à son instinct, courant la chance qu'il l'amène au bon édifice.

Le dernier jour de l'orientation, l'inscription a été absolument frustrante, voire enrageante. Il semblait qu'aucun des cours qu'elle voulait suivre n'était ouvert, et il y avait de longues files pour chaque étape du processus d'inscription. Il y avait un conseiller pour quelque quinze étudiants. Ce n'est que par sa persévérance et sa détermination à attendre des heures le lendemain pour rencontrer seule un conseiller qu'elle a obtenu les cours qu'elle désirait.

D'un délicat coup de coude, elle m'a clairement indiqué qu'il était temps que je la laisse seule. Le plaisir étant le sien désormais, une boule s'est formée dans ma gorge et les larmes me sont venues aux yeux. Si je devais transmettre quelque grande sagesse nouvelle, il fallait que ce soit dans les quelques minutes de notre adieu. Que pouvais-je dire qui n'avait pas déjà été exprimé?

Je lui ai parlé d'un temps où elle était très jeune. Nous étions allées dans un grand magasin, et j'essayais des vêtements. Elle est sortie de la cabine d'essayage, me laissant dévêtue et incapable de courir la chercher. Quand j'ai eu terminé de me rhabiller, elle avait disparu. Après une recherche frénétique qui m'a semblé durer une éternité, je l'ai trouvée, assise tranquillement dans le bureau de la sécurité du centre commercial. C'était un cauchemar qui semblait décrire exactement le moment présent. Quand elle va me quitter aujourd'hui, je vais vouloir courir la chercher. Je veux encore qu'elle reste auprès de moi, protégée et en sécurité. Maintenant, je suis émotionnellement dévêtue; je ne peux pas courir après elle. Elle sera plus heureuse sans moi, plus que je ne crois qu'elle devrait l'être.

En l'étreignant une dernière fois, je n'ai pu retenir mes larmes.

« Je t'aime », ai-je dit.

À brûle-pourpoint, elle a repris: « Vas-tu arroser mes larmes? » C'est le nom que nous donnons aux plantes qu'elle place sur le rebord de la fenêtre de sa chambre. Les pousses délicates tombent en cascade sur le plancher, couvrant presque un mur. Les petites feuilles rondes et les fragiles fleurs lavande ressemblent à des larmes. Nous savions toutes deux ce qu'elle demandait. Sa chambre serait-elle encore là intacte quand elle reviendrait? Sa famille serait-elle là pour elle, comme elle l'avait toujours été? Nous baladerions-nous en voiture, échangeant rires et confidences, dans les mêmes rues familières qui avoisinaient la seule maison qu'elle a connue?

Oui, nous arroserons tes larmes.

Elle s'est tournée vers sa nouvelle vie, et je suis retournée à la maison. Comme les montagnes diminuaient dans mon rétroviseur, sa présence s'estompait aussi. Je me suis sentie plus seule et plus vide jusqu'à ce que les plaines aplanissent mes émotions. J'ai réussi à me contenir pendant presque vingt-six heures jusqu'à ce que les vues familières de la maison ne provoquent des cascades de larmes.

Sans elle, nos rues sont silencieuses, notre maison est vide, mon estomac est creux.

Qui va arroser mes larmes?

Win Herberg

« Je promets de t'écrire de l'université, maman.
Et je vais téléphoner, envoyer des courriels
et même des messages par télépathie ! »

Reproduit avec la permission de Stephanie Piro.

La chemise de nuit

Les gens deviennent vraiment très remarquables quand ils commencent à croire qu'ils peuvent accomplir des choses. Lorsqu'ils croient en eux-mêmes, ils possèdent le premier secret de la réussite.

Norman Vincent Peale

Dans le tiroir du bas de la commode en placage de noyer de ma mère se trouvait une chemise de nuit de nylon et dentelle à la Joan Crawford. Elle était bleue et soigneusement enveloppée dans du papier blanc, un tout petit sachet de lavande glissé dans ses plis.

J'avais 10 ou 11 ans quand maman m'a montré la chemise de nuit pour la première fois. Je trouvais que c'était la chose la plus belle et la plus élégante que j'avais jamais vue. « Ton père me l'a donnée, je la garde pour le jour où je serai hospitalisée », a-t-elle dit doucement, presque pour elle-même. De temps à autre, si je me trouvais près du tiroir ouvert, elle me laissait regarder la chemise de nuit. Je la touchais doucement, et nous plaisantions à propos des minces chances qu'elle soit portée un jour.

« Tu n'es jamais malade, maman. Tu ne porteras jamais cette chemise de nuit si tu attends l'hôpital », la grondais-je gentiment.

Elle souriait et répondait fermement: « Elle est trop belle pour être portée au quotidien. »

En vérité, il n'y avait pas d'occasion assez spéciale — à l'hôpital ou en dehors — pour qu'elle puisse porter une telle chemise de nuit. J'ai appris plus tard que ce n'était pas parce que la chemise de nuit était trop belle, mais plutôt que ma mère ne croyait pas y avoir droit. Cela l'a privée de goûter un jour à l'élégance de ce vêtement sur sa peau.

Je crois qu'il a dû y avoir une époque, avant ma naissance, où elle aurait pu penser autrement, quand elle était une « femme fatale », d'après l'album de finissants de son école secondaire. J'imagine qu'en 1936 elle aurait pu danser et tournoyer dans une légère chemise de nuit bleue pour séduire mon charmant père adolescent, en flirtant avec ses grands yeux bruns et son doux sourire. J'imagine qu'elle aurait pu lui chanter une chanson d'amour de sa riche voix d'alto, ou lui tenir tranquillement la main et partager des rêves. Elle était jeune et apparemment invulnérable, même aux colères de son père alcoolique et au décès subit de sa mère au cours de cette même année. Et elle a eu mon père, qui avait ses propres souffrances, dont le divorce de ses parents et la pauvreté humiliante qui s'en est suivie. Ils avaient l'un l'autre alors, et je doute que ce à quoi elle avait droit lui ait effleuré l'esprit.

La chemise de nuit est demeurée dans le tiroir du bas pendant la trentaine d'années suivantes, dérangée seulement par quelques déménagements. Finalement, elle a été relogée dans un petit appartement et dans un autre tiroir du bas d'une commode ancienne, provenant de la chambre à coucher de mes parents. Ma mère avait alors cessé de danser et de flirter depuis longtemps. Des années de trahisons et de conflits avaient obscurci la lumière dans ces yeux bruns, et le divorce l'avait laissée seule, déprimée et amère. Elle fonctionnait assez bien: elle avait trouvé un emploi, s'était créé un petit cercle d'amies, voyageait à l'occasion pour rendre visite à mes sœurs, et s'était même brièvement remariée. Elle adorait ses petits-enfants et les Steelers de Pittsburgh et son chat dévoué, Poppy. Mais elle avait manifestement cessé d'être profondément concernée par sa vie et ses rêves.

C'est dans cette résignation et ce chagrin non résolu que son cancer a pris naissance.

Je veux écrire à propos de l'époque où ma mère est allée à l'hôpital et ne portait que les chemises de nuit réglementaires, à propos de l'horreur de voir les perfusions intraveineuses de médicaments couler dans ses veines, médicaments qui ne prolongeraient que de six mois sa vie en dégénérescence. Je veux formuler plainte après plainte au sujet de l'indifférence et de l'incompétence dont semblaient faire preuve son médecin et le personnel infirmier, et de l'insensibilité que j'attribuais au monde entier à l'égard de ma mère mourante. Mais cela m'éloignerait de l'histoire qui importe davantage, celle à propos du droit à la dignité que ma mère a perdu et retrouvé.

C'est arrivé un soir, au début de la série de traitements de chimiothérapie, lesquels étaient plutôt de la routine mais exigeaient une hospitalisation d'une nuit pour observation. Le corps de ma mère était déjà affaibli par des jours et des nuits de graves nausées et vomissements. Quand nous sommes arrivées à sa chambre, nous avons trouvé une équipe de médecins et d'infirmières au chevet de sa compagne de chambre, qui était apparemment en arrêt cardiaque. Tandis que le personnel de soins allait et venait en courant devant le lit de ma mère, je l'ai aidée à s'installer pour le traitement par voie intraveineuse de chimio. À l'occasion, une infirmière s'arrêtait pour vérifier pourquoi ma mère était là, et parfois, une autre infirmière s'arrêtait pour voir si quelqu'un était passé, probablement pour installer la perfusion intraveineuse. Trois heures ont passé. Nos capacités communes de trouver de l'humour aux situations fâcheuses étaient épuisées. Même si la patiente dans le lit voisin était maintenant stabilisée, cette bonne nouvelle n'avait aucun effet positif sur le niveau de soins qu'obtenait ma mère. Puis, une infirmière est venue nous dire que le dossier de maman avait été égaré et qu'ils attendaient l'appel de son médecin. Nous avons encore attendu. Enfin, une autre infirmière est venue dans la chambre et a dit à ma mère: « Le médecin n'a pas encore téléphoné. Vous rappelez-vous par hasard la couleur du médicament dans votre perfusion intraveineuse? »

La question est restée en suspens pendant un moment. Ma mère a bégayé: « Eh bien, je crois qu'il était bleu... »

J'ai sauté de ma chaise.

« De quelle couleur il est?, ai-je dit. De quelle *couleur* il est? »

Ma mère a tapoté ma main, un poing serré. Elle avait l'air si petite et chétive dans ce grand lit. J'ai eu le cœur brisé. J'ai pris le téléphone et composé le service de permanence téléphonique du médecin. J'ai passé le combiné à ma mère pour attendre la communication et je suis sortie de la chambre, furieuse, cherchant quelqu'un ayant l'air d'un médecin de garde. Je me suis approchée de deux résidents dans le corridor et je leur ai déballé mon problème. Avant que je puisse terminer, l'un d'eux m'a mis la main sur l'épaule et a dit: « Écoutez, ma chère, je ne suis pas le médecin de votre mère, vous allez seulement devoir attendre... »

Je me suis éloignée de lui d'un bond, comme prise d'une décharge électrique.

« Comment *osez*-vous m'appeler "ma chère"! » ai-je dit, me sentant devenir mal d'indignation.

Je suis retournée à la chambre, tremblante. Maman parlait au téléphone avec le médecin. Elle disait: « Que voulez-vous dire, mes valeurs ne sont pas à la bonne place? »

J'ai regardé ses yeux bruns étinceler de colère. Elle s'est assise sur le bord du lit. À ce moment-là, nous avons compris soudainement. Je suis allée dans le placard prendre ses vêtements et j'ai commencé à l'habiller, d'abord les bas, puis les pantalons, ensuite la blouse. Elle coopérait en remuant bras et jambes, et déplaçait son derrière au besoin, le combiné toujours à l'oreille. La lueur dans ses yeux s'est mise à scintiller, montrant un sourire naissant. J'ai emballé ses quelques accessoires de toilette et pris son manteau alors qu'elle raccrochait violemment.

« Il m'a dit que mes valeurs ne sont pas à la bonne place, a-t-elle répliqué. Que je devrais être disposée à subir un petit dérangement pour prolonger ma vie. Que je me comportais comme une enfant. Peux-tu croire ça? »

« Facilement. »

Il était bien passé minuit et nous étions à l'hôpital depuis des heures. « Maman, foutons le camp d'ici. »

J'ai tenu son manteau tandis qu'elle enfilait les manches.

« Je suis prête. »

J'ai trouvé un fauteuil roulant dans le corridor et j'ai aidé maman à s'y asseoir. J'ai bordé ses jambes avec mon manteau et empilé son nécessaire de voyage et nos sacs à main sur ses genoux. Elle a empoigné les courroies des trois sacs jusqu'à ce que ses jointures deviennent blanches. Elle m'a regardée, le visage illuminé d'un grand sourire, et a dit: « Allons-y. »

À mi-chemin dans le couloir, l'infirmière responsable s'est plantée devant le fauteuil roulant. « Où croyez-vous aller? » nous a-t-elle demandé.

« Je m'en vais *chez moi* », a répondu ma mère doucement mais fermement.

« Vous allez chez vous? Et pourquoi donc allez-vous à la maison au beau milieu de la nuit comme ça? » a demandé la responsable encore plus fort.

Ma mère et l'infirmière se sont affrontées du regard un moment. Puis, tout aussi doucement et fermement qu'auparavant, maman a répliqué: « Parce que j'en ai assez de ces conneries. »

Pour la deuxième fois ce soir-là, une phrase est restée en suspens dans l'air. L'infirmière s'est écartée. J'ai tapé maman sur l'épaule en guise d'approbation, et nous nous sommes précipitées dans l'ascenseur, puis dans la nuit fraîche d'avril.

Après la mort de ma mère une année plus tard, j'ai trouvé la chemise de nuit bleue dans son tiroir du bas. La dentelle était plus raide que dans mon souvenir, et le papier avait un peu jauni, mais l'odeur de lavande était encore forte quand je l'ai tenue près de mon visage. Puis, je l'ai mise dans un sac destiné aux bonnes œuvres. Je ne voulais pas d'un souvenir que maman avait jugé trop beau pour elle. J'ai repensé à ces merveilleux moments après avoir quitté l'hôpital cette nuit d'avril.

Quand nous nous étions retrouvées à bonne distance, j'avais garé la voiture dans le stationnement d'une franchise de restauration rapide, et nous nous étions écroulées d'un rire hystérique. Pendant que j'engouffrais avec plaisir mes frites et que maman tentait d'avaler un lait frappé, nous revivions la soirée, minute après minute bizarre, et savourions notre triomphe — sur le système peut-être, peut-être même sur la mort, et bien qu'aucune de nous ne l'avait dit, je crois que nous savions que nous savourions aussi, en cette brève heure lumineuse, la victoire de ma mère sur la résignation, la dépression et l'amertume, et sur toute la souffrance irrésolue de générations avant elle.

Alicia Nordan

Grimper

Acceptez les défis, ainsi vous pourrez ressentir l'ivresse de la victoire.

George S. Patton

Lors d'un récent atelier, on m'a demandé de dresser la liste de tous les cadeaux reçus qui avaient fait une différence dans ma vie. Quelle tâche! Fouiller mon passé pour y trouver tous les merveilleux cadeaux d'encouragement, de compréhension, de véritable aide physique ou financière, d'écoute et de bons conseils équivaut à reconnaître les nombreuses personnes qui m'ont donné un coup de main en cours de route. Un cadeau que j'ai reçu de ma fille Lacy l'été dernier se démarque comme venant spécialement du fond du cœur.

Par une douce matinée de juin, elle m'a téléphoné et dit gaiement: « Allô, maman, veux-tu faire de l'escalade? » Je mourais d'envie de faire de l'escalade. Quelques mois auparavant, j'avais subi une opération à l'abdomen pour un cancer et je regagnais encore mes forces physiques et mon équilibre émotionnel. Je n'étais pas certaine de pouvoir escalader une petite colline, encore moins un gros rocher. Parce que je lui fais si profondément confiance et qu'elle me présentait la chose comme étant faisable, j'ai décidé d'y aller.

Nous avons commandé des pique-niques et nous nous sommes rendues à la base de notre site d'escalade. Nous avons chargé l'équipement — d'impressionnantes grosses cordes d'alpinisme bleues et bourgogne, des harnais, un assortiment de mousquetons, des chaussures d'escalade, des casques, les lunchs, de l'eau et de l'insectifuge. Nous avons monté un chemin, puis sommes entrées dans le bois et avons suivi un sentier touffu. Il faisait chaud, et je travaillais fort, plus fort que j'aurais rêvé en être capable. Je m'arrêtais souvent pour reprendre mon souffle, mais c'était bon d'être dehors sous le soleil du matin, à marcher dans les bois où résonnaient les cris d'oiseaux. J'étais contente d'être en vie.

La Corniche Rose est un endroit splendide au creux des bois qui convient parfaitement aux débutants de l'escalade. La Corniche me semblait terriblement haute, mais Lacy et Connie ont préparé l'escalade avec grande énergie et efficacité. Lacy a ancré nos cordes à des arbres au-dessus de la Corniche et les a laissées tomber à mes pieds. Elle a installé le système de sécurité appelé assurage et l'a mis à l'essai. J'ai observé en mangeant un biscuit.

Pour nous préparer à l'escalade, nous avons fait quelques étirements, puis avons pratiqué « l'escalade en bloc » sur de plus petits rochers. Cela voulait dire escalader des rochers en s'aidant des mains pendant que Lacy me « repérait », se tenant tout près pour arrêter ma chute au besoin. L'escalade en bloc était difficile pour moi et terrifiante aussi, même si je n'étais qu'à quelques pieds du sol. J'aimais sentir la solidité du roc en insérant un orteil ici et en trouvant une prise de main là.

J'ai enfilé le gros harnais noir, resserré la taille, et mis un casque. J'ai ensuite été attachée à Lacy par une corde que je pouvais relâcher ou resserrer en montant. Lacy, l'assureur, était attachée et ancrée à l'arbre du bas et, avec ce système, je ne pouvais pas tomber. *Du moins en théorie,* me disais-je, cherchant mon souffle.

« Prête à escalader, maman? » lança Lacy gaiement. Je voulais crier un « Prête! » résonnant, mais ce qui est sorti tenait davantage du miaulement pathétique d'un chat qui veut son déjeuner. « Ooouiii », ai-je dit dans un chuchotement rauque.

Puis est venue une série de questions et de réponses entre l'alpiniste et l'assureur, moi et Lacy, pour nous assurer que nous communiquions et que le système de sécurité fonctionnait. Quand tout est sécuritaire, l'alpiniste dit: « Je grimpe », et l'assureur répond: « Grimpe! »

Les premiers pas n'ont pas été si difficiles, et j'étais bien en haut du sol et plutôt contente de moi quand je me suis arrêtée la première fois. J'étais calée en sécurité dans la cheminée que nous avions choisie comme première épreuve. En grimpant plus haut, les prises de pieds sont devenues des prises d'orteils, les prises de mains, des prises de doigts, et soudain, j'ai eu peur. J'ai arrêté.

« J'ai peur. Je ne peux pas aller plus haut », ai-je dit.

« Ça va, maman, repose-toi un peu là. Souviens-toi que je te tiens », a-t-elle répondu. J'ai pris de grandes respirations et osé un coup d'œil. Oh, bon sang, j'étais loin du bas et pas du tout près du sommet. Je voulais tellement terminer cette escalade que je goûtais presque ma victoire. « Qu'est-ce que je fais maintenant? » ai-je crié.

« Tu vas très bien, maman, très bien », a dit Lacy. J'ai refoulé mes larmes et avalé difficilement. Lacy m'a donné des directives précises et, le cœur me martelant la poitrine, j'ai fait exactement ce qu'elle disait, et avant de m'en apercevoir, j'étais plus haut que je n'avais jamais imaginé pouvoir me rendre. Exaltée par cette réalisation, j'ai escaladé le reste avec mes pieds, mes genoux, mes mains, mon dos et pure détermination. J'ai lâché un « Youpi » tonitruant quand je suis arrivée au sommet. Lacy riait et criait: « Tu as réussi, maman, tu as réussi! »

J'étais euphorique et ivre d'accomplissement — mais attendez: j'ai réalisé avec un choc désagréable que je devais maintenant descendre.

Il y avait deux façons de descendre. Je pouvais dégrimper, difficile et lent mais sécuritaire, ou je pouvais descendre en rappel, soit glisser vers le bas en rebondissant doucement sur la face du rocher, ce qui exigeait un acte de foi, parce que je devais m'adosser au harnais et me laisser aller. Je devais faire confiance au système de sécurité que nous avions entièrement créé.

Je peux vous dire que sauter de reculons dans l'espace vous donne des sensations fortes à vous arrêter le cœur. Après quelques sauts, j'étais de retour au sol, et j'ai dit fort et avec grande confiance: « Détachée de l'assureur! » Et Lacy, ma magnifique fille, a répondu sur un ton aussi doux qu'une prière: « Assurage terminé. »

Au repas, j'étais affamée, épuisée et grisée tout à la fois. Pendant le reste de ce chaud après-midi d'été, je me suis reposée et j'ai observé Lacy et les autres escalader. Nous sommes retournées au camion dans un silence complice, alors que nous réalisions les accomplissements de la journée. Ce jour-là, Lacy a pris tellement bien soin de moi. Elle a été mon pourvoyeur: le repas, la sécurité, l'encouragement, et une occasion d'avoir ce que j'ai toujours préféré — une aventure. Elle m'a enseigné tout ce que je devais savoir pour escalader ce rocher, elle m'a fourni la sécurité physique et émotionnelle et elle m'a encouragée. Quelque chose au plus profond de moi a changé alors que je connaissais un fabuleux retour du destin. Lacy me donnait ce que j'avais toujours tâché de lui donner.

Ce n'est que des mois plus tard que j'ai senti une autre pièce de cette expérience tomber en place. Au même atelier, on m'a demandé de découvrir ce que les cadeaux révélaient de moi. Si les cadeaux étaient comme un miroir, que reflétaient-ils?

Ce cadeau reflétait une mère qui apportait la sécurité à sa fille tout en l'encourageant à grimper plus haut. Puisque Lacy l'a toujours fait, j'ai dû m'acquitter de ma part. Aujourd'hui, quand l'une de nous fait face à un défi difficile, nous disons à l'autre: « Je grimpe », sachant que la réponse sera: « Grimpe. »

Judy Henning

Les anges volent
parce qu'ils se prennent à la légère.

C. K. Chesterton

Oh! hisse!

Non seulement les changements sont possibles et prévisibles, mais les refuser équivaut à se rendre complice de sa propre existence végétative inévitable.

Gail Sheehy

Eh bien, je ne suis plus beaucoup de choses que j'étais jadis, mais je suis certaine d'un tas de choses que je n'étais pas auparavant. Certaines de ces choses sont bonnes, d'autres sont mauvaises, et d'autres encore ne sont que ce qu'elles sont, différentes. Comme on dit: tout change.

La sclérose en plaques est devenue une partie de ce que je suis, mais seulement une partie. Ayant vécu avec cette coupable pendant plus de la moitié de ma vie, je m'habitue à l'adversité qui se présente à moi. J'ai appris que le rire peut faire beaucoup pour composer avec les misères et les difficultés. Il semble que ma vie soit en train de devenir un numéro plutôt comique!

L'autre jour, ma fille est venue me chercher. Conduire est une autre chose que je ne fais plus. Puisqu'elle n'a pas de monte-charge dans son VUS, il a été décidé que je prendrais mon fauteuil roulant plutôt que mon fauteuil motorisé. Là n'était pas le problème. Son véhicule l'était.

Nous avions récemment déménagé dans le quartier et nous ne connaissions pas nos voisins. Justement ce jour-là, les voisins d'en face étaient dehors sur la pelouse avec des visiteurs. C'est un jeune couple avec deux petites filles. Et je suis une vieille dame. Je ne me sens pas comme une vieille dame, mais il ne s'agit pas de cela.

Pour un jeune couple, je suis une vieille dame. Eh bien, pour être franche, une grosse vieille dame.

Ma fille conduit une Ford Expedition Eddie Bauer, peu importe ce que c'est. Cela ressemble à un camion blindé quand on est une vieille dame, surtout une vieille dame en fauteuil roulant. Elle m'a poussée près de ce monstre, je l'ai zieuté et j'ai su que ce serait un énorme défi. « Tu sais, Ronda, ça ne va pas être facile », ai-je commenté.

« Nous pouvons le faire », répondit-elle.

Oh, bien sûr, me dis-je, *qu'est-ce que c'est que ce « nous »?*

« Mets ton pied ici et accroche-toi là. »

« Mais oui, bien sûr! »

« Viens, je vais t'aider », m'assure-t-elle.

Elle prend mon pied et le pose sur le marchepied, ou quel que soit le nom qu'on lui donne aujourd'hui — c'est ainsi qu'on le nommait dans mon temps.

« Maintenant prends cette courroie là-haut, maman, et tire! »

C'est à ce moment que je me mets à ricaner et que mon pied dérape de cette chose au nom quelconque où il était posé. Elle laisse échapper un gloussement derrière moi, et nous recommençons la manœuvre. Ma fille est toute petite et moi, eh bien je suis… vieille. Nous replaçons mon pied sur cette chose, je m'accroche et je crie: « Pousse! » Elle me donne un élan et je crie de nouveau: « J'ai dit pousse! » Elle se met à rire et je redescends. À ce point, nous rions toutes les deux et faisons toute une scène.

« Écoute, Ronda, il faut que tu appuies ton épaule sur moi et que tu pousses fort, comme ton père le fait », dis-je entre mes rires et ses ricanements. « N'aie pas peur de pousser fort. »

Je suis bien rembourrée, alors ce n'est pas comme si elle allait se blesser sur mes os. Une grande partie de mon corps est engourdie, je ne pouvais donc pas la sentir rebondir sur mes bourrelets non plus. Alors nous avons recommencé.

« Je ne veux pas te faire mal, maman », ricane-t-elle.

« Ne t'inquiète pas, tu ne me feras pas mal; ton père le fait tout le temps », la rassurai-je. Mes commentaires ne provoquent aucune sympathie, seulement plus de rires. Alors que nous recommençons, elle devient sérieuse et moi aussi, car je prends conscience que je fais toute une impression à nos voisins.

« Pousse maintenant », lui dis-je en hurlant.

« Oh! hisse! » crie-t-elle.

Nous sommes toutes deux saisies d'un fou rire quand le volant rencontre mon visage, laissant mes pieds et mes jambes dépasser de la portière. Je suis couchée sur le ventre sur le siège avant, et les voisins ont un spectacle gratuit. À ce point, mon visage est très douloureux, non pas à cause du volant, mais bien à cause des muscles étirés d'avoir tant ri. Ronda me vient en aide, et je suis finalement poussée, tirée et installée sur mon siège, et nous partons en laissant mes voisins s'interroger sur le numéro de cirque qui a déménagé en face.

Oui, les choses ont changé, j'ai changé; tout change, même les numéros de cirque. J'espère que mes voisins sont préparés, parce que je suis devenue un véritable cirque!

Betty A. King

La règle des quinze minutes

Quand ma mère et ma grand-mère ont emménagé avec moi, je croyais de tout mon cœur que nous pourrions faire tous les sacrifices nécessaires, parce que je les aimais tendrement toutes les deux. Elles étaient toutes deux veuves, à six mois d'intervalle, et il me semblait naturel de les héberger. Étant divorcée et élevant seule une jeune fille, je croyais qu'il serait bien d'avoir de la famille autour de nous. Peut-être que notre situation familiale n'était pas habituelle, mais c'était notre famille, et il y avait plein d'amour et de rires dans notre maison.

Il y avait des concessions à faire et des limites à établir, mais notre pire obstacle a été, et de loin — la lessive. Quatre femmes n'ont pas tant de lessive, à moins que l'une d'elles ait 13 ans. Maman était « en charge » de la lessive, car nous étions toutes affectées à des tâches et responsabilités ménagères. Quand ma fille, Sara, est devenue adolescente, elle a acquis la croyance de la plupart des adolescentes voulant qu'elle doive changer de vêtements au moins quinze fois par jour. Le problème n'aurait pas été bien grave, sauf le jour de la lessive.

Maman s'est déchaînée et a tenté d'expliquer à Sara que c'était correct de changer de vêtements si souvent, mais selon les directives suivantes: « S'ils ne sont pas sales, ne mets pas tes vêtements dans la salle de lavage. Raccroche-les simplement. » Chaque jour de lessive, j'entendais le même cri: « Je ne laverai pas des vêtements propres! »

Les semaines ont passé, et le problème s'aggravait à chaque brassée de lessive, jusqu'à ce que maman promulgue finalement sa loi par sa définition officielle de

« sale »: « Si tu ne l'as pas porté plus de quinze minutes, ce n'est pas sale! Alors raccroche-le! » a-t-elle crié.

Aussi folle qu'elle puisse paraître, cette déclaration a semblé porter ses fruits. Le jour de la lessive n'était plus un concours de cris. Les piles de linge sale rapetissaient chaque semaine, à la grande satisfaction de ma mère.

Un matin après une soirée pyjama d'adolescentes, je me suis levée tôt pour prendre le café avec maman dans la cuisine. Je l'ai trouvée appuyée contre l'armoire, riant tellement que les larmes coulaient sur son visage.

« Qu'est-ce qui est si drôle à cette heure matinale? » ai-je grommelé. Je ne suis pas une personne qui apprécie le matin, alors il fallait que ce soit pas mal bon pour me tirer un ricanement si tôt. Et pourtant, ma mère était là à se tordre d'un rire incontrôlable. Elle ne pouvait même pas me répondre, tant elle riait. Chaque fois qu'elle essayait de parler, les ricanements la reprenaient et, finalement, elle m'a simplement tendu le bol qui était posé sur le comptoir de cuisine.

Dans ce très grand bol en acier inoxydable se trouvait une note portant l'écriture de ma fille, qui disait simplement: « Grand-maman, est-ce que c'est sale? Il n'y a eu que du maïs soufflé dedans pendant quinze minutes. »

Ferna Lary Mills

Tu dois essayer, maman

Chaque personne qui a posé un geste aimable à notre endroit, ou qui nous a offert un mot d'encouragement, est entrée dans la constitution de notre personnalité et de nos pensées, ainsi que de notre succès.

George Burton Adams

Krista ne s'était doutée de rien au début. Après tout, sa mère coréenne âgée avait survécu à la mort de son mari, cinq ans auparavant. Krista s'ennuyait de son père, elle aussi, mais elle croyait que sa mère s'en était bien tirée. Mais sa mère travailleuse n'avait jamais maîtrisé l'anglais au cours des vingt années et plus qu'elle avait vécu aux États-Unis. Quand la police l'avait arrêtée sur la route et lui avait retiré son permis de conduire, Krista avait voulu l'attribuer à son mauvais anglais. Cependant, quand sa mère a piqué « une crise » à la banque, elle a su que les choses n'allaient pas bien. Puis, la maison de repos l'a expulsée après deux semaines, parce qu'elle se battait avec les autres patients. Avec le consentement réticent du mari de Krista, sa mère a emménagé avec eux.

« Chérie, dit un jour le mari, ta mère est perdue. Elle a collé les devoirs des enfants sur le mur, aujourd'hui. »

Krista ne savait pas quoi dire. À titre de fille honorable, il était de son devoir de prendre soin de sa mère, comme celle-ci l'avait fait pour elle toutes ces années.

De temps à autre, sa mère oubliait même le nom de Krista.

« Maman, tu dois essayer », plaida Krista exaspérée. « Tu dois essayer de te souvenir des choses. »

Le lent déclin de la mère âgée affectait la famille. Les nerfs se crispaient, les disputes survenaient, le calme se perdait et les deux jeunes enfants de Krista pleuraient souvent. Lentement, la mère de Krista a dépéri jusqu'à ce qu'un jour elle pousse son dernier souffle. Puis la famille a repris sa vie. Mais une chose troublait Krista. Peut-être était-ce étrange, se disait-elle, mais elle ne voulait pas que le lit dans lequel sa mère était morte reste dans la maison. Son mari parti au travail et les enfants, à l'école, Krista a décidé de démonter le lit. En tirant le matelas du sommier, elle a trouvé un cahier de notes rouge d'enfant, cahier qui avait été déclaré manquant depuis un bon moment.

Que diable fait-il là ?, se dit-elle en l'ouvrant. À l'intérieur, dans une magnifique écriture en coréen, chaque page, de haut en bas, contenait ces lignes :

Krista est le nom de ma fille.

Krista est le nom de ma fille.

Krista est le nom de ma fille.

Krista est le nom de ma fille.

Krista est le nom de ma fille.

Paul Karrer

5

LEÇONS

Il y a deux buts dans la vie: d'abord,
obtenir ce que l'on désire, ensuite en jouir.
Seuls les plus sages de l'humanité
atteignent le second.

Logan Pearsall Smith

Une tasse de café

On ne peut pas planifier l'avenir d'après le passé.

Edmund Burke

J'ai réchauffé une tasse de café dans le four à micro-ondes aujourd'hui. Je ne savais trop si je devais rire ou pleurer, tenant ma tasse de café fumant pour la deuxième fois de la matinée. Mon fils s'est réveillé en pleurant, et il m'a fallu presque une heure à chanter, à consoler et à bercer pour qu'il se rendorme. Dans l'intervalle, mon café a refroidi. Je l'ai donc réchauffé dans le four à micro-ondes.

J'ai grandi en me promettant de ne jamais être comme ma mère. C'est une femme merveilleuse, forte, et n'importe qui serait fier d'être comme elle. Mais je ne le serais jamais. Personne en ville ne semblait connaître son nom. Pour les enseignants et les élèves des diverses écoles que fréquentaient ses enfants, elle était simplement connue comme la mère de _____ (un des noms de ses cinq enfants). Dans les épiceries, chez les marchands de pièces automobiles et les quincailleries, on l'appelait affectueusement « Mme Dale », d'après le prénom de mon père. Les gens de la banque, des entreprises de services publics et d'autres endroits importants l'appelaient par le nom de famille de mon père, Mme Keffer. Maman répondait à ces noms avec un sourire et des mots gentils.

Moi, par contre, je n'ai jamais pris la chose avec autant de courtoisie. Souvent, je disais à l'emballeur, à l'épicerie: « Elle s'appelle Joyce, en passant », alors qu'il lui remettait son sac et lui souhaitait une bonne journée par un des noms susmentionnés. Maman souriait toujours et répondait: « Bonne journée à vous aussi », en me jetant un regard qui rappelait sois-polie-je-t'ai-mieux-élevée-que-cela. Quand nous montions dans la voiture, je lui reprochais de ne pas prendre sa place. « Tu es une personne à part entière. Tu n'es pas qu'un prolongement de papa. »

« On pourrait me donner des noms bien plus vilains, répondait-elle toujours. D'ailleurs, tout le monde connaît ton père. »

Tout le monde dans cette petite ville connaissait mon père. Il était un homme sympathique, travailleur, qui aimait flirter avec les caissières et donner des conseils sur les voitures à quiconque en avait besoin. Il pouvait se tirer d'une contravention de vitesse par son charme et négocier une meilleure affaire avec aisance. Il n'hésitait pas à réparer une pièce brisée de la bicyclette d'un enfant du voisinage, ou à sortir au beau milieu d'une nuit froide d'hiver pour changer le pneu crevé du vélo d'un adolescent effrayé.

Mais tout le monde connaissait ma mère aussi. Si papa était un grand homme dans la communauté, maman était tout aussi spéciale. Elle avait sa propre façon de négocier une bonne affaire, et elle adorait prodiguer un conseil amical aux gens qu'elle rencontrait. Quand elle se levait lors de froids matins enneigés dans une maison envahie par des étudiants d'université qui étaient bloqués en ville, elle se faisait un chemin à travers les corps endormis et cuisinait des crêpes en quantité suffisante pour tous. Si quelqu'un était dans le besoin, ma mère était toujours dans le feu de l'action pour prêter main-forte. Elle recueillait des articles pour une famille qui avait tout perdu dans un incendie, des denrées non périssables pour la banque alimentaire de l'église, et des vêtements pour le bébé d'une mère adolescente que personne d'autre ne voulait aider.

Adolescente, je n'ai jamais compris ma mère. Comment une personne qui avait tant à offrir au monde pouvait-elle se contenter de rester à la maison et d'être connue comme étant l'adjointe de son mari ou la mère d'un enfant? Pourquoi n'était-elle pas fière de qui elle était? Jadis, elle avait voulu être infirmière et se joindre au Corps de la paix. Comment quelqu'un pouvait-il abandonner ses rêves pour laver des couches souillées et emballer des sandwichs au bologne pour mon père?

Tout ce que je savais, c'est que cela ne m'arriverait pas. J'avais de grands rêves de changer le monde — mais avec une détonation, pas un gémissement. Les gens allaient me connaître. Je prévoyais me hisser à la haute direction du YMCA et avoir en parallèle une carrière d'écrivaine bien remplie. Mon mari, le cas échéant, serait derrière moi, et quant aux enfants, ils seraient mignons et auprès de leur bonne. Je ne serais pas comme ma mère — je serais moi. Et le gens me connaîtraient comme quelqu'un d'important.

Maintenant, j'en étais là, à réchauffer ma tasse de café dans le four à micro-ondes pour la deuxième fois. Tout comme j'avais regardé ma mère déposer sa tasse un million de fois pour emballer un repas, nourrir les chats, attacher un lacet, retirer une serviette de la sécheuse, trouver une feuille à remettre à l'école, répondre au téléphone et un million d'autres interruptions éventuelles. Je rêvais de déguster un bon café au lait pour déjeuner avant une autre journée occupée au bureau, mais j'étais à boire un café moka instantané dans une tasse « Joyeux anniversaire » décorée de ballons colorés.

Je comprends maintenant. J'ai compris il y a huit mois quand j'ai pris mon fils dans mes bras pour la première fois. J'ai compris quand sa menotte a entouré mon doigt et que ses grands yeux bleus ont regardé dans les miens avant de glisser dans le sommeil. J'ai compris quand l'amour que je porte à mon mari a triplé en voyant pour la première fois le petit corps niché dans ses gros bras forts et des larmes couler sur ses joues. J'ai tout compris en un instant.

J'ai hâte au jour où les gens en ville et les enfants de l'école me connaîtront comme la mère d'Andrew. Chaque jour, quand mon mari rentre du travail et que son visage s'illumine alors que son fils lui tend les bras, je suis fière d'être Mme Frank Huff. Tout comme ma mère est fière qu'on l'appelle Mme Dale Keffer. *Tout comme ma mère.* Voilà quatre mots que je croyais ne jamais dire avec fierté.

En passant, si vous la voyez, elle s'appelle Joyce.

Et maintenant, je dois réchauffer mon café, encore une fois.

Barb Huff

« Tu n'as pas besoin d'un emploi, maman.
Je suis ta carrière ! »

Reproduit avec la permission de Stephanie Piro.

Une vision parfaite

Mes filles jumelles ont enfin atteint l'âge de 2 ans, ce qui signifie deux choses. Premièrement, elles maîtrisent le langage. Deuxièmement, elles maîtrisent leur vessie. À la lumière de ces récentes acquisitions, l'un de leurs passe-temps favoris est de s'insulter l'une l'autre en utilisant une combinaison de ces nouvelles habiletés.

Mes filles chéries courent maintenant partout en criant, ou en déclarant simplement sur le ton de la conversation: « Je fais pipi sur toi! », suivi, à titre indicatif et d'une voix plus aiguë, de: « PISSE! » Je ne sais franchement pas d'où est venue la graine qui a germé en ce comportement moins que charmant. (À moins que ce ne soit l'incident isolé où un bébé frère sans sa couche a arrosé une des filles sur la tête avec, bon, vous savez quoi. Le moins qu'on puisse dire, c'est que cela a fait toute une impression.)

La plupart du temps, elles se disent cela quand elles se chamaillent. Ou parfois quand elles s'ennuient simplement. Heureusement, c'est une menace sans suite, qui ne s'accompagne d'aucune action autre que de projeter en avant son ventre devant celle qui est insultée et de dire « PISSE! ».

Dans l'intimité de notre foyer, et sans qu'elles le sachent, mon mari et moi sommes amusés des pitreries urinaires de nos filles. Cependant, ce n'est pas exactement le type de conversation que nous encourageons. Outre les objections évidentes, ce comportement recèle un facteur élevé d'embarras parental. Une démonstration publique serait susceptible de faire hausser quelques sourcils interrogateurs.

Mais il y a apparemment plein de choses que font des enfants de 2 ans qui n'ont pas besoin de beaucoup d'encouragement et, d'après mon expérience, ce sont fréquemment les choses mêmes que vous préféreriez que vos rejetons ne disent ni ne fassent en public. Et puisque deux filles de 2 ans et un garçon de un an sont l'équation actuelle dans ma vie, j'ai amplement l'occasion d'être la première témoin de ce phénomène particulier. En outre, je dois admettre qu'il y a des jours où il me semble que la somme de cette équation me fera perdre le désir de m'aventurer de nouveau dans un espace public.

Oui, avec trois enfants de moins de 3 ans, vous augmentez de beaucoup les probabilités que toute excursion dans un lieu public comprenne des conversations à voix haute sur les fonctions corporelles, des déclarations sur le contenu nasal et la vérification auprès de purs étrangers pour s'assurer de leur rectitude anatomique. Ce torrent verbal donnera vraisemblablement la sérénade à la dévastation complète d'au moins un étalage, et à la tentative de consommer la marchandise (non comestible et chère) ainsi exposée.

Il est aussi extrêmement probable qu'il y aura des pleurnichages, suivis de quelques morsures et de cheveux tirés, et d'un débordement de couche (ou deux ou trois), qui sera ensuite combiné avec un trop grand nombre d'excursions aux toilettes, menant à la nécessité de nouvelles culottes pour « grande fille » de toute façon, que j'aurai laissées à la maison par inadvertance. Je vous en prie, n'applaudissez pas tout de suite.

Et tout ça, c'est au cours d'une bonne journée.

Croyez-moi, je reçois plus que ma juste part de regards durs, de commentaires inutiles et de moues des passants. Donc, je suis servie. Et je tente de limiter les additions éventuellement embarrassantes, comme les cris à propos de vider sa vessie sur sa sœur. Mais bien sûr, mes enfants ont d'autres idées et, parfois, ce sont ces autres idées qui m'enseignent le plus ce qu'est vraiment être parent.

Prenons, par exemple, la semaine dernière à la pharmacie. Occupée à chercher du shampooing, mon cerveau enregistre soudain que mes jumelles ont encore une fois leur petite « conversation ». Et ce, depuis un bout de temps.

« Je fais pipi sur toi. Pisse! » est contré par « NON! Je fais pipi sur toi! Pisse! »

Elles vont de l'une à l'autre et de l'une à l'autre, comme seules en sont capables des enfants de 2 ans. C'était en fait une discussion tranquille et relativement courtoise, mais j'ai jeté des regards furtifs autour de moi pour voir si quelqu'un écoutait.

C'est alors que j'ai remarqué deux vieilles dames qui me fixaient. De charmantes dames, l'essence même de grands-mères, très dignes, des piliers de la communauté. Des dames avec qui on aimerait prendre le thé et manger des crêpes anglaises, et non les offenser en les exposant à mes bambines axées sur leur vessie.

Elles se sont lentement dirigées vers nous avec une intention bien arrêtée, et je voyais qu'elles voulaient nous dire quelque chose. *Super,* ai-je pensé en me hérissant, *tout ce dont j'ai besoin.*

La plus vieille, une chère dame avec un chignon gris et poussant une marchette robuste, est arrivée la première. Elle s'est penchée, a regardé mes filles, et leur a brandi un doigt crochu. Mon cœur a fait un tour. Mettant de côté mon embarras, je me préparais à défendre mes enfants contre l'attaque d'une étrangère.

Mais elle a levé les yeux, rayonnante. « Je voulais seulement vous dire que vous avez dans cette poussette les deux petites filles les *plus* précieuses! Elles sont si belles et si bien élevées! »

Son amie acquiesçait de la tête.

C'est alors que j'ai remarqué leurs appareils auditifs.

Je rougissais, pensant: *Mesdames, si seulement vous saviez de quoi discutaient ces précieuses petites depuis dix minutes.* Mais alors j'ai souri, et accepté le compliment, et je l'ai remerciée parce que, naturellement, ce qu'elle avait dit était *vrai.* J'ai pensé aux nombreuses fois où ma propre « sourde oreille » servait bien mes enfants et moi-même.

« Oh, et voyez ce beau bébé dans le sac à dos! » Elles se sont extasiées sur mon fils pendant un instant.

Puis, l'une d'elles a demandé: « Sont-ils tous à vous? »

On me pose souvent la question, plus souvent formulée comme « *Tous* ces enfants sont-ils *à vous?* » et sur un ton qui laisse entendre que si je réponds par l'affirmative, alors je devrais me faire examiner le cerveau. J'ai hoché la tête pour signifier que oui, ou peut-être était-ce mon fils qui l'avait fait hocher pour moi alors qu'il m'empoignait les cheveux à ce moment-là.

Les deux visages se sont éclairés à ma réponse. « Oh! Quelle bénédiction d'avoir une *aussi* belle famille! » a ajouté l'une d'elles.

« Oui, vous êtes vraiment chanceuse, en effet » a repris l'autre.

Elles ont souri et soupiré.

« Profitez-en. Ils grandissent trop vite. »

Malgré la journée que j'avais eue, je savais que je venais de recevoir une grande sagesse de femmes qui s'y connaissaient un peu, de femmes malentendantes mais à la vision parfaite. Ces femmes n'avaient pas besoin de voir (ou d'entendre) les détails précis et parfois moins que jolis de la vie avec des petits. Elles en avaient fort probablement fait l'expérience elles-mêmes. Et ce qu'elles voyaient maintenant, c'était la forêt, alors que je ne vois encore parfois que les arbres.

Elles ont vu la vérité.

Et cette vérité est devenue mon mantra en quatre phrases, mon rappel que les jours de « je fais pipi sur toi » ne dureront pas toujours. C'est une bénédiction douce-amère.

« Je suis chanceuse. »

« Je suis bénie. »

« Profites-en. »

« Ils grandissent trop vite. »

Karen Driscoll

Reproduit avec la permission de Jonny Hawkins.

Mensonge et matinée

*Trouver des défauts sans suggérer d'améliorations
est une perte de temps.*

Ralph C. Smedley

J'avais 6 ans et ma sœur, Sally Kay, était une petite
fille soumise de 3 ans. Pour une raison quelconque, je
croyais que nous devions gagner de l'argent. J'ai décidé
que nous devrions nous faire « embaucher » comme femmes de ménage. Nous avons visité les voisins, leur
offrant de nettoyer leur maison moyennant vingt-cinq
sous.

Aussi raisonnable que fût notre offre, il n'y avait pas
preneur. Mais une voisine a téléphoné à ma mère pour
lui annoncer ce que faisaient Mary Alice et Sally Kay. Ma
mère venait tout juste de raccrocher quand nous avons
fait irruption dans la cuisine de notre appartement par la
porte arrière.

« Les filles, a demandé maman. Pourquoi faisiez-vous
le tour du voisinage en offrant aux gens de nettoyer leurs
maisons? »

Ma mère n'était pas fâchée. En fait, nous avons su
ultérieurement qu'elle avait été amusée que nous ayons
eu une telle idée. Mais, pour une quelconque raison, nous
avons toutes deux nié avoir fait pareille chose. Stupéfaite
et très blessée que ses chères petites filles puissent être
de telles « menteuses éhontées », ma mère nous a alors
dit que Mme Jones venait de téléphoner pour l'informer
que nous étions allées chez elle afin de lui proposer de
nettoyer sa maison pour vingt-cinq sous.

Acculées à la vérité, nous avons admis ce que nous
avions fait. Maman a dit que nous avions « raconté des

histoires ». Nous n'avions pas dit la vérité. Elle était certaine que nous étions plus avisées. Elle a tenté de nous expliquer pourquoi un mensonge est blessant, mais elle n'a pas senti que nous comprenions vraiment.

Des années plus tard, elle nous a confié que la « leçon » qu'elle avait conçue pour tenter de nous enseigner la franchise aurait probablement fait froncer les sourcils des psychologues pour enfants. L'idée lui est venue tout d'un coup... et notre mère au cœur tendre nous a avoué que c'était la leçon la plus difficile qu'elle nous ait jamais enseignée. Nous ne l'avons jamais oubliée.

Après nous avoir sermonnées, maman s'est mise à préparer joyeusement le dîner. Comme nous mangions nos sandwichs, elle a demandé: « Aimeriez-vous aller au cinéma cet après-midi? »

« Youpi! C'est sûr! » Nous nous sommes demandé quel film était présenté. Maman a répondu « la matinée ». Oh! Fantastique! Nous allions voir « la matinée »! Quelle chance! Nous nous sommes lavées et habillées. C'était comme se préparer pour une fête d'anniversaire. Nous nous sommes précipitées hors de l'appartement, ne voulant pas rater l'autobus nous menant au centre-ville. Sur le palier, maman nous a surprises en reprenant: « Les filles, nous n'allons pas au cinéma aujourd'hui. »

Nous avions mal entendu. « Quoi? Qu'est-ce que tu veux dire? N'allons-nous pas à la matinée? Maman, tu as promis que nous allions à la matinée! »

Maman s'est penchée et nous a prises dans ses bras. Je ne pouvais pas comprendre pourquoi il y avait des larmes dans ses yeux. Il était encore temps de prendre l'autobus. Mais en nous enlaçant, elle a doucement expliqué que c'était ce qu'on ressentait devant un mensonge.

« Il est important que ce que nous disons soit vrai, a-t-elle ajouté. Je vous ai menti tantôt et c'était affreux pour moi. Je ne veux plus jamais vous mentir et je suis certaine que vous ne voulez plus mentir non plus. Les gens doivent être capables de se croire les uns les autres. Comprenez-vous. »

Nous l'avons assurée que nous comprenions. Nous n'oublierions jamais.

Et puisque nous avions appris la leçon, pourquoi ne pas aller à la matinée? Nous avions encore le temps.

« Pas aujourd'hui », nous a répondu maman. Nous irions une autre fois.

Voilà comment, il y a plus de 50 ans, ma sœur et moi avons appris à être franches. Nous n'avons jamais oublié comment un mensonge peut blesser.

Mary Alice Dress Baumgardner

La fille la plus petite

Le proverbe dit : « Il ne faut pas mordre la main qui vous nourrit. » Mais peut-être est-ce nécessaire, si elle vous empêche de vous nourrir vous-même.

Thomas Szasz

Elles formaient une famille heureuse : les quatre filles Pogue, toutes à la même école, dans différentes classes. Elles étaient talentueuses et gentilles. La plus jeune, Janice, qui était dans ma classe, semblait accrochée aux jupes de sa mère. Les trois plus vieilles se rendaient à l'école en autobus tous les matins et se précipitaient gaiement dans leurs classes, mais Janice était toujours conduite à l'école par sa mère, arrivant juste à temps pour la chanson du matin de la maternelle. Sa mère restait habituellement aux alentours jusqu'à ce que Janice semble satisfaite et participe à quelque activité, puis elle partait sur la pointe des pieds. Mais elle revenait à temps pour ramener Janice à la maison.

Un vendredi, la mère de Janice a téléphoné et a demandé de s'entretenir avec moi. Elle est entrée, agitée et fragile. Elle semblait presque se tordre les mains de détresse. Elle a dit d'une voix trop douce : « Mon mari part deux semaines en Europe pour affaires et il insiste pour que je l'accompagne. J'ai tenté de lui expliquer à maintes reprises que Janice a besoin de moi ici. Mais il est tout aussi convaincu qu'elle ira bien sans moi, alors je n'ai pas le choix, je dois y aller. J'ai avisé la gardienne qu'elle doit la conduire à l'école tous les matins et la surveiller jusqu'à ce qu'elle soit installée dans la classe. Elle a des directives explicites pour aller la chercher et se rendre tôt à l'école, de sorte que Janice ne s'inquiète pas. Pourriez-vous, s'il vous plaît, porter une attention parti-

culière à Janice et l'aider durant notre séparation? Nous
n'avons jamais été séparées une seule journée depuis
qu'elle est née, il y a 5 ans. Elle est si petite et si fragile,
et je veux être certaine que tout ira bien pour elle. »

Comme elle s'arrêtait pour une courte respiration, je
suis intervenue et lui ai promis que nous ferions tout
notre possible pour soutenir Janice et voir à son bonheur
et à sa santé pendant l'absence de sa mère. J'ai même
proposé de venir à la rencontre de Janice à sa voiture,
pour qu'elle voie un visage familier. La mère de Janice
nous a remerciées de notre compréhension et de notre
réconfort. Quand elle est partie, nous avons discuté de la
logistique de la surveillance de Janice et avons convenu
que cela demanderait des efforts supplémentaires de ma
part, mais que cela valait bien le temps requis.

Le lundi matin, m'attendant à une enfant en larmes
et anxieuse, j'avais prévu un programme spécial de jeux
et d'amusement. J'ai attendu dehors pour accueillir
Janice, mais à ce moment précis, l'autobus est arrivé, et
non pas trois, mais quatre filles Pogue en sont descendues. Janice suivait joyeusement en sautillant, criant
« au revoir » à ses sœurs en courant vers sa classe avec
deux amies. Je me suis rendue en classe, et j'ai appelé
Janice pour la questionner au sujet de la balade en autobus. Elle a répondu impatiemment: « Oh, j'ai toujours
voulu prendre l'autobus avec les autres enfants, mais
maman a besoin d'être avec moi. Tu vois, il n'y aura pas
d'autres bébés, alors je dois être un bébé un peu plus
longtemps. Pendant qu'elle est partie, je vais prendre
l'autobus tous les jours. J'ai 5 ans, tu sais. »

Julie Firman

La chasse aux papillons

*La meilleure façon de s'assurer d'un bonheur futur
est d'être aussi heureux qu'il est légitimement possible aujourd'hui.*

Charles W. Eliot

Je me souviens bien de cette journée — le point tournant de ma relation avec ma fille. Tout a commencé par
une chaude matinée de juillet, le soleil tapait sur notre
petite maison de campagne. Dehors, à l'ombre d'un
érable, je dessinais des portraits de ma fille de 5 ans,
Abigail, qui chassait les papillons. Des moments comme
celui-là me gardaient en sécurité dans son monde. Elle
changeait rapidement — devenant de plus en plus semblable aux papillons qu'elle chassait — toujours en mouvement. Aujourd'hui, toutefois, je chérissais d'être le
centre de son royaume et j'étouffais mon inquiétude
croissante que l'avenir n'érode notre intimité.

« Regarde, maman ! » a-t-elle crié, agitant son bras en
direction de la route de terre. « C'est Rachel. Bonjour,
Rachel ! » La fille de notre voisine a salué de la main en
retour, et j'ai perdu le souffle d'incrédulité. Qu'était-il
arrivé à cette mignonne petite fille de 8 ans qui vendait
des biscuits des Guides à ma porte, six années auparavant? Assurément, ce n'est pas cette adolescente dégue-
nillée portant un anneau au sourcil et des cheveux
bourgogne ! J'ai observé Rachel alors qu'elle tournait le
coin de notre cour et s'engageait dans un sentier menant
dans les bois. Elle ne s'est arrêtée qu'une fois pour allu-
mer une cigarette. Même si la rumeur courait que Rachel
et sa mère ne se parlaient plus depuis deux ans, j'avais
ignoré le potin pour ce qu'il était: un potin. Maintenant,
après avoir vu Rachel, je lui accordais plus de crédibilité.

Abigail l'a regardée aussi, avant de se tourner vers moi. « Maman, est-ce que c'était une cigarette que tenait Rachel ? »

J'ai expliqué que c'en était une, répondant à autant de questions que je le pouvais, mais voir Rachel dans son personnage rebelle d'adolescente avait assombri mon humeur. Les insécurités à propos de ce que l'avenir réservait à ma fille et à moi ont refait surface. Avais-je pourvu Abigail de ce qu'il lui fallait pour survivre en ce monde ? Avais-je jeté les bases, au cours de ces années de formation, pour éviter une relation désastreuse comme celle d'avec Rachel ?

« Et si nous allions nous baigner ? » ai-je suggéré, voulant éviter de revoir Rachel. Abigail a crié son accord et dansé dans la cour. Des riens la rendaient si heureuse, et mon cœur est devenu un appareil-photo — figeant son image, pouce par pouce. À la piscine publique, elle avait un peu peur de l'eau et ne s'éloignait guère de la barboteuse.

« Bon, ai-je raconté, je suis Ariel la sirène et tu es Melody, sa fille. Nous devons aller dans la grande piscine sauver Atlantica des mains d'Ursula. » Elle a hésité, mais la promesse d'un nouveau jeu excitant l'a emporté sur son appréhension et elle a galopé vers moi.

« Allons-y ! » a-t-elle ricané, mêlant ses doigts doux comme des pétales aux miens comme nous descendions dans la piscine.

Nous avons joué une éternité, et à mesure qu'elle se détendait, je l'approchais doucement de la partie profonde. Bientôt, j'ai commencé à voir nos vies comme cette masse d'eau intimidante devant nous. Si je pouvais lui montrer à nager, nous pourrions continuer à flotter sur les mers tumultueuses de la vie.

« Maman ! » s'est-elle écriée, quand elle n'a plus touché le fond. « Je ne veux pas aller plus loin ! »

« Fais-moi confiance », ai-je murmuré à son oreille, calmant ses peurs. « Tiens-moi par le cou et tu vas voir comme on va s'amuser ensemble. » Ses petits doigts m'égorgeaient mais je continuais à la calmer et, bientôt, elle s'est détendue et a crié de joie.

« C'est amusant, maman ! Je flotte ! Ouiiiii ! » Je la tenais par la taille et la faisais tournoyer. L'eau cascadant sur elle, elle s'imaginait être une vraie sirène.

« Maman ! » s'est-elle exclamée en voyant d'autres enfants sauter dans la piscine. « Je veux faire ça. Peux-tu m'attraper ? » Je l'ai amenée vers le bord de la piscine et l'ai soulevée hors de l'eau. Elle restait là, effrayée.

« Je ne veux plus le faire » m'a-t-elle dit, le visage empreint d'anxiété. « Et si tu ne m'attrapais pas ? »

« Je *vais* t'attraper, Abigail », ai-je répondu, sachant que cette minute était monumentale dans nos vies. « Tu dois me faire confiance. » Nos regards se sont croisés et, en une fraction de seconde, nos peurs différentes se sont fondues en une seule. Elle me ressemblait tant. De la façon dont elle mangeait une tablette de chocolat à la manière de consoler ses poupées, j'avais tant vu de moi-même dans ma fille.

« Chérie, je sais que tu as peur. Même maman a peur parfois. »

« Qu'est-ce qui te fait peur ? » a-t-elle lâché, sur un ton suggérant que les mères n'avaient jamais peur de rien.

« Eh bien, en ce moment, j'ai peur que tu ne me fasses pas confiance », ai-je avoué. Une rafale d'émotions a traversé ses traits délicats comme elle entendait mes paroles. Puis, dans un moment figé dans le temps, elle a fermé les yeux et sauté du bord. Je ne m'attendais pas à ce que ce soit si tôt, mais j'ai alors saisi cette occasion venue du ciel et j'ai tendu les bras vers elle. Mes mains ont agrippé son corps mouillé, et je l'ai tirée vers moi, en toute sécurité.

« Maman! Tu l'as fait! » a-t-elle crié, embrassant mon visage. « Je t'ai fait confiance et tu m'as attrapée! Maintenant, toutes les deux, nous n'avons plus à avoir peur. » Elle exultait. « Maman, je pense que nous avons eu une aventure aujourd'hui! »

Ses paroles ont éveillé des promesses d'espoir émues dans mon âme. Comme les papillons qu'elle chassait — ne sachant jamais où ils se dirigeraient — j'ai pris conscience de la vérité d'un vieil adage. La vie est une aventure à vivre et non un problème à résoudre. D'une manière ou d'une autre, elle et moi traverserions les saisons difficiles de la vie.

Plus tard, après avoir garé la camionnette dans l'entrée, Abigail en est descendue en sautant et en poussant des cris de ravissement. Courant vers le buisson que son père avait planté pour attirer les papillons, elle gloussait et me faisait signe de la main.

« Maman! Les vois-tu? » a-t-elle demandé, indiquant les insectes aux couleurs vives voltigeant autour des fleurs du buisson. J'ai hoché la tête, saisissant son enthousiasme et l'enfouissant en sécurité dans mon cœur. *Tout ira bien pour nous,* me suis-je rappelé en souriant alors que ma fille se détournait de moi pour aller chasser les papillons.

Karen Majoris-Garrison

La poupée de chiffon

Récemment, ma fille de 10 ans, Holly, était inscrite à un cours donné par la société d'histoire locale, intitulé « Matins coloniaux » et offert aux jeunes filles de 8 à 12 ans. Chaque samedi matin, les filles se rassemblaient dans un vieux manoir colonial rénové pour apprendre ce qu'était la vie quotidienne des filles dans les années 1700. Semaine après semaine, elles étaient exposées à la couture et à la cuisine, à la musique et à la danse, aux arts et à l'artisanat de l'époque. Holly aimait énormément le programme ainsi que les amitiés qu'elle nouait, et elle regrettait de voir le tout se terminer.

Pour la grande finale, les enseignants avaient recruté un expert pour organiser et donner un thé anglais officiel, qui devait avoir lieu au vieux manoir. Les filles allaient prendre place à des tables bien mises avec de la fine porcelaine et des ustensiles en argent caractéristiques de l'époque. Elles allaient déguster différents thés et des pâtisseries traditionnelles. Pour ajouter au charme et au plaisir, elles étaient invitées à apporter avec elles, au thé, une de leurs poupées.

Le matin du « thé », Holly et moi avons fait le trajet au manoir une dernière fois. Nous avons marché sur le sentier de gravier qui était jadis une voie de passage pour les calèches tirées par les chevaux, et nous sommes entrées dans l'imposant édifice en brique géorgien, avec les autres filles de sa classe et leurs parents.

En posant les pieds dans la salle à manger, nous sommes entrés dans une autre époque. La pièce resplendissait de fleurs dans des vases, et de soucoupes et tasses de porcelaine colorée. Le soleil filtrait par les rideaux de dentelle, éclairant nappes et serviettes de table richement brodées. Sur chaque table trônait une théière unique, et des bols de cristal étincelant contenaient des sachets de thé et des cubes de sucre brun. L'effet visuel de la pièce a suscité les exclamations d'admiration des filles qui ont pris place avec enthousiasme, accompagnées de leurs poupées.

Puis, j'ai remarqué quelque chose qui m'a un peu étonnée. Chacune des autres filles à la table de Holly avait apporté une poupée sophistiquée, sans doute très chère. Elles avaient des poupées faites à la main, avec des visages et des mains de porcelaine ivoire, ou des poupées de collection que j'avais vues dans des catalogues ou des boutiques spécialisées. Leurs robes empesées étaient garnies de dentelle au cou et aux poignets, et ceintes à la taille par des rubans de velours. Certaines avaient de longs cheveux lisses noirs comme du jais, d'autres, des boucles dorées ou d'un roux parfait. Des yeux brun foncé ou bleu turquoise brillaient dans leurs visages aux joues roses, sur lesquels même les taches de rousseur étaient impeccablement disposées. En voyant cette scène, l'appréhension m'a envahie et ma gorge s'est serrée.

Ma fille avait apporté sa poupée de chiffon. Elle était faite de tissus que j'avais cousus ensemble et rembourrés. Elle portait une petite chemise de nuit de calicot, un reste des rideaux que j'avais faits pour la chambre de Holly, attachée au cou par une ficelle. Ses cheveux consistaient en des brins de fil à tricoter brun que Holly avait péniblement collés en place afin qu'ils ressemblent aux miens. Finalement, elle avait créé le visage avec des crayons feutres, dessinant soigneusement de grands yeux en amande et un sourire en coin, comme le mien. Le visage s'était estompé et barbouillé après nombre de jours ensoleillés et de nuits de caresses et de baisers. J'étais terrifiée que Holly ne croie que sa chère poupée soit inférieure, sans valeur, comparée aux autres.

Mais d'un seul regard au visage de ma fille, mes craintes se sont évaporées. L'étincelle de fierté n'a jamais disparu de ses yeux comme elle tenait serré son jouet chéri. À cet instant, j'ai eu un aperçu privilégié du cœur de sa personnalité. Pour elle, la poupée de chiffon était plus charmante que toutes les autres, et pourquoi pas? La beauté de son propre travail et de son amour lui était reflétée par ce petit sourire en coin au crayon feutre.

Quand toutes les fillettes eurent pris place, Holly a présenté sa poupée avec grand bonheur aux *objets d'art* au regard vitreux présents à sa table. Elle n'a démontré aucun signe de regret ou d'embarras d'avoir invité sa « Poupée Maman » au thé d'honneur.

Sandra Schnell

Plus qu'une paire de gants

Le caractère est l'architecture de l'être.

Louise Nevelson

Albert Einstein a déjà dit: « Seule une vie vécue pour autrui est une vie honorable. » Ces mots décrivent avec éloquence tout ce qu'était ma mère. Elle aimait et donnait généreusement, en dépit du tumulte de sa propre vie. Luttant pour maintenir un mariage avec un alcoolique et élever quatre filles presque seule, elle trouvait quand même du temps à consacrer aux autres. La vie n'était jamais facile, mais notre maison était autant remplie de rires et de plaisir qu'elle l'était de larmes, si ce n'est plus. Elle a transmis cet amour de la vie, du plaisir et des gens à ses filles et à ses petits-enfants.

Je me souviens d'un incident à l'école primaire où maman avait remarqué que ma camarade de classe ainsi que ses frères et sœurs n'avaient ni mitaines, ni chapeaux, ni foulards. Le lendemain, il y avait un paquet sur le pupitre de chacun des six enfants, contenant deux chapeaux, deux paires de gants et deux foulards. Je ne peux oublier la joie dans les yeux de ma camarade en recevant un si simple cadeau, et la fierté avec laquelle elle et ses frères et sœurs les portaient. Le cadeau semblait si simple en apparence, mais il comptait énormément pour ces enfants.

Maman avait acheté ces cadeaux sans même y réfléchir. Elle m'avait expliqué que c'était parce qu'enfant, elle et ses frères et sœurs étaient toujours ceux qui portaient des vestes trop légères en hiver, et avaient les mains gercées sans gants. Personne ne les aidait. Elle ne pouvait pas supporter que d'autres enfants endurent la même chose.

Chaque fois que je vois un enfant sans manteau ni gants, je ne vois pas un étranger, je vois ma mère, mes oncles, mes tantes. C'est ce qu'elle m'a enseigné: ce n'est peut-être pas vous ou un être cher aujourd'hui, mais c'était peut-être vous hier et ce sera peut-être vous demain. Mettez vos connaissances et votre expérience à contribution pour faire une différence dans la vie de quelqu'un. Cette différence peut être aussi simple qu'une paire de gants.

En 1990, la vie de ma mère a été fauchée par l'égoïsme d'un chauffard ivre. J'avais 16 ans, et encore tant à apprendre de maman, mais elle m'avait déjà enseigné sa leçon la plus importante: aimer et se soucier des autres avec générosité.

J'ai toujours été consciente de l'importance de ma mère pour notre famille, mais ce n'est que sept années après sa mort que j'ai pu apprendre ce qu'elle signifiait pour autrui. Récemment, j'ai reçu une lettre d'une amie de longue date de la famille. Elle m'a écrit beaucoup de choses que je connaissais déjà à propos de ma mère, mais j'ignorais que les autres les avaient vues en elle aussi. Cette amie m'a confié qu'elle pense à maman presque chaque jour, et qu'elle ne sera jamais capable d'exprimer en mots à quel point elle est reconnaissante d'avoir connu ma mère.

Ce cadeau est sans doute le plus beau que j'ai jamais reçu, à savoir que ma mère n'était pas un cadeau seulement à mes yeux, mais qu'elle était précieuse à quiconque avait eu la chance de la connaître. C'était une paire de gants, mais c'était le simple cadeau de ma mère pour moi.

Julia A. Doyle

Le cadeau

La volonté d'accepter la responsabilité de sa propre vie est la source d'où jaillit le respect de soi.

Joan Didion

Quand j'étais enfant, maman m'a appris à tout questionner. C'était une mère que le sempiternel « pourquoi » n'a jamais dérangée. Elle me faisait soupeser moi-même les possibilités, n'intervenant que lorsque ma maturité ou mes connaissances ne pouvaient pas englober toute la question.

Je devais examiner toutes les possibilités dans les limites de mes capacités quand je voulais entreprendre quelque chose. « Comment te sentirais-tu si quelqu'un te faisait cela? » était une question qui revenait toujours quand je réagissais à un enjeu ou à un événement. Elle me guidait, s'assurait que j'aille à l'église et à l'école du dimanche, et que j'aie un solide bagage de personnalité et de moralité.

À mon treizième anniversaire de naissance, tout cela a changé. Entrer dans l'adolescence était troublant en soi, mais a atteint un sommet quand maman m'a appelée dans sa chambre, après l'école.

« Anne, m'a-t-elle dit en tapotant le lit à côté d'elle, je veux te parler. »

« Qu'est-ce qu'il y a? » ai-je demandé avec aisance, confiante dans mon nouveau statut d'adolescente.

« J'ai passé les douze dernières années à t'inculquer un sens des valeurs et de la morale. Sais-tu la différence entre le bien et le mal? »

« Oui, bien sûr », ai-je répondu, mon sourire s'effaçant légèrement à cette entrée en matière inattendue.

« Tu es maintenant devenue une adolescente, et la vie sera désormais beaucoup plus compliquée. Je t'ai donné les bases. Il est maintenant temps pour toi de prendre tes propres décisions. »

Je l'ai regardée d'un air déconcerté. Quelles décisions?

Maman a souri. « À compter de maintenant, tu vas établir tes propres règles; à quelle heure te lever, te coucher, quand faire tes devoirs, et qui tu choisis comme copines et amis, ce seront toutes tes décisions dorénavant. »

« Je ne comprends pas, lui ai-je dit. Es-tu fâchée contre moi? Qu'est-ce que j'ai fait? »

Maman m'a entourée de ses bras, me tenant bien fort. « Tout le monde doit commencer à prendre ses propres décisions dans la vie, tôt ou tard. J'ai vu trop de jeunes gens détachés de leurs parents faire de terribles erreurs, habituellement quand ils sont au loin à l'université et que personne n'est là pour les guider. Je les ai vus faire n'importe quoi et certains ont bousillé leur vie pour toujours. Alors je vais te donner ta liberté tôt. »

Je l'ai fixée du regard, ahurie. Toutes sortes de possibilités se présentaient à moi. Sortir aussi tard que je le voulais, les fêtes, personne pour me rappeler de faire mes devoirs? Super!

Maman a souri de nouveau en se levant et en me regardant. « Rappelle-toi, c'est une responsabilité. Le reste de la famille va t'observer. Tes tantes, oncles et cousins attendront le moindre faux pas. Tu n'auras que toi-même à blâmer. »

« Pourquoi? » ai-je demandé, ravie qu'elle me fasse autant confiance.

« Parce que je préfère que tu fasses tes erreurs maintenant, pendant que tu es encore à la maison, et que je peux te conseiller et t'aider, a-t-elle répondu en m'enlaçant. Rappelle-toi, je suis toujours là pour toi. Si tu veux des conseils, ou simplement parler, je suis disponible en tout temps. »

Sur ce, elle a mis fin à la conversation et mon anniversaire s'est déroulé somme toute comme les précédents, avec du gâteau, de la crème glacée, des cadeaux et la famille. Je savais très bien que ma mère ne sortait pas entièrement de ma vie, mais qu'elle me donnait seulement l'espace pour déployer mes ailes et me préparer à l'envol que je prendrais un jour.

Dans les années qui ont suivi, j'ai fait ma part d'erreurs, les mêmes que font tous les adolescents. J'ai négligé mes devoirs périodiquement, je me suis couchée tard à l'occasion et, une fois, je suis allée à une fête pour laquelle j'avais des réserves. Maman ne m'a jamais critiquée pour autant. Quand mes notes baissaient, elle me mentionnait calmement que mes chances d'être admise à l'université de mon choix diminuaient au même rythme que mes notes. Si je me couchais tard, elle me réprimandait gaiement de ma mauvaise humeur. Après la fête, elle me demandait simplement ce que j'imaginais que ces amis-là feraient dans dix ans. Est-ce que je souhaitais partager cet avenir avec eux? Nul doute que non. Quand je voyais cela, je changeais invariablement mon comportement pour compenser. Elle avait toujours des conseils à prodiguer sur la meilleure façon d'intégrer les larmes au tissu de ma vie. Je ne l'ai jamais détestée comme tant d'adolescentes le font avec leur mère. En fait, cela nous a rapprochées beaucoup.

Il y a quelques années, j'ai emmené ma fille dans ma chambre lors de son treizième anniversaire. Nous avons eu une conversation semblable. Nous aussi sommes demeurées proches durant son adolescence. Au même âge mon fils a eu une discussion semblable avec son père. Mes enfants ont commis beaucoup des mêmes erreurs qui sont les jalons de la croissance et de la maturité, mais ils en ont évité bien d'autres parce qu'ils y ont réfléchi et sont d'abord venus en discuter avec nous. Ils nous voyaient comme des mentors plutôt que des geôliers, et nous nous en sommes tous mieux portés. La continuité de la vie et la sagesse sont demeurées intactes dans cette famille pendant des années et si je ne suis pas disponible, mes enfants vont demander conseil à ma mère.

L'honneur, l'amour et le respect pour la sagesse de l'expérience sont privilégiés dans notre famille à cause des sages paroles de ma meilleure amie, ma mère.

Anne Lambert

Un modèle de marathonienne

Pour moi, c'est le défi — le défi de tenter de me dépasser et de faire mieux que ce que j'ai fait dans le passé. J'essaie de garder à l'esprit non pas ce que j'ai accompli, mais ce que je dois tenter d'accomplir à l'avenir.

Jackie Joyner-Kersee

Je l'avoue — je l'ai fait purement pour moi-même. C'est-à-dire qu'au début je l'ai fait parce que j'avais perdu un pari. Après que mon amie a complété sa neuvième course Tufts 10K, j'ai parié avec elle que si elle courait le marathon de Boston, moi, une non-coureuse, je m'inscrirais à Tufts la prochaine fois. J'ai fait ce pari en l'air parce que je ne croyais jamais qu'elle le ferait. Devinez quoi? Elle l'a fait!

Me préparant à honorer ma gageure, j'ai commencé mon entraînement sérieusement, et je suis vite tombée amoureuse de la solitude, de l'air frais et du soleil, du chant des oiseaux et des capacités de mon corps de 38 ans. Durant les premières courses, cependant, je ne pouvais pas m'empêcher de ressentir de la culpabilité dans le fait de rechercher une satisfaction personnelle. Ne devrais-je pas être à la maison à prendre soin de ma famille?

Ma culpabilité a grimpé en flèche quand, après une course particulièrement longue, je suis retournée à la maison pour faire tremper mes muscles endoloris dans un bon bain chaud et que j'ai laissé ma pancarte « hors service » affichée un peu plus longtemps. Flottant dans mes sels de bain, j'ai entendu pleurnicher Melissa, ma fille de 3 ans: « Où est maman? » Mon mari l'a distraite

— pendant que je serrais les dents et que j'agrippais les bords du bain, déchirée entre le désir d'avoir du temps à moi et la forte envie de réconforter ma fille. À ce moment-là, j'ai compris qu'à chaque course je devais entraîner non seulement mon corps, mais aussi ma tête — pour me permettre ce temps personnel à rechercher l'individualité à laquelle j'avais droit! D'ailleurs, si j'étais réénergisée, je serais en mesure de mieux répondre aux exigences de la maternité.

En fait, mes deux filles se sont vite adaptées à mes longues courses de fin de semaine. Elles constataient d'un air détaché que je partais. « Tu vas courir, maman? » me demandait Gina, 8 ans, en me regardant lacer mes souliers de course. « Cours bien », ajoutait Melissa.

Je les embrassais et je partais, et elles étaient tout sourires, sachant qu'elles avaient la chance d'avoir la maison à elles toutes seules, pendant que papa travaillait au jardin en leur prêtant l'oreille. (Mère nature a programmé beaucoup moins de gènes de culpabilité chez les hommes, et les femmes leur emboîtent finalement le pas.) De plus, je crois qu'elles se rendaient compte que je revenais de mes courses plus gentille que lors de mon départ!

Enfin, ce fut le moment de ma première course de pratique, un 5 kilomètres. J'ai démarré avec un numéro épinglé sur ma poitrine, et le cœur me débattant derrière. Ma famille m'encourageait le long du parcours, et quand j'ai terminé la course, chacun a bondi pour me prendre dans ses bras, malgré mon corps en sueur.

« As-tu gagné? » a demandé Melissa. (Je ne pouvais pas croire qu'elle n'avait pas remarqué les quatre millions de personnes qui avaient franchi la ligne d'arrivée avant moi.)

« Désolée que tu n'aies pas gagné, maman », a dit Gina. (Elle avait remarqué.)

« Les filles, *j'ai fini!* » ai-je annoncé fièrement, en leur expliquant brièvement que c'était une victoire *personnelle*. Pourtant, même dans l'euphorie de mon propre triomphe, j'ai remarqué avec fierté que mes filles, à un si jeune âge, acceptaient comme étant tout à fait naturel que les femmes puissent — et doivent — être des gagnantes. Quand j'étais enfant, on m'avait transmis le message que les bonnes filles ne compétitionnent pas.

Des mois plus tard, j'ai réussi à terminer le Tufts 10K, et au lieu d'abandonner la course après m'être acquittée de mon obligation, je me suis surprise à continuer.

Il n'y a pas très longtemps, j'ai couru mon troisième Tufts 10K. Chacun a été aussi triomphant que le précédent. Mais cette année-là, la scène était plus magique que jamais. Melissa, qui avait alors 6 ans, portait un ensemble de course que sa sœur lui avait acheté avec son propre argent. Gina, alors âgée de 11 ans et presque de ma taille, portait le chandail commémoratif de mon premier Tufts 10K.

En courant aux côtés de six mille autres femmes, je pensais à mes deux admiratrices les plus fidèles, mes filles, qui m'attendaient à la ligne d'arrivée. Avec elles se trouvait mon mari qui m'adore et avoue déborder de fierté quand le pistolet de départ résonne et que je passe en courant avec le peloton. Et cette année-là, ma meilleure amie, incapable de participer à cause d'une blessure qui s'était aggravée, a regardé la course avec ma famille. Nul besoin de paris: je courais pour nous *tous*.

Comme j'approchais de la ligne d'arrivée, mes filles ont sauté du trottoir et se sont précipitées à ma rencontre. Nous tenant par la main, nous avons couru le dernier dixième de kilomètre ensemble.

Après, j'ai étiré mes jambes fatiguées, essuyé mon visage couvert de sueur et engouffré des petits goûters. Pendant ce temps, mes filles annonçaient avec animation et de façon répétée que plusieurs enfants, même un âgé de 7 ans, avaient fait la course. Je soupçonnais ce qui allait suivre.

« Est-ce que je peux courir avec toi, l'an prochain? Est-ce que je peux commencer à m'entraîner avec toi maintenant? Est-ce qu'on peut? Est-ce qu'on peut? » ai-je entendu encore et encore, pendant que je troquais mon chandail humide pour un sec.

J'ai réfléchi à leur demande: m'entraîner avec elles signifiait abandonner mon temps pour me ressourcer et être seule avec les feuilles d'automne, les sentiers dans la nature et le chant des oiseaux. M'entraîner avec elles signifiait être celle qui enseigne, comme d'habitude, plutôt que celle à qui l'on apprend, pour faire changement. M'entraîner avec elles signifiait partager en trois l'eau chaude à la fin de chaque course. Cependant, m'entraîner avec mes filles signifiait aussi que j'aiderais ces deux futures femmes à surmonter un obstacle, à acquérir une habileté et à retirer de la fierté de leurs propres réalisations.

« Bien sûr », ai-je annoncé. En partie, j'ai lancé à la blague cette menace en l'air parce que je ne croyais pas qu'elles le feraient vraiment, mais je savais que si elles y parvenaient, cela ne pourrait être qu'un pas en avant pour nous toutes. Alors nous sommes rentrées à la maison et avons tenté notre première course d'un kilomètre et demi ensemble. Et devinez quoi? Elles l'ont fait!

Mindy Pollack-Fusi

*« Je veux un soutien-gorge d'entraînement
et maman a besoin d'un soutien-gorge de sport. »*

Reproduit avec la permission de Donna Barstow.

Le bâton

*Ce qui m'aide à continuer, c'est que je demeure
réceptive. Je sens que tout peut arriver.*

Anouk Aimee

C'était une fête des Mères inhabituelle. J'étais à dix
mille mètres dans les airs, dans un vol en partance du
Texas vers la maison, à Hartford, Connecticut, où ma
fille Beth m'attendait au dortoir de son université.
J'avais passé les cinq jours précédents au parc national
Big Bend du Texas, en tant que soutien au camp de base
pour six personnes qui entreprenaient une Quête de
Vision : un jeûne de trois jours en solitaire dans le désert,
en attente d'une vision intérieure et d'être guidé par Dieu
pour la prochaine étape de leur vie. En route pour Big
Bend, j'avais trouvé un bâton d'un mètre de long que
j'avais lentement et soigneusement poncé jusqu'à ce qu'il
soit lisse. À l'extrémité du bâton, j'avais gravé mon nom
et j'y avais attaché un foulard lavande à hauteur de main
pour que la prise du bois soit plus facile. Ce serait ma
canne, mon bâton de pèlerin... et même ma défense contre les serpents, au besoin. Au cours des jours suivants,
le bâton était devenu un appendice. Il symbolisait tout ce
que j'apprenais et le sentier unique qui m'appelait.

Le vol de retour avec un si long « bagage à main » était
un défi. Il était trop long pour le compartiment à bagages
du dessus. Pour deux vols de correspondance, j'ai dû me
fier à la bonne volonté de mes compagnons de voyage qui
m'ont permis de déposer mon bâton encombrant sous nos
sièges et entre leurs pieds. J'étais pour le moins déterminée. À l'aéroport de Hartford, j'ai annoncé mon arrivée à
Beth par téléphone. Je suis passée prendre ma voiture,
j'ai rejoint Beth à son dortoir, et nous étions bientôt en

grande conversation dans un restaurant non loin à savourer mon repas de fête des Mères. Au milieu de notre échange d'anecdotes, je me suis rendu compte que j'avais posé le bâton à côté de moi pour téléphoner à Beth à l'aéroport et que je ne l'avais pas repris. Nous avons téléphoné aux objets perdus de l'aéroport, à la livraison des bagages et même aux services d'entretien. Le personnel sympathique de la ligne aérienne a cherché pour moi, mais chaque appel était vain. Le bâton avait disparu.

Ce soir-là, Beth et moi nous sommes rendues à notre petit chalet sur la rive du Connecticut. Beth entendait y passer les quelques jours suivants afin d'étudier pour ses examens finals. Je n'avais que le lendemain de congé avant de retourner à Boston et à mon travail. En marchant sur la plage le lendemain matin, je scrutais le sable et les buissons qui couvraient la digue, à la recherche d'un morceau de bois avec du potentiel. Finalement, j'ai vu un intéressant morceau de bois rejeté par le fleuve et je me suis mise au travail. Pendant que Beth lisait et soulignait ses textes, je ponçais et sculptais mon nouveau bâton. J'y ai gravé mon nom. Je n'avais plus de foulard, mais j'ai trouvé une corde en cuir que j'ai enroulée autour du bâton. Sur la plage, j'ai trouvé de longues plumes de mouettes à attacher à l'extrémité de la corde en cuir. Beth me regardait travailler. Quand nous avons penché la tête pour inspecter mon projet terminé, elle a dit: « J'aime ton bâton, maman. Il est super. » Je l'ai déposé dans un coin du chalet et j'ai souri à ma fille. « Sers-t'en aussi souvent que tu le désires. Il peut nous appartenir à toutes les deux. » Sur ce, je suis partie pour Boston à contrecœur.

Je suis retournée seule au chalet la fin de semaine suivante. Arrivée quelques minutes avant le coucher du soleil, j'ai vite déverrouillé la porte et j'ai tendu la main pour prendre ma canne laissée dans le coin, prête à aller marcher sur la plage. Mais mes doigts ont encerclé plus que mon bâton. J'ai allumé une lumière et je suis entrée. Puis, j'ai regardé. Debout à côté du bâton que j'avais mis tant d'efforts à créer quelques jours auparavant se trouvait un deuxième bâton, qui arrivait aux trois quarts de la hauteur du mien. Il avait aussi été poncé et, à l'extrémité, de la main minutieuse de ma fille, était gravé Beth. Des rubans pour cheveux d'enfant étaient enroulés autour du bois à hauteur de main et, à l'extrémité des rubans étaient attachées les petites plumes douces qui parsemaient souvent la plage, tombées de dessous le ventre des jeunes goélands.

Je ne me rappelle plus combien de temps je suis restée dans ce coin. Je sais que j'ai manqué le coucher de soleil, mais une lumière différente tentait d'illuminer mon cœur. Je suis demeurée immobile jusqu'à ce que le puissant message de ma fille ait pénétré tout mon être. Je me suis répété notre conversation. « Sers-toi du bâton, avais-je dit, il peut être le nôtre. » Et Beth, sans même parler, disait ce qui était vrai. « Maman, je ne peux pas emprunter ton bâton ou ton chemin. Chaque personne a sa propre façon de marcher. Aussi proches que nous ayons été ou que nous le serons jamais, mon chemin est distinct du tien. Il faut qu'il y ait deux bâtons, pas un. »

Des années plus tard, les bâtons sont toujours au chalet, côte à côte. Je suis déménagée au Texas et ma fille est allée à New York où elle poursuit une carrière en théâtre. Nous nous rencontrons parfois à la plage et prenons encore de longues marches au coucher du soleil, mais jamais avec nos bâtons. Je ne suis pas certaine qu'ils aient été destinés à la marche.

Paula D'Arcy

Ce qu'est une grand-mère

Une mère devient une vraie grand-mère le jour où elle cesse de remarquer les choses terribles que font ses enfants parce qu'elle est tellement enchantée des merveilles que font ses petits-enfants.

Lois Wyse

Une grand-mère est une femme qui n'a pas d'enfants, alors elle aime les petites filles des autres. Un grand-père est une grand-mère homme. Il va marcher avec les garçons, et ils parlent de pêche et de tracteurs et de choses comme ça.

Les grands-mères n'ont rien d'autre à faire qu'être là. Elles sont vieilles, alors elles ne doivent pas jouer trop fort ni courir. Il suffit qu'elles nous conduisent au supermarché où il y a le faux cheval et qu'elles aient plein de monnaie toute prête. Ou si elles nous emmènent marcher, elles ralentissent près des jolies feuilles ou des chenilles. Elles ne devraient jamais « se dépêcher ».

Habituellement elles sont grosses, mais pas trop grosses pour attacher les lacets des enfants. Elles portent des lunettes, et elles peuvent enlever leurs dents et leurs gencives. C'est mieux si elles ne tapent pas à la machine ou ne jouent pas aux cartes, sauf avec nous. Elles n'ont pas besoin d'être intelligentes, seulement de répondre à des questions comme pourquoi les chiens chassent les chats ou pourquoi Dieu n'est pas marié.

Elles ne parlent pas en bébé comme les visiteurs le font, parce que c'est difficile à comprendre. Quand elles nous font la lecture, elles ne sautent pas de mots et ça ne les dérange pas que ce soit encore la même histoire.

Tout le monde devrait essayer d'en avoir une, surtout si vous n'avez pas la télévision, parce que les grands-mères sont les seuls grands qui ont le temps.

Patsy Gray
9 ans

Reproduit avec la permission de Donna Barstow.

Réflexions sur être grand-mère

*Ne craignez jamais de vous asseoir
et de réfléchir un moment.*

Lorraine Hansberry

Je suis allongée sur le canapé, collée contre le bébé. Mon premier petit-enfant! Ma fille est partie seule faire une course rapide et j'ai l'honneur d'être la première gardienne. Je regarde ses grands yeux bruns qui étudient mon visage et ses menottes qui se tendent dans un effort pour coordonner et toucher ce qu'il voit. « Bientôt, lui dis-je. Bientôt, tu vas tendre les bras et saisir toutes les choses que tu vois. »

Mais je ne suis pas pressée. Je me rappelle combien j'attendais et anticipais constamment la prochaine nouvelle expérience de ma fille. Son premier sourire, son premier effort maladroit pour s'asseoir seule, ce premier pas victorieux, le premier mot, la première journée d'école. Et puis, soudainement, avant que j'aie vraiment eu le temps de profiter de chacun de ces moments magiques, ils étaient du passé. Je ne répéterai pas cette erreur. Avec la sagesse de l'âge et l'expérience, je vais goûter chaque moment précieux.

Ses paupières s'alourdissent et ses yeux se ferment. Je prends une position plus confortable, il gigote et me regarde juste un moment. Ce regard me rappelle une autre époque, il y a tant d'années, dans une autre pièce, sur un autre canapé. J'étais collée contre une autre enfant, ma fille de 18 mois. Comme elle allait s'endormir, elle a levé les yeux vers moi et, dans ce moment unique, j'ai pu voir un bref instant la femme que deviendrait mon enfant. Je me rappelle les frissons qui m'ont parcouru l'échine et les larmes qui ont jailli, glissant sur mes joues sans que je les arrête.

Je me rappelle avoir fait une prière silencieuse pour l'avenir de ma petite fille. Je ne pensais à rien de grandiose comme la célébrité ou la fortune. Je priais seulement qu'un jour un jeune homme digne (quel mot vieux jeu, et pourtant si juste!) regarde sous sa beauté extérieure et voie la loyauté, la bonté, la détermination que j'avais entrevues si brièvement et que je chérirais si longtemps.

Une fois de plus, je sens les larmes glisser doucement sur mes joues en regardant le petit garçon endormi. Il est l'incarnation de la réponse à toutes ces prières et ces rêves que j'ai portés dans mon cœur pour ma fille, au fil des ans. Ce minuscule enfant, qui me remplit d'un amour si immense que je peux à peine le croire, est l'enfant de ma fille.

Je suis si contente pour ma fille et pour tout ce qui l'attend, quand elle va regarder cet enfant grandir et apprendre, et devenir sa propre petite personne. Comme moi, elle connaîtra de grandes joies et survivra à d'importantes déceptions. Elle se réjouira des réussites et regrettera plus d'une erreur. Il y aura toujours de la culpabilité. Mais ce n'est pas l'important. L'important, c'est l'amour. On ne peut pas trop aimer. Peut-être que certains psychologues et sociologues ne seraient pas d'accord avec moi, mais en regardant mon petit-fils dormir et en pensant à cette petite qui est aujourd'hui sa mère, je sais au fond de moi que je ne serai jamais coupable de n'avoir pas aimé suffisamment. L'amour est le moteur de tout sentiment que j'ai eu, de chaque geste que j'ai posé et de chaque décision que j'ai prise concernant mon enfant. Les résultats n'ont pas toujours été parfaits parce que les situations ne correspondaient pas à ma motivation. Mais les résultats finaux ont été honorables et les erreurs, plus que justifiées. Je vais continuer d'aimer ma fille de cet amour inconditionnel aussi longtemps que je vivrai.

Et maintenant, je suis grand-mère. Je ressens les mêmes émotions à l'endroit de ce bébé, mais il y a une différence subtile. Je ne peux pas vraiment préciser ce que c'est. Je l'attire plus près de moi et je sens la chaleur de son petit corps alors qu'il se niche confortablement dans mes bras. Il se sent en sécurité et aimé là où il est, mais dans quelques minutes, sa mère arrivera et je verrai sur le visage de ma fille que, même si elle s'est absentée moins d'une heure, son fils lui a manqué. Elle est impatiente de le prendre, de le tenir et de le ramener à la maison.

Et là, je comprends. Voilà la différence. Elle va l'emmener à la maison. Alors que je suis là toujours prête, les bras ouverts comme l'aidante disponible, le soutien empressé, la conseillère optimiste, il retournera à la maison avec ma fille. Elle le nourrira physiquement, émotionnellement et spirituellement chaque jour de sa vie, comme je ne suis pas destinée à le faire. J'ai un nouveau rôle. Je suis sa grand-mère. Je verrai son visage s'éclairer en me voyant et me reconnaissant, alors qu'il grandira. Je vais faire ses biscuits favoris et nous nous assoirons ensemble dans une chaise berçante pour partager son livre préféré. J'écouterai avec ravissement sa mère raconter les petites histoires qui façonnent ses années de croissance. Je veux assister à ses spectacles scolaires, à ses parties de balle molle ou à ses récitals de piano. Je ferai partie de sa vie parce que je suis sa grand-mère.

Et jamais, jamais je ne pourrai trop l'aimer.

Donna M. Hoffman

Reproduit avec la permission de Donna Barstow.

6

TELLE MÈRE, TELLE FILLE

En vérité, lorsqu'une femme
donne naissance à une autre femme,
à quelqu'un qui est comme elle,
elles sont unies pour la vie
de façon très particulière.

Nancy Friday

Je suis ma mère

Toutes les femmes deviennent comme leur mère.
Tel est leur drame. Les hommes ne le deviennent
jamais. Tel est le leur.

Oscar Wilde

Je me suis juré que cela n'arriverait jamais. En fait,
j'ai passé le plus clair de ma vie à m'assurer que cela
n'arrive pas. Et pourtant, cela s'est insinué en moi alors
que je ne faisais pas attention.

Je suis maintenant officiellement ma mère.

Ne vous méprenez pas: ma mère est une femme merveilleuse, brillante, drôle, aimante, gentille, et je l'aime
tendrement. Mais j'avais juré que je ne serais jamais
comme elle.

Comment pouvais-je être assez cruelle pour ne pas
laisser ma fille de 5 ans manger des céréales sucrées
chaque matin au petit-déjeuner? Comment pouvais-je
même penser à bannir les bandes dessinées de la vie de
mes enfants? Et comment pouvais-je être assez sans
cœur pour refuser un dessert à mon enfant jusqu'à ce
qu'elle ait d'abord mangé quelque chose de sain?

Puis vinrent les années d'adolescence. *Quel genre de
mère impose un couvre-feu à sa fille adolescente,* avais-je
demandé. Ne me faisait-elle pas confiance? Et quelle
était l'idée de faire entrer les garçons avec qui je sortais
pour rencontrer papa et elle avant que je puisse partir?
Ils n'allaient pas sortir avec mes parents, alors pourquoi
devaient-ils les rencontrer?

Jamais je ne soumettrais mes enfants à ces atrocités.

Mes enfants, avais-je promis, auraient la permission
de survivre au moyen de tablettes de chocolat et, naturel-

lement, de céréales sucrées. Ils regarderaient la télévision jusqu'à ce que les yeux leur sortent de la tête si tel était leur désir. Un couvre-feu? Pas dans ma maison! Mes enfants pourraient sortir toute la nuit, et le lendemain aussi s'ils le voulaient, et j'applaudirais leur indépendance et leur honnêteté.

Mes enfants auraient une mère tellement « cool » et dans le vent qu'ils m'inviteraient probablement à leurs fêtes, et tous les autres jeunes diraient: « Super! Voilà cette mère fantastique! Ses enfants sont tellement chanceux! »

J'avais aussi la ferme intention de ne jamais m'inquiéter. Je voyais ma mère s'inquiéter pour moi, pour mes sœurs, pour tout apparemment, et je savais que je ne serais jamais comme ça. Je lui disais souvent qu'elle n'avait pas à s'en faire pour moi — que je rentrerais vers minuit, peut-être une heure du matin, et que tout irait bien. Il était inutile de s'inquiéter — la voiture n'avait que quelques bosses et personne n'était blessé. De quoi pouvait-elle s'inquiéter? Pourquoi se tracasser à propos de mes amis? Ce sont des personnes très gentilles qui ont simplement des mèches en pointes, des tatouages et des parties du corps percées. Nul besoin de se faire du souci. Je savais me conduire.

J'entendais ne jamais m'inquiéter de la sorte pour mes enfants. Je voulais être *cool* et dans le vent. J'allais, bien sûr, toujours m'habiller à la dernière mode et ne jamais, au grand jamais, porter des vêtements de « maman ». Je serais tellement « in » que les amis de mes enfants croiraient que je suis une des leurs.

Oui, tel était mon plan. Être la mère la plus *cool* et la plus « in » des alentours. Appliquer une seule règle chez moi — qu'il n'y a pas de règle. Je planifiais une rébellion totale contre mon éducation; j'entendais donner à mes enfants tout ce dont j'avais été si brutalement privée.

Mais quelque chose s'est produit en cours de route.

J'ai eu une enfant.

Le jour où j'ai ramené ma petite fille de l'hôpital à la maison, j'ai demandé à mon mari de jeter tout ce qui restait de céréales sucrées. Quand elle a commencé à manger des aliments solides, je ne lui ai rien donné qui était sucré jusqu'à ce qu'elle ait d'abord mangé quelque chose de sain.

Et elle n'a pas encore vu de dessins animés à la télévision.

Elle n'est pas encore adolescente, mais je tremble en pensant à toutes les choses qu'elle voudra faire et à toutes celles que je lui interdirai de faire. J'ai déjà décidé qu'elle aura un couvre-feu à 20 heures et qu'elle ne sortira pas avec des garçons avant ses 18 ans. Naturellement, justifiai-je, tout cela est pour son bien, donc elle comprendra et suivra docilement mes règles. Ou pas.

Je m'inquiète déjà.

Mais elle sera toujours inondée d'amour, d'affection et d'adoration. Elle aime déjà la lecture, et elle a un penchant pour le brocoli et d'autres légumes. D'accord, peut-être pas les légumes, mais le reste est vrai.

En ce qui me concerne, j'ai finalement admis que maman était plutôt formidable après tout. Même si enfant j'ai été privée de tant de merveilleuses choses, j'ai tout de même bien tourné. Et j'ai le sentiment que ma petite fille en fera autant — même si elle grandira probablement en ayant la ferme intention, durant toute sa vie, de ne pas être comme moi. J'espère seulement que je puisse être une aussi bonne mère pour elle que l'a été, et l'est encore, ma mère pour moi.

Anne Tews Schwab

Le livre de bébé

*Si vous comptez tous vos biens, vous affichez tou-
jours un profit.*

Robert Quillen

Quand j'étais une petite fille, j'adorais regarder mon
livre de bébé. Je m'assoyais sur les genoux de maman,
pendant qu'elle tournait avec soin les pages pour moi.
Elle lisait mon nom à haute voix. Elle lisait son nom, le
nom de mon père, le nom de mes grands-parents. Elle
lisait la date et l'heure de ma naissance. Elle me laissait
regarder dans l'enveloppe contenant une mèche de mes
cheveux de bébé. Ma partie préférée du livre était à la
toute fin. Il y avait trois pages de photographies, et je
figurais sur chacune. Les photos glissaient derrière le
plastique transparent qui refusait de les tenir en place,
et le plastique de l'une des pages était déchiré. Cela ne
me dérangeait pas le moins du monde. J'aimais regarder
les images de ma mère tenant le nouveau-né que j'étais.
Quand une photo glissait derrière une autre, ma mère la
retirait, et je riais de plaisir quand le trésor caché était
révélé.

Aujourd'hui, je suis mère d'une fille. En faisant le
montage du livre de bébé pour ma fille, je regarde encore
dans le mien. Cependant, mon livre de bébé ne m'apparaît plus comme avant. Quand je regarde la photo de ma
mère me donnant mon bain, je remarque qu'elle a l'air
fatigué — comme je me sens maintenant. En regardant
attentivement l'arrière-plan des photos, je constate que
les comptoirs de la cuisine étaient encombrés — comme
ceux de ma cuisine maintenant. Je vois des photos de
mon visage souriant et joyeux dans le bain, inconsciente

du désordre et de la fatigue de ma mère — tout comme mon bébé qui sourit présentement.

Et je remarque un autre changement dans le livre. Il y a toujours eu une section au milieu du livre où rien n'était écrit. Ce sont les pages vierges dont se plaignent mes amies qui sont de nouvelles mères. J'entends des mères se plaindre avec culpabilité qu'elles n'ont pas encore rempli toutes les pages du livre de bébé. J'entends des mères se critiquer, disant que ce sera déprimant pour leur enfant de voir des pages vides dans leur livre de bébé. Mais en regardant mon livre de bébé, je vois que toutes les pages vierges ont soudainement disparu. Là où se trouvaient jadis les pages blanches, je vois maintenant ma mère préparer des repas chauds nourrissants et me donner des bains chauds. Je vois ma mère me faire la lecture et m'emmener glisser devant la maison. Je vois ma mère me border au lit et panser mon genou écorché. Je vois des pages remplies d'amour.

Julie Bete

Reproduit avec la permission de Vahan Shirvanian.

Conversations de plage

Aucune d'entre nous ne sait ce que sera le prochain changement, quelle occasion inattendue se trouve juste au tournant, attendant de changer toute la teneur de notre vie.

Kathleen Norris

Le compte à rebours a commencé. Dans un mois, plus ou moins, ma fille va donner naissance. « Crois-tu que je vais rester comme ça pour toujours ? » demande-t-elle pendant que nous marchons sur la plage.

« Ce n'est pas un état permanent », lui dis-je pour la rassurer.

Elle se sent comme si elle allait exploser, comme moi-même je me sentais en août 1965 quand la date prévue de mon accouchement est arrivée mais pas le bébé. Six jours plus tard, Élizabeth avait bondi dans le monde, le visage cramoisi, et mon ventre, qui était devenu aussi gros que celui de ma fille maintenant, avait commencé à dégonfler.

Élizabeth affiche fièrement sa grossesse. Vêtue seulement d'un maillot de bain deux pièces noir, son ventre saillant de sa culotte, elle me fait penser à des photos qu'on pourrait voir dans le *National Geographic*.

Les deux derniers jours ont été spéciaux pour nous, notre temps à deux, celui de ma fille et le mien. Elle m'a invitée à sa maison d'été, où nous suspendons nos vies trépidantes pour des mini-vacances mère-fille. Nous marchons présentement sur la plage, remplissant les espaces de nos vies laissés en blanc, habituellement relégués à de brefs appels tard le soir, nous assurant l'une l'autre que tout va bien.

Ce matin, nous avons le temps de nous attarder en savourant ce rare cadeau d'être ensemble. Marchant avec mon enfant qui porte son enfant dans son utérus, je remarque silencieusement que nos vies, comme par magie, vont changer en un éclair.

Bientôt, ces jours d'été paisibles qui coulent doucement l'un dans l'autre seront interrompus par les exigences d'un nouveau-né et, sachant cela, Élizabeth m'a invitée à Fire Island pour partager ces quelques moments tranquilles qui restent. À l'exception d'un occasionnel goéland et de quelques marcheurs de grand matin comme nous, Liz et moi sommes seules.

Notre conversation dévie sur des sujets pratiques qui concernent la grossesse: les cours Lamaze, l'horaire de travail de Liz, et comment elle prévoit concilier travail et maternité. Nous discutons d'allaitement, des détails du processus de l'accouchement, de sa peur de la douleur et de la sécurité de savoir que si cela devient trop difficile, il y a des alternatives positives. Son médecin de Manhattan a aussi une maison dans Fire Island. « Si tu entres en travail sur l'île, a-t-il dit à la blague, je vais t'embarquer sur mon bateau et t'accoucher à bord. »

« Tu me téléphones à la minute où tu as une contraction, que je lui rappelle, afin que je puisse me rendre à l'hôpital. Ça fait partie de l'entente. »

« Tu promets aussi de bien te conduire, m'avertit-elle. Tu promets de t'asseoir dans la salle d'attente et de n'embêter personne. »

J'accepte d'être la mère modèle, attendant patiemment l'arrivée de son petit-enfant. Si ce n'était que de moi, je serais avec elle à chaque étape. J'ai même offert d'être son instructeur Lamaze.

« Vraiment, maman! C'est la raison pour laquelle Dieu a inventé les maris! »

Nous parlons de maternité, et je me souviens du pédiatre qui me conseillait il y a trente ans: « La meilleure chose à faire est de profiter de votre bébé. Ayez du plaisir. Tout le reste va se mettre en place. »

Ça semblait une bonne idée, même si ce n'était pas toujours possible. Les nouveaux parents sont tenus de répondre aux besoins de leurs nourrissons. Le plaisir cède le pas aux responsabilités. Privés de sommeil et exaspérés, ils répondent à chaque pleur, à chaque tonalité, traversant ces premiers jours comme des zombies en transe.

« Serai-je une bonne mère? » me demande soudainement Élizabeth. « Comment vais-je savoir quoi faire? Comment savoir si je le fais bien? Et si je fais des erreurs? » Son torrent de questions jaillit comme une tentative urgente de dernière minute de recueillir mes secrets de maternité, et le fait est que même maintenant je n'ai pas les réponses.

« Tu vas faire des erreurs. Tu ne sauras pas toujours comment agir, mais cela importe peu. Tout ce que tu dois faire, c'est d'aimer ton enfant. » Je répète les paroles de mon pédiatre: « Tout le reste va se mettre en place. »

Je me sens un peu suffisante en offrant ces sages paroles, mais ce sont les seules que j'ai. Le reste suivra de lui-même. Liz et son mari, Noel, trouveront des réponses par eux-mêmes et, à des années d'ici, ils seront peut-être dans la même impasse où je me trouve maintenant, alors que leurs enfants chercheront les réponses que ma fille attend de moi ce matin.

Je lui dis que j'étais encore moins préparée qu'elle ne l'est et que: « C'est l'amour qui fait toujours que cela fonctionne. » Elle semble satisfaite. Nous retournons en nous tenant la main, savourant d'avance le petit-déjeuner.

« Le bébé vient juste de me donner un bon coup de pied ! » dit Liz.

Je tends la main pour toucher le ventre rebondi qui abrite mon petit-enfant. Aujourd'hui, je crois que c'est un garçon. Hier, j'étais convaincue que c'était une fille. L'attente me tue.

« Quel que soit le sexe du bébé, je crois que je vais exploser. »

Je dégage une mèche de cheveux de ses yeux. « Je t'aime », lui dis-je.

« Moi aussi, maman », chuchote-t-elle.

Les nuages s'écartent, donnant naissance au soleil alors qu'un jour nouveau se déploie devant nous. Nous marchons le reste du trajet bras dessus, bras dessous, seules ensemble, mère et fille faisant une seule ombre.

Judith Marks-White

La berçante en bois cintré

*L'on doit apprendre en faisant les choses, car même
si l'on croit savoir les faire, on n'a pas de certitude
avant d'avoir essayé.*

Aristote

J'étais enceinte de mon premier enfant quand mes
parents m'ont donné une berçante en bois cintré. La
structure arrondie de la chaise semblait représenter parfaitement les câlins et l'amour et toutes les merveilleuses
choses que j'attendais du rôle de parent. Regardant le
bois courbé, je me voyais porter une chemise de nuit de
dentelle immaculée, et emmailloter paisiblement mon
doux chérubin en lui fredonnant une apaisante berceuse.
Je dois admettre, malgré mon embarras, que ma vision
incluait même des oiseaux chanteurs survolant la scène.
C'était un rêve que je faisais souvent, et devant moi se
trouvait la berçante qui réaliserait mes rêves.

Quand mon regard a passé de la chaise berçante à ma
mère, j'ai reconnu des sentiments maternels similaires
refléter dans ses yeux. Mais j'y ai aussi vu quelque chose
qui ne m'était pas familier. Bien que je n'aie pas pleine-
ment reconnu la nostalgie dans les yeux de ma mère, je
savais que notre relation allait bientôt changer, parce
que même si j'étais encore l'enfant de ma mère, je serais
aussi la mère de mon enfant.

Aujourd'hui, bien des années plus tard, je suis beaucoup plus près de voir ce que ma mère voyait dans la berçante et en moi ce jour-là. Elle voyait mon anticipation
innocente et partageait mon espoir et ma foi dans l'avenir. Mais elle voyait aussi beaucoup plus. Dans son
esprit, ma mère avait une image beaucoup plus nette.

Moins radieuse peut-être, mais certainement plus réaliste. Le bébé qu'elle voyait avait des coliques qui le faisaient hurler, et la mère pleurait, frustrée et épuisée par son inaptitude à apaiser le petit intrus.

Elle voyait une mère plus âgée bercer un bambin en pleurs qui venait de subir une rude collision avec une poignée de porte. Et elle voyait une mère encore plus âgée bercer un moral abattu, beaucoup plus lent à guérir que des genoux meurtris ou des coudes écorchés. Il y avait aussi un peu de chagrin dans les yeux de ma mère. Du chagrin pour ses propres pertes et les miennes. La perte de l'enfance et de l'innocence. La perte de l'amour pur et de la confiance indéfectible de la jeunesse.

Mais plus encore, ma mère a dû avoir du chagrin pour la naïveté qu'elle voyait en moi. Elle connaissait la culpabilité et la déception qu'un enfant peut provoquer chez une mère. Peu importe qu'ils ne soient pas mérités, ce sont des sentiments inattendus auxquels elle ne pourrait jamais me préparer. Ma mère m'a donné une foule de choses au fil des ans: un sens de l'humour, un sentiment de confiance, et un fort sentiment de fierté à l'égard de mes propres aptitudes à la maternité. Mais même si le tableau était très clair dans son esprit, même si elle en savait beaucoup, elle ne pouvait m'en léguer qu'une petite partie. Le reste, j'aurais à l'apprendre au fil de mes propres heures à bercer.

En un instant, elle a vu mes rêves et elle savait que la réalité n'était pas quelque chose qu'elle pouvait communiquer. À ce moment-là, elle m'a donné son silence. Elle m'a accordé mes rêves et mon indépendance. Elle m'a laissé vivre mon rêve. Entre cet acte de générosité et la chaise berçante, je ne sais pas lequel était le plus grand cadeau.

Cindy Phiffer

Berceuse pour ma mère

Laisse-moi chasser tes soucis de mes baisers
    comme tu chassais mes peurs avec les tiens.
Quand le tonnerre me précipitait sur tes genoux,
    ta poitrine était mon refuge.
C'est mon tour maintenant de t'endormir
    de mes caresses.
Dors, *Mamele,* dors.

Ces mains noueuses parlaient d'amour
    plus éloquemment que les mots — nourrissaient,
    langeaient, tressaient des rubans dans mes cheveux,
    faisaient des poupées avec des chiffons,
    des biscuits avec de la pâte.
Ouvre-les, comme les fleurs s'ouvrent au soleil.
Dors, *Mamele,* dors.

Sois en sécurité avec moi, je te protégerai
    des bises glacées ou d'un regard impatient.
Ferme les yeux, ma vieille enfant
    et quand tu ne pourras plus voir,
    tu m'entendras fredonner doucement
Dors, *Mamele,* dors.

Bella Kudatsky

---

* *Mamele*: terme d'affection yiddish (« petite maman »)

« *Et... alors ?* »

Vos diamants ne se trouvent pas dans des mon-
tagnes lointaines ou des mers là-bas; ils sont dans
votre propre jardin, si vous prenez la peine de
creuser.

Russell H. Conwell

Ma maison est en vue. Je rentre de l'école en courant,
mon sac d'école frappant ma jambe, accrochant mon bas
aux genoux, et m'égratignant à chaque coup. Mes joues
sont brûlantes, et je goûte un filet de sueur salée qui
coule de mon front. Les frères Jones sont lancés dans une
poursuite effrénée, chacun essayant de dépasser l'autre
sur sa bicyclette. Chacun tentant d'être Le Gagnant,
celui qui se rapproche, qui m'attrape. Tous les jours, c'est
la même chose.

Je coupe par la ruelle, j'ouvre tout grand la barrière
de la cour arrière, j'entre en trombe par la porte mous-
tiquaire et je me jette dans la cuisine en hurlant
« MAMAN ! ». Elle feint l'inquiétude, dissimule un sourire, pose un bras insolent sur sa hanche, puis me
regarde droit dans les yeux, et ses sourcils remontant
jusqu'à la naissance des cheveux font plisser son front.
« Et... alors ? »

Pour ceux d'entre vous qui ne parlent pas le jargon
d'une directrice d'école primaire de l'élite de l'est du
Texas durant la Grande dépression, cela signifie
approximativement : « Si tu ne cours pas, ils ne peuvent
pas te poursuivre. Et apparemment, tu as couru.
Encore. »

Elle décapsule ensuite une bouteille de boisson
gazeuse et me la donne. « Mais, maman... », dis-je en

pleurnichant. Elle lève la main. « Pas avant que je prenne mon café. Et mes lunettes. Je ne peux pas écouter sans mes lunettes. » Je me tortille sur ma chaise, impatiente de raconter ma journée. Elle s'assoit et, devant sa tasse favorite, ses yeux se braquent sur les miens. « Et... alors? » Celui-là signifie: « Qu'est-ce que tu attends? Je ne peux pas respirer avant de connaître tous tes faits et gestes. »

Alors j'avoue. La fille qui a écrit un mot cru sur le mur de la salle des toilettes. À quel point je *dois* courir quand les frères Jones me pourchassent parce qu'ils sont six et que ça me fait peur. Que nous avons vu deux chiens coincés ensemble au terrain de jeux, ce qui explique pourquoi la fille a écrit un mot cru sur le mur de la salle des toilettes. Je respire et prends une gorgée. Je parle du concours d'orthographe que j'ai failli gagner, mais que j'ai perdu à cause du mot « indépendante ». Un doux sourire se dessine sur son visage. « Et... alors? » Cela veut dire, de toute évidence: « Apprends à l'épeler. Et deviens-le. »

Ce n'était pas qu'elle ne parlait pas. Oh, elle parlait tout le temps. Mais pas pendant qu'elle *écoutait*. Elle écoutait avec tout son corps. Elle était une grande oreille. Et cela commençait toujours de la même façon: sa main en l'air, les yeux ronds grands ouverts, comme si j'allais annoncer la carte gagnante au bingo, et puis: « Attends, laisse-moi prendre mon café. Et mes lunettes, je ne peux pas écouter sans mes lunettes. »

Je ne comprenais rien à cet illogisme. Mais ensuite, elle ne faisait qu'un avec mes yeux. Et je racontais.

Plus je grandissais, plus le « Et... alors » devenait profond. À 14 ans, j'ai été élue Miss Quelque chose. Le « Et... alors » a sorti précipitamment de sa bouche, portant le mot « fière » à sa suite. Jusqu'à la semaine suivante, où j'ai couru à la maison en larmes parce que les mêmes jeunes qui m'adoraient le lundi, assez pour me couronner

Miss Quelque chose, chuchotaient à mon sujet dans les corridors, complotaient contre moi le vendredi venu. De l'autre côté de la table, ma mère a déposé sa tasse, hoché la tête et lentement enlevé ses lunettes. Un seul sourcil s'est haussé sur son front, puis s'est arqué. Mauvais signe. Mais elle me tenait la main en même temps. Tranquillement, elle a dit: « Et... alors? » Autrement dit: « Il y a une différence entre être populaire et être aimée. L'un signifie que tu es une mode; l'autre, une amie. Lequel étais-*tu*? »

Étrangement, lorsque j'avais grand besoin de ses yeux qui écoutaient, de son réconfort silencieux, de ses conseils pratiques, je ne pouvais pas les obtenir. À 17 ans, mon cœur a été déchiré et piétiné par le garçon à qui j'avais donné chaque centimètre de mon être. Je ne pouvais pas me tourner vers ma mère. Comment pouvait-elle savoir ce qu'était perdre ce genre d'amour? S'offrir au clair de lune, entre des dunes de sable, écouter murmurer les « pour toujours » et « à jamais ». Comment pouvais-je supporter de m'exposer deux fois, d'être mise à nu, vulnérable, puis de risquer d'être rejetée de nouveau, cette fois par elle?

Après deux semaines à me faufiler par la porte arrière, grommelant un « Bien » en réponse à sa question sur ma journée, elle a apporté sa tasse de café et ses lunettes dans ma chambre et a fermé la porte. Même si nous étions les deux seules à vivre dans cette maison, fermer la porte signifiait un sentiment d'intimité, d'importance et de sécurité. J'ai commencé à avouer. Et à trembler et, enfin, à pleurer. Il n'y a pas eu de « Et... alors », ni de sages conseils, ni de sourcils mobiles ou de regards fixes. Avec sagesse, elle a baissé les yeux pour me donner ma dignité. Avec bonté, elle a hoché la tête par empathie. Finalement, elle m'a ramassée en boule et m'a tenue comme une enfant, et a simplement fredonné une berceuse.

Seule sa distinction, ou peut-être son amour de mère, l'a retenue de parler, je le sais. Elle aurait pu dire: « Et... alors, comment crois-tu que c'était pour moi quand ton père est parti? Je ne connais pas l'amour et la perte? Essaie de perdre un fils pour voir, essaie de perdre une mère à un plus jeune âge que le tien, essaie de refaire ta vie à 40 ans dans une ville étrangère, de tenir deux emplois, avec une enfant à élever. » Mais elle ne l'a pas fait.

Au fil des ans, mes enfants, mes amis, même les enfants de mes amis ont adopté le même langage d'écoute. « Et... alors » est le dialecte de nos cœurs. Nous nous cajolons, réconfortons et questionnons les uns les autres avec cette simple expression; nos conversations sont ponctuées d'un haussement ou d'un froncement de sourcil, d'un bras replié ou agité, d'un ricanement ou d'un soupir tombé de nos lèvres. Nous écoutons et nous nous sentons entendus par la langue de ma mère.

J'ai 45 ans maintenant. Bientôt, je serai assise à la table de cuisine de ma mère, appuyée sur les coudes, à boire du café et à retourner la politesse d'une attention captive. La vie de ma mère est pleine, riche, passionnante et, à l'occasion, elle a besoin de mes yeux à l'écoute. Alors, je lèverai la main, et je la ferai attendre en cherchant mes lunettes dans ma bourse. Ensuite, j'écouterai. Je fixerai mes yeux droit dans les siens et je prendrai plaisir à l'intonation de ma propre interprétation de « Et... alors. »

Karen O. Krakower

Le Regard

Cela arrive aux meilleurs d'entre nous. Nous prévoyons avoir un bébé et, pour quelques mois de bonheur, c'est exactement ce que nous avons — un doux bébé qui sent habituellement bon, qui est tout simplement adorable dans ses broderies et rubans, et qui mouille de manière touchante les épaules et les genoux de ceux qui sont envoûtés par ses petites fossettes et ses gentils gazouillis. C'est ainsi que tout commence.

À un certain moment, cependant, le bébé que nous avions prévu, toute douceur et lumière, devient une personne avec des processus de pensée compliqués et des moyens de s'exprimer. Chose que nous n'avions pas planifiée.

Il y a quelques jours, j'ai répondu à une question de ma fille par ce que je croyais être une remarque très astucieuse et ironique. Je me suis tournée pour voir la réaction de mon aînée chérie et j'ai croisé Le Regard. Ceux d'entre vous qui n'ont pas eu le privilège unique de vivre avec une fille de 9 ans ne sont peut-être pas familiers avec Le Regard (ceci peut être interprété comme une remarque sexiste, mais je trouve que ma fille est tellement plus habile que mon fils le plus vieux à lancer Le Regard).

Le Regard implique un relâchement de la mâchoire, un hochement de la tête vers le bas et un roulement des yeux de 180 degrés. Le Regard est souvent accompagné d'une expiration bruyante indiquant: a) le dégoût, b) l'incrédulité, c) l'exaspération, d) l'embarras, e) toutes ces réponses. Le Regard survient plus fréquemment en public, où la jeune personne ne doit jamais être vue approuvant quoi que ce soit que son parent fait, dit, aime, pense ou est.

J'avais donc subi Le Regard. Il visait, bien sûr, à indiquer l'extrême désapprobation des actions du parent (moi) de la part de l'enfant (ma fille). Il visait à me critiquer vivement, à souligner mon comportement inapproprié, mais je trouvais cela plutôt comique. Mon rire a provoqué un autre Regard et le commentaire glacial : « Ce n'est *pas* drôle, maman. »

Maintenant, la grand-mère de l'enfant trouve tout cela bien humoristique. Elle dit avec sarcasme que les choses n'iront qu'en s'améliorant, et qu'elle est impatiente que sa petite-fille ait 13 ans. Elle se dit enchantée que la Pire Malédiction d'une Mère (« J'espère que tu auras un enfant qui sera exactement comme toi ! » qui m'a été proférée quand j'avais peut-être 3 ans) se soit enfin réalisée. La grand-mère de l'enfant ne me témoigne aucune sympathie. Elle rit plutôt de tout cœur et se met à énumérer toutes les façons dont ma fille et moi nous ressemblons.

Je la fixe du Regard et j'essaie de faire comme si elle n'était pas ma mère.

M. M. English

« Ce n'est pas pour t'offenser, maman,
mais je rejette tout ton système de croyances,
de valeurs et ton code d'éthique. »

Reproduit avec la permission de Kathy Shaskan.

Maman a DIT /
Maman VOULAIT DIRE

Je crois que tout cela a commencé à l'adolescence. Je portais ma plus belle paire de jeans troués-déchirés et je m'apprêtais à sortir de la maison lorsque maman m'a examinée et m'a demandé d'un ton critique : « Est-ce le jean que tu vas porter ? » Oui. « Hors de cette maison ? » Oui. « En public ? » Oui. « Pour que les gens te voient ? » Oui. Je connaissais la chanson, mais j'ai mordu quand même. Pourquoi, maman ? Tu N'AIMES pas ma tenue ? « Non, c'est bien... c'est bien », a-t-elle DIT... Elle VOULAIT DIRE : « Si tu sors de cette maison habillée ainsi et que les gens te voient, ils vont naturellement supposer que tu vis de l'assistance sociale et que tu viens de sortir de prison, et ils vont me blâmer personnellement, parce que tu SAIS qu'ils le feront... C'est toujours la FAUTE DE LA MÈRE... eh bien, laisse-moi te dire que je vais tout simplement MOURIR de honte et je n'ai pas besoin de te rappeler combien de morts lentes ce genre d'agonie nous fait ressentir. » Je prenais joyeusement la porte et je bondissais dans la journée. Et pourtant, mystérieusement, parmi tout le nettoyage de maman du lendemain, ma plus belle paire de jeans troués-déchirés me sautait aux yeux alors que je soulevais le couvercle de la poubelle pour y déposer un autre sac d'ordures. C'était toujours un mystère et nous n'avons jamais pu expliquer exactement comment mes jeans se retrouvaient là.

Après le secondaire, j'ai traversé une période d'indécision et de recherche. Je manquais grandement de direction ou de motivation. J'avais aussi terriblement besoin d'être confrontée à la réalité. J'étais persuadée que je gagnerais beaucoup d'argent bientôt grâce à ma poésie adolescente et sombre, que j'étais sur le point d'être découverte pour mes grands talents et mon intelligence supérieure, et que je n'aurais jamais à recourir aux moyens des masses désespérées qui faisaient des choses comme occuper de vrais emplois. Donc, j'allais réfléchir et méditer, et être un grand penseur. Alors, sans emploi ni plan, j'ai continué à errer nonchalemment, tentant de trouver ma voix et moi-même pendant un moment. C'était une période désœuvrée. C'était une période de grâce. D'environ trois jours.

« Bon! J'en ai assez », m'a crié maman en délogeant brusquement mes pieds de la table à café, en jetant mon biscuit à la poubelle et en éteignant la télé. (Tout cela s'est fait en un mouvement continu et fluide, comme dans un bon film de karaté. Maman était FÂCHÉE. « Voici tes options », m'a-t-elle informée en déposant sur mes genoux une pile de demandes d'emploi, un catalogue d'université et une demande d'admission. Aïe, c'était apeurant. Maman s'était affairée. Elle avait fait ses devoirs, ses démarches et elle m'avait jeté (droit sur moi et FORT) un PAQUET de stylos. (Encre noire, pour les demandes.) Elle faisait les cent pas et j'étais assise toute droite, à l'écoute, horrifiée par ce nouvel aspect d'elle agressif que je n'avais jamais vu. Elle a édicté la loi. Elle était le commissaire, j'étais la hors-la-loi capturée dans cette ville perdue et elle me tenait. « Je ne tolérerai pas (elle parlait comme ça quand j'avais des ennuis sérieux, et elle hurlait si fort que toute sa capacité pulmonaire était épuisée au bout de cinq à sept mots) que tu restes assise sur ton DERRIÈRE paresseux! Toute la journée! Chaque jour! Comme tu le fais. À NE RIEN FAIRE DE TOUTE LA JOURNÉE! Et si! Tu vas! Rester assise ici! En attendant d'être publiée! Tu peux t'en aller! » À un moment donné, je m'attendais à ce que sa tête se mette à tourner. J'étais certaine qu'elle crachait des flammes. « Tu peux trouver un emploi! Comme une personne responsable! Ou tu peux aller à l'école... À TEMPS

PLEIN! Mais tu vas faire QUELQUE CHOSE! TOUTE
LA JOURNÉE! EST-CE que tu ME comprends? »

D'accord, c'est ce qu'elle a DIT. Ce qu'elle VOULAIT
DIRE, c'était: « Ma chérie, je t'aime. Je veux pour toi que
tu réussisses mieux que je ne l'ai fait. Je ne veux pas que
tu en arraches et que tu marches sur ton orgueil, et que
tu aies à tenir deux ou trois emplois pour joindre les deux
bouts. Tu as reçu des dons en ce monde. Tu es talentueuse, intelligente, drôle. Je t'en prie, ne jette pas tout
cela à l'eau. Ne néglige pas les occasions que tu as et que
je n'ai pas eues. Juste au cas où le monde ne remarque-
rait pas ta grandeur aussi rapidement que moi, je veux
que tu sois en mesure de régler tes factures entre-temps
et que tu décroches ce diplôme. Je vais t'aimer avec ou
sans diplôme universitaire, mais le monde a des normes
différentes et tu as besoin de ce papier pour avoir des
choix. Ce sera comme une clé qui ouvre bien des portes.
Je n'ai eu ni la clé ni les choix, et j'ai abouti devant les
portes qui étaient ouvertes, peu importe lesquelles. Des
portes que je n'aurais jamais choisies moi-même si j'avais
eu d'autres options. »

« As-tu pris tes vitamines? Qu'est-ce que tu manges
pour le dîner? Est-ce faible en gras? Et en cholestérol? »
m'a-t-elle demandé au téléphone. J'ai levé les yeux au
ciel. « Oui, maman! Depuis combien d'années est-ce que
j'ai 2 ans pour toi? » Elle a soupiré. Nous étions toutes
deux dégoûtées. « Eh bien, je ne peux pas te forcer à bien
manger, Donna. Tu es une grande fille et si tu ne te sou-
cies pas de ta santé, cela ne me regarde pas », a-t-elle
DIT.

Elle VOULAIT DIRE: « Peu importe l'âge que tu as,
tu seras toujours mon bébé. Et je t'aimerai toujours, tellement que si tu perdais la santé ou s'il t'arrivait quelque
chose, cela me tuerait. Je ne t'aurais plus pour te parler,
être ton amie ou te faire penser aux vitamines et, vraiment, cela me briserait le cœur. »

« Bonjour, maman. Comment a été ta journée? » lui demandai-je en l'embrassant sur la joue.

« Bien, répondit-elle. Nous n'avons pas fait grand-chose. »

« Eh bien, c'est ma journée préférée! » dis-je, en essayant de lui remonter le moral (et peut-être le mien aussi). Après quelques moments silencieux à nous tenir la main, je lui demande: « Manges-tu bien? On doit bien te traiter... Tu as une mine superbe! Si jolie. » J'ai DIT. Je VOULAIS DIRE: « Comment cela a-t-il pu t'arriver? Tu es si frêle. Et si fatiguée. Et tu me manques tellement chaque jour. Un jour, tu ne seras plus là et je ne sais pas ce que je ferai sans toi. Te voir dans cet état me brise complètement le cœur. Sauras-tu jamais à quel point je t'aime? »

Je me faufile dans le lit avec elle et me colle contre elle. Je tiens son petit corps fragile serré contre moi. Et j'essuie ses larmes quand elle pleure. Puis j'essuie mes larmes quand je pleure. Et je lui chuchote, d'un ton doux, rassurant: « Chut! Plus de larmes. Il n'y a rien sur quoi pleurer. » Mais elle pleure et dit: « Tu es mon petit ange. Je t'aime tellement. » Et je reprends: « Je suis ici maintenant, alors pas besoin de pleurer! Tout va bien... » Elle s'installe dans mes bras et dit qu'elle est fatiguée. Je l'embrasse sur le front comme elle glisse dans ses rêves. Et nous disons toutes deux exactement ce que nous voulons dire. Elle dit: « Tu es mon ange. Je t'aime... », et je dis: « Tu es le mien et je t'aime aussi. »

Donna Lee

Prends ma main

Nous sommes ensemble, mon enfant et moi. Mère et fille, oui, mais sœurs en réalité, unies contre quoi que ce soit qui nous empêche d'être tout ce que nous sommes.

Alice Walker

Nous déambulions dans les allées d'un grand magasin au centre-ville de St. Mary's, sa petite main dans la mienne. Le temps s'était brusquement refroidi alors qu'un vent austral s'engouffrait à travers la Nouvelle-Galles du Sud, en Australie. C'était le temps des vêtements d'hiver, des pyjamas chauds et des sous-vêtements de laine. Elle avait à peine 7 ans mais elle allait me rattraper d'un jour à l'autre, me semblait-il. Je la dépassais encore de beaucoup... *mais pas pour longtemps,* me disais-je.

J'avais une liste d'achats détaillée au fond de mon sac, et nous n'avions qu'une journée pour tout faire. L'école commençait le lendemain.

À peine étions-nous entrées dans le magasin qu'elle a eu besoin d'aller aux toilettes. J'ai grogné mais j'ai fait le détour, en pensant: *Qu'est-ce qui se passe avec ces enfants?* Jouant la mère patiente, j'ai attendu hors de la cabine, puis je me suis changée en chien de garde pour m'assurer qu'elle se lave bien les mains avant de poursuivre notre excursion. La journée promettait d'être longue.

Nous avons d'abord essayé des survêtements, puis des pyjamas, suivis de chandails en tricot de coton et de pantalons en velours côtelé. Elle me suppliait d'acheter de nouvelles bottes et une veste chaude avec capuchon. Nous portions tour à tour nos paquets dans le magasin...

moi plus qu'*elle*... et je lui enfilais des chandails par-dessus la tête et lui essayais des chaussures.

À 7 ans, elle commençait à avoir ses propres goûts vestimentaires. J'ai soigneusement remis plusieurs de ses choix sur les rayons, optant pour la qualité plutôt que la mode. C'était amusant de la regarder alors que j'étais assise sur la chaise de la « maman », juste à l'extérieur de la cabine d'essayage — mais elle s'est lassée rapidement. Ce qui avait débuté comme une séance de magasinage d'automne amusante est devenu une corvée en fin d'après-midi, et elle peinait à faire un pas de plus.

« Maman, *assoyons*-nous quelque part, mes jambes sont *fatiguées* », gémissait-elle.

Nous avons trouvé un kiosque vers l'avant du magasin, avons laissé tomber nos sacs en un tas, et commandé du chocolat chaud pour deux. Elle s'étiolait rapidement, alors nous n'avons pas traîné. J'ai laissé ma monnaie sur la table, boutonné son chandail et nous nous sommes dirigées vers le stationnement.

C'était un genre de journée mère-fille. Moi, la mère... elle, la fille.

≈   ≈

Nous avons passé l'entrée de verre du centre commercial de la banlieue de St. Louis... ma main dans la sienne. Les feuilles changeaient de couleur et une vague de froid avait frappé la ville du jour au lendemain. C'était le temps des vêtements d'hiver, des pyjamas chauds, de nouveaux chandails et des bottes.

Elle avait à peine 27 ans maintenant, mais m'avait vraiment rattrapée, et j'ai remarqué pour la première fois qu'elle était la plus grande. *Peut-être était-ce ses chaussures,* me suis-je dit.

Il y avait une liste d'achats détaillée quelque part dans mon sac, et nous n'avions que la journée pour tout faire. Je quittais la ville le lendemain.

À peine arrivées au centre commercial, j'ai dû aller aux toilettes. Elle a levé les yeux au ciel mais elle a souri et fait le détour avec moi, se disant : *Qu'est-ce qui se passe avec ces personnes âgées ?* Jouant la fille patiente, elle m'a attendue hors de la cabine, puis s'est changée en chien de garde pour s'assurer que je n'oublie pas de prendre mon sac après m'être lavé les mains. La journée promettait d'être longue.

Le premier arrêt était dans une boutique... deuxième étage... les chandails. Nous nous sommes chacune emparées d'un tas de cols roulés, de cardigans et de pulls. Elle a soigneusement remis plusieurs de mes choix sur les rayons, disant qu'à son avis j'avais besoin d'acheter un style différent... et une taille plus appropriée.

« Essaie celui-ci, m'encourageait-elle. Il t'amincit. »

Puis elle s'est laissée tomber sur la chaise de la « maman », juste à l'extérieur de la cabine d'essayage. De ce poste, elle pouvait surveiller chacun de mes achats. Nous avons marché et marché dans les magasins... essayant des pantalons, des blouses de coton et des chandails assortis à la dernière mode. Nous portions tour à tour les sacs, *elle* plus que *moi*. Mais je me suis lassée rapidement, et ce qui avait débuté comme une séance de magasinage d'automne amusante est devenu une corvée. En fin d'après-midi, je peinais à faire un pas de plus.

« Ma chérie, allons nous *asseoir* quelque part, j'ai *mal* aux pieds », ai-je gémi.

Nous avons donc posé nos sacs dans le coffre de la voiture, trouvé une pizzeria près de l'entrée du centre commercial, et commandé un souper pour deux et des colas diète. Je m'étiolais rapidement, alors nous n'avons pas traîné.

Elle a sorti sa carte de crédit pour régler la note, puis m'a aidée à prendre mon sac et mon chandail sur le siège avant de marcher jusqu'à notre voiture dans le stationnement.

C'était un genre de journée mère-fille. Elle, la mère, moi, la fille.

Charlotte A. Lanham

« *Maman, apprends-moi à magasiner.* »

Reproduit avec la permission de David Sipress.

Le dîner de l'Action de grâce et les sièges pour bébé

On ne fait pas de grandes choses, mais seulement des petites choses avec un amour immense.

Mère Teresa

Je venais de rendre visite à une amie le vendredi précédant la fête du Travail et je retournais mon laissez-passer de visiteur au poste de l'hôpital quand j'ai entendu par hasard une discussion entre la réceptionniste et un homme bouleversé. La réceptionniste lui expliquait que son nouveau-né ne pouvait pas quitter l'hôpital sans un siège d'auto pour bébé.

Il avait l'air tellement découragé quand il a dit: « Où puis-je trouver un siège pour bébé à cette heure et où trouver l'argent pour l'acheter? »

« Je suis désolée, Monsieur, mais c'est désormais une loi de l'État. Personne ne peut sortir un bébé de l'hôpital sans un siège d'auto pour bébé. »

Je me hérissais. Est-ce qu'on allait demander à cet homme (ou au contribuable) de payer quatre jours additionnels à l'hôpital pour un siège d'auto manquant? Mais quand la réceptionniste a repris: « Votre épouse peut rentrer à la maison avec vous aujourd'hui, mais le bébé ne peut pas sortir à moins d'être dans un siège pour bébé », je me devais d'intervenir. Laisser un nouveau-né dans un hôpital impersonnel pendant quatre jours sans sa mère parce qu'il n'y avait pas de siège d'auto? Je savais de ma mère à quel point ce premier lien d'attachement est important pour le bébé — et pour la mère.

Alors, étant la fille d'une femme qui n'a jamais hésité à intervenir et à aider les étrangers, j'ai dit: « Monsieur, j'ai un siège pour bébé à la maison que ma sœur vient tout juste de me rendre. Je vous le donnerais avec joie, mais j'habite à environ vingt-cinq minutes d'ici. » Le visage rayonnant d'étonnement et de soulagement, l'homme a répondu: « Je vais vous suivre avec ma voiture. »

Comme je me demandais si j'avais fait la bonne chose ou si j'avais été étourdie d'inviter un étranger chez moi, un souvenir m'est revenu. Je me suis rappelé un dîner d'Action de grâce à l'appartement de mes parents à New York. Nous étions plusieurs et c'était une véritable fête. Trop de nourriture, bien sûr, et des rires et des moments joyeux — et ma mère regardait souvent par la fenêtre de l'appartement du huitième étage.

« Qu'est-ce qui se passe, Julie? » a demandé mon père.

« Cet homme est resté assis sur le trottoir toute la journée. Il semble avoir faim et froid. Je vais aller lui porter un dîner d'Action de grâce », a répondu ma mère. Et le groupe a soulevé des protestations. Il pourrait le refuser, il va savoir où tu habites, il va croire que tu es une tendre et pourrait te déranger plus tard, ce n'est pas prudent...

Nullement intimidée, ma mère a emballé un gros dîner d'Action de grâce, complet, avec de la tarte enveloppée dans du papier d'aluminium, a pris des ustensiles et des serviettes de table, quelques bonbons, et un beau chandail de laine bien chaud appartenant à mon père, qu'il ne portait pas beaucoup dans leur appartement bien chauffé de New York, et elle est sortie en coup de vent.

Nous avons tous regardé par la fenêtre. Ma mère s'est dirigée droit vers l'homme et nous pouvions voir qu'ils se parlaient. Il semblait aimable, il a tout pris et a remercié ma mère avec effusion. Comme elle revenait vers l'immeuble, nous avons observé l'homme. Il a soigneusement placé le tout sur le trottoir, a retiré sa veste mince, a enfilé le chandail de laine et a remis sa veste. Puis il a déballé le dîner et a commencé à manger. Nous avons cessé de le regarder, sentant que nous violions son intimité. Plus tard, il a retourné l'assiette et les ustensiles au portier, qui avait été informé par ma mère.

Lorsque ma mère est rentrée à l'appartement, elle était visiblement touchée par la souffrance de cet homme et par l'appréciation qu'il avait donnée à son cadeau d'Action de grâce. Nous l'étions tous aussi. L'homme ne l'a jamais dérangée et le cadeau était exactement la chose à faire. J'en ai gardé le souvenir pendant des années — et il m'est revenu à l'esprit dans cet hôpital, alors que je me demandais si je devais ou non offrir à cet homme mon siège d'auto pour bébé.

Quand nous sommes arrivés chez moi, je lui ai offert d'autres articles pour bébé qui n'allaient plus servir. Il a accepté. Mais il n'y avait rien de misérable dans le fait de recevoir des cadeaux. C'était comme s'il savait que des gens donnent à d'autres gens et que c'est la bonne façon de vivre. Et il a accepté les articles pour bébé en tant que nouveau père de la part d'une mère de longue date.

On dit que l'on récolte ce que l'on a semé, et je crois que c'est vrai. Le bon exemple de ma mère est récolté encore et encore par moi, sa fille, qui ai appris en l'observant. Silencieusement, je l'ai remerciée des leçons de générosité qu'elle m'a léguées.

Frances Firman Salorio

*Donnez au monde le meilleur de vous,
et le meilleur vous reviendra.*

Madeline Bridges

Lâcher prise et s'accrocher

Récemment, je ramassais quelques effets à apporter chez le nettoyeur. Je garde un sac dans mon placard où, en théorie, je dépose mes vêtements à nettoyer après les avoir portés, mais d'habitude j'en éparpille quelques-uns. Puisque la porte de mon placard est partiellement bloquée par ma commode, j'ai demandé à ma fille de s'y glisser et de prendre tout ce qui devait aller chez le nettoyeur.

Un chandail est arrivé en volant, puis un pantalon, suivi d'une jupe et de deux ou trois blouses. Puis, Alex a passé la tête par l'embrasure de la porte. « Je ne suis pas certaine de celui-ci », a-t-elle dit. J'ai attendu une seconde, et un manteau beige est apparu à la place du visage d'Alex.

« As-tu besoin de l'apporter? » a-t-elle demandé, luttant pour ne pas laisser tomber le manteau.

« Non, je vais le raccrocher. »

« Tu devrais le donner aux œuvres de charité puisque tu ne le portes jamais. Il y a des gens qui ont besoin de manteaux quand il fait si froid. »

Elle a raison. Je n'ai jamais porté ce manteau. Il ne me ressemble pas.

« Tu ne veux pas le prendre? Il y a quelque chose dans la poche. »

« OK, ça va. Je vais m'en occuper. »

Ce manteau appartenait à ma mère. Ce qu'il y a dans la poche était probablement à elle aussi. C'est à peu près la seule chose d'elle qui m'est revenue. Quand elle est décédée, presque tout est allé aux œuvres de charité, mais je me suis débrouillée pour m'emparer de ce manteau et je l'ai gardé à travers d'innombrables déménagements. Il se retrouve toujours au fond de mon placard.

Ce qui est curieux, c'est que je ne me souviens pas d'avoir vu ma mère porter ce manteau. Comme tant d'autres détails, cela s'est effacé de ma mémoire. Là où se trouvaient couleur et texture, il n'y a plus qu'un contour, une esquisse, un bonhomme dessiné au dos d'une serviette de table.

Je ne reconnaîtrais probablement pas son écriture si je la voyais aujourd'hui, sauf la façon dont elle écrivait toujours le mot « et » en angle, comme si elle voulait laisser la place aux autres mots plus importants.

« On dirait que ta mère a un accent du Texas ou quelque chose comme ça », me disaient mes amies quand elles la rencontraient. Je n'ai jamais vraiment remarqué son accent du sud, il était normal pour moi. Aujourd'hui, je n'arrive même pas à me rappeler sa voix. Je me souviens de ses mains, seulement parce que sur les photos elles ressemblent aux miennes.

Sur les photos plus récentes, celles de ses 30 ans, ses mains semblent légèrement arthritiques, tout comme les miennes, un détail dont je ne me souviens pas. Je me souviens par contre de sa montre minuscule, de ses chaussures or, et des lunettes de lecture qu'elle avait achetées dans une pharmacie. Je me souviens de sa robe de chambre verte et de ses pommes de terre en purée et de son sens de l'humour maladroit.

Il semble si étrange qu'une personne qui faisait à ce point partie de mon quotidien n'y soit plus. Elle n'est plus ici depuis longtemps, alors je devrais y être habituée. Mais de temps à autre, je crois vraiment la voir dans la rue, dans le train, à l'épicerie. Au début, ce n'est pas évident pour moi que c'est elle que je crois voir. Je me dis simplement que je ne l'ai pas vue depuis longtemps, que je devrais lui téléphoner à l'occasion pour lui raconter quelque chose, ou simplement lui demander ce qu'elle fait. Puis, je me souviens.

Quand mes filles étaient bébés, je déplorais le fait qu'elles n'aient jamais eu la chance de connaître ma mère. Elle aurait été une merveilleuse grand-mère — sa mère l'était assurément. Elle aurait aimé ces années amusantes et énergiques avec ses petites-filles, moins le fardeau du rôle de parent au jour le jour. Elle semblait s'entendre mieux avec les enfants, perdre ses insécurités et ses inhibitions, et simplement avoir du plaisir. Elle aurait adoré assister à leurs joutes sportives et coudre des badges de Guides sur leurs vestes, et rigoler lors d'une partie de Monopoly sur la table de la cuisine.

Mais en vérité, cependant, mes filles la connaissent. Elles la connaissent parce que j'assiste à leurs joutes sportives et que je couds leurs badges et que je joue au Monopoly avec elles. Je coupe les sandwichs en diagonale et je plie les serviettes de cette façon bizarre que je ne peux décrire, parce qu'elle le faisait ainsi. Je dépose des petits mots et des bandes dessinées dans les boîtes à lunch de mes enfants et je les emmène chez McDonald's tous les lundis. J'appuie leurs idées saugrenues et je les laisse préparer le souper même si cela veut dire beaucoup plus de nettoyage pour moi, parce que c'était ce qu'elle faisait avec moi. Mes filles la connaissent parce qu'elles me connaissent.

Alex a raison. Quelqu'un a probablement besoin de ce manteau, mais pas moi. La prochaine fois que je donnerai des articles aux œuvres de charité, le manteau partira. Ce n'est pas la seule chose à laquelle j'ai réussi à m'accrocher.

Lisa West

7

PERDRE ET GUÉRIR

*La peur a frappé à la porte. La foi a
répondu. Il n'y avait plus personne.*

Vieil adage

Maman-chatte

*N'allez pas où le chemin vous mène. Allez plutôt là
où il n'y a pas de chemin et laissez une piste.*

Ralph Waldo Emerson

À l'âge de presque 4 ans, je n'étais qu'un petit bout de
fille. Des cheveux bouclés encadraient mon petit visage
joyeux parsemé de taches de rousseur, et mes yeux bleu
vif regardaient toute chose avec une anticipation
curieuse des délices à venir. Par une splendide journée de
septembre, ma mère s'est allongée sur le canapé et m'a
appelée. Elle m'a demandé de lui apporter une débar-
bouillette humide et fraîche pour son front. Elle a dit
qu'elle avait mal à la tête. J'étais heureuse de faire une
chose de grande personne et je me suis sentie très importante en la lui apportant. Cela fait, je suis sortie jouer
dans la cour.

Je ne l'ai jamais revue. Ma mère est décédée de la
polio trois jours plus tard — seulement une semaine
avant mon quatrième anniversaire. La perte était totale,
irréversible et profonde. Et je ne pouvais rien y changer.
Peu importe mes pleurs. Peu importe que je promette
d'être sage. Peu importe le nombre de menaces que j'ai
proférées. Peu importe que je veuille désespérément
qu'elle revienne. Ma mère n'y était plus, et ne me reviendrait jamais. Plus jamais elle ne m'enlacerait, ou me
brosserait les cheveux, ou me borderait dans mon lit, ou
chanterait doucement alors que je me laisserais gagner
par le sommeil dans une paix parfaite. Plus jamais elle
me regarderait avec amour. Et tragiquement, bien trop
tôt après sa mort, elle s'est effacée lentement de ma
mémoire. Il était difficile de me rappeler son visage — ou

de me souvenir de son tendre regard qui traduisait toujours à quel point elle m'aimait.

J'étais tourmentée par l'idée que peut-être ma mère m'avait laissée parce que j'étais vilaine. Je ne pouvais pas me souvenir de ce que j'avais fait, mais j'avais dû faire quelque chose pour provoquer son départ. Ce fardeau pesait lourd sur mon cœur. Il n'y avait pas de paix pour moi. Seulement une terrible nostalgie et une culpabilité indescriptible.

Peu après sa mort, quand les arbres étaient encore rouges et or — avant que les feuilles ne valsent au sol en laissant les branches nues, j'ai entendu le facteur dire à une voisine, en passant devant chez elle: « Ces chatons sont vraiment mignons. » Même si j'étais repliée sur moi-même et apathique, l'idée de voir des chatons m'a attirée chez la voisine. J'ai évité d'être vue par quiconque en entrant dans sa cour. Dans un cabanon en bois, il y avait dans une boîte une belle chatte blanche qui avait donné naissance à des chatons récemment. Elle était couchée dans un coin du cabanon sec et propre. C'était un endroit confortable. La mère chatte était blottie contre ses bébés. Cela m'a rappelé les fois où je me blotissais contre ma propre mère. Le chagrin qui avait envahi mon cœur s'est un peu allégé à la vue de la maman chatte. Je voulais ma mère, mais je ne pouvais plus l'avoir. Après quelques minutes, mon cerveau de 4 ans a imaginé un plan simple. Je deviendrais un chaton. Et cette belle maman chatte deviendrait ma deuxième maman. *Puisqu'elle était mère,* ai-je raisonné, *je pouvais lui parler de ma propre mère.* Je savais qu'elle comprendrait. Les yeux de la maman chatte semblaient transmettre l'amour le plus doux à ses petits, et cela me rappelait le regard aimant bien spécial que ma mère avait pour moi. Pour la première fois depuis la mort de ma mère, j'ai souri.

Chaque jour, je visitais Maman-chatte. Elle aimait se faire flatter gentiment par mes petites mains. Sa fourrure était soyeuse et douce et, d'une certaine manière, elle me réconfortait. Maman-chatte ronronnait fort et parlait à ses bébés par de faibles miaulements. Elle m'a incluse dans son cercle d'amour, aussi. Elle me regardait et se mettait à ronronner fort dès que j'étais à proximité. Je savais ce qu'elle disait — une enfant de 4 ans sait simplement ces choses. Elle disait: « Je vous aime, mes bébés », et je savais qu'elle m'incluait aussi.

Je lui parlais de ma mère et lui confiais à quel point elle me manquait. Maman-chatte avait toujours l'air de comprendre. Je ne pouvais parler à personne d'autre de la douleur confuse et déroutante qui était dans mon cœur, mais je pouvais parler à Maman-chatte. Elle écoutait toujours patiemment et semblait être pleine de sagesse.

Mon cœur a entamé sa guérison au cours des jours qui ont suivi, car Maman-chatte m'a montré à quel point elle nous aimait tous. J'étais absolument persuadée que lorsque j'étais avec ma Maman-chatte, j'étais un chaton. Je croyais que si quelqu'un regardait dans le cabanon, il ne verrait pas une enfant mais bien un chaton, car mon imagination était à ce point vive à 4 ans.

Avec le temps, les chatons ont grossi et ils n'écoutaient plus leur mère comme ils l'auraient dû. Ils ignoraient ses miaulements inquiets leur ordonnant de bien se conduire et de rester à proximité. Ils entraient et sortaient en toute vitesse du cabanon et grimpaient même très haut à un arbre. Je savais toujours quand Maman-chatte était soucieuse. Ma propre mère avait le même regard inquiet quand je grimpais trop haut sur mes balançoires après qu'on me l'eut défendu. Elle se précipitait vers moi, me soulevait pour me descendre et me grondait pour ne pas l'avoir écoutée. Puis, elle m'embrassait, souriait et m'arrachait la promesse d'être plus prudente, mais le lendemain je remontais au sommet des balançoires.

En observant comment Maman-chatte aimait ses chatons délinquants, j'ai compris cette profonde vérité que ma mère ne m'avait pas quittée parce que j'étais vilaine, pas plus qu'elle cessait de m'aimer quand je lui désobéissais. Cette certitude a soulagé la douleur de mon cœur.

Durant une saison très spéciale, je me suis réfugiée dans le monde innocent de l'imaginaire. Dans ma jeune tête, j'étais un des chatons que cette mère chatte adorait. J'étais certaine de l'amour de Maman-chatte envers moi. Il était vrai aussi qu'elle adoucissait une perte profonde. Et sa tendre acceptation de moi m'a aidée à graver le souvenir de ma mère dans ma mémoire pour toujours. Quand Maman-chatte se blotissait contre moi et me réconfortait, c'était toujours un rappel de m'être blottie dans les bras de ma mère. Maman-chatte était toujours contente de me voir, tout comme ma vraie mère l'était. Elle me regardait avec amour — comme ma vraie mère l'avait fait.

Personne d'autre ne me regardait plus de cette façon. Personne d'autre n'était content de me voir. Personne d'autre ne s'inquiétait de moi, pourtant Maman-chatte le faisait, j'en étais certaine — tout comme ma vraie mère. Maman-chatte m'a aidée à ne pas oublier les plus beaux souvenirs de ma vraie mère.

Bien des années plus tard, je suis devenue mère. Quand mon fils était bébé, je le tenais dans mes bras et le regardais avec tendresse. Alors qu'il grandissait, chaque année apportait plus de joie, et mon cœur se remplissait d'amour. Et parfois, mon cœur se reportait au tendre souvenir de l'amour de ma mère — et à une maman chatte qui a aidé un petit bout de fille abandonné et orpheline à accepter une perte. Dans mon esprit, même maintenant, je peux encore voir le visage de ma mère et son tendre regard aimant. Et je peux encore voir l'acceptation douce et aimante dans les yeux de Maman-chatte.

Lynn Seely

Reproduit avec la permission de Donna Barstow.

Toutes mes mères

*Rien de ce que nous apprenons
en ce monde n'est perdu.*

Eleanor Roosevelt

Jennie, à la maternelle; Kelly, à l'université. Le refrain tourne dans ma tête cette année alors que ma sœur aînée et moi-même envoyons nos enfants dans une plus grande orbite. Les séparations ont une impression de déjà vu. Partir pour nager dans des eaux plus vastes se produisait tôt dans notre famille.

J'avais 2 ans quand ma mère est morte et, comme tout jeune animal rusé, j'ai aussitôt fait collection de substituts. À la fête des Mères, j'envoyais plus de cartes que la moyenne des gens. « À celle qui a été comme une mère pour moi » disait l'une. « À la mère de mon amie » disait l'autre. Tante Minnie, Susanna, Ginny, Toni, Palma, Tetta, Woodie, Helen. Ma liste se continue encore et encore. J'ai perdu de vue certaines de ces femmes avec le temps et les circonstances, mais chacune a laissé un coup de pinceau indélébile dans ma vie. Au lieu d'une seule mère, j'en ai eu de nombreuses, ce qui fait que vous vous retrouvez avec une combinaison grisante de liberté et de tristesse. D'une part, vous êtes toujours cette petite de 7 ans abasourdie, écrivant soigneusement « décédée » sur les formulaires d'inscription à l'école. D'autre part, vous êtes un parent qui ne s'embarrasse pas des règles de « Maman-le-faisait-toujours-comme ça », qu'il s'agisse de discipline, de décoration ou de savon à vaisselle.

Ma sœur aînée m'a enseigné à coudre. Enfant, je m'assoyais derrière un fauteuil chez ma grand-mère, aiguille et fil en main, occupant le même endroit secret que ma mère aimait quand elle brodait petite fille. Mais je n'y ai jamais senti ses vibrations. Aujourd'hui, j'utilise un point de surfil appris dès mon jeune âge de Mme Parker, mon professeure d'économie familiale de septième année.

La même année, j'ai vu la mère de Lucinda Mirk déposer des biscuits aux brisures de chocolat sur des sacs de papier brun pour les refroidir, et c'est encore ma méthode 30 années plus tard, pour ma recette de biscuits quémandée à une amie. J'ai appris à écrire des cartes de remerciement et à répondre à des invitations à des mariages à partir d'un livre d'Amy Vannderbilt (couverture verte, 1952 environ); c'était une belle trouvaille pour 50 sous dans une vente-débarras où je suis allée un été.

Mon père était un parent empressé et énergique, et il nous a guidées, mes deux sœurs et moi, à travers les pièges de l'enfance avec un enthousiasme débordant et une confiance qui démentaient notre chagrin collectif. Nous parlions rarement de la mort de notre mère, et encore, de façon superficielle. Chacune de nous a adopté une attitude qui reflétait la vérité telle que nous la concevions: nous avions une vie heureuse ensemble. Nous étions jeunes quand elle est décédée. Nous ne nous souvenions pas d'elle.

Les mères du voisinage nous accompagnaient aux dîners mères-filles des Guides. Une file de maîtresses de maison cuisinaient nos repas. Et à l'âge de la puberté, papa nous dirigeait vers la femme la plus proche et s'en allait avec embarras et grâce. « Je ne sais pas si je dois leur acheter des porte-jarretelles ou des bâtons de baseball », s'écriait-il à la blague à des amis, levant ses bras au ciel.

Ma plus grande chance m'est venue à l'adolescence. J'ai rencontré Ginny, la veuve sophistiquée d'en face. Son appartement avait un éclairage tamisé et était entièrement décoré de bourgogne, sa couleur préférée. Elle se pelotonnait dans un fauteuil recouvert de fourrure noire ondulée pour lire des magazines, et je traînais chez elle après l'école pendant que papa était au travail et j'imitais les mêmes poses. Souvent, je restais pour souper : des poitrines de poulet grillées et du maïs au beurre. Ces repas semblaient aussi minces et soignés que Ginny elle-même, un menu enivrant pour une fille plus habituée aux ragoûts en conserve et au lait en poudre.

De Ginny, j'ai hérité non pas mon nez ou mes cheveux bouclés, mais une technique infaillible de stationnement en parallèle et un enthousiasme durable pour le golf miniature, les bijoux audacieux et les paris sur les courses. À l'Halloween, Ginny a pour coutume d'envoyer cinq dollars à chacun de ses petits-enfants, et ma Jennie est toujours sur sa liste.

Nos souvenirs de la petite enfance ne nous quittent jamais. Ce sont des liens émotionnels qui nous ont été transmis sans paroles. Ces cadeaux de ma mère ne sont pas perdus. Je prends soin de ma fille instinctivement, sachant qu'en pressant l'éponge de bain sur ses épaules étroites et qu'en brossant ses cheveux longuement, je fais écho à l'amour de nombreuses mères, y compris la mienne. « Tiens bon », que je crie à la partie de soccer, répétant le sage conseil de mon amie Helen. « Laisse-toi aller », que je chuchote quand mon enfant pleure, la berçant dans mes bras comme tante Minnie le faisait pour moi il y a tant d'années.

Une mère est décédée dans notre ville, l'an dernier ; son fils va à la même école que ma fille. Je ne le connais pas, mais j'ai cherché son visage parmi les photos de la classe comme si je me cherchais moi-même — espérant qu'il trouve des bras aimants et une maman du voisinage qui fait refroidir des biscuits sur des sacs de papier brun, sachant que le monde est peuplé d'anges.

Mary Seehafer Sears

Tiens-toi la tête haute

Faire face — toujours faire face — c'est la façon de passer à travers. Faites face!

Joseph Conrad

J'avais 15 mois, j'étais un bébé heureux et insouciant... jusqu'au jour où je suis tombée. C'était une mauvaise chute. J'ai atterri sur un lapin de verre qui m'a coupé un œil assez gravement pour le perdre. Tentant de sauver mon œil, les médecins ont suturé le globe oculaire là où il avait été coupé, laissant une grosse cicatrice hideuse au milieu de mon œil. La tentative a échoué mais ma maman, dans toute sa sagesse, a trouvé un médecin qui savait que, si l'œil était retiré complètement, mon visage se déformerait, donc mon œil cicatrisé, sans vision, nébuleux et gris m'est resté. Et en grandissant, cet œil m'a contrôlée de bien des manières.

Je marchais la tête baissée en regardant le plancher pour que les gens ne voient pas ma laideur. Parfois des gens, même des étrangers, me posaient des questions embarrassantes ou faisaient des remarques blessantes. Quand les enfants inventaient des jeux, j'étais toujours le « monstre ». J'ai grandi en imaginant que tout le monde me regardait avec dédain, comme si mon apparence était ma faute. Je me suis toujours sentie comme un phénomène.

Pourtant, maman me rappelait constamment: « Tiens-toi la tête haute et fais face au monde. » C'était devenu une litanie sur laquelle je m'appuyais. Ma mère l'avait commencée quand j'étais jeune. Elle me prenait dans ses bras, me caressait les cheveux en disant: « Si tu te tiens la tête haute, tout ira bien, et les gens verront ton âme magnifique. » Elle répétait ce message chaque fois que je voulais me cacher.

Ces paroles ont pris différentes significations pour moi au fil des ans. Petite fille, je croyais que maman disait: « Fais attention, sinon tu vas tomber ou te heurter à quelque chose parce que tu ne regardes pas. » Adolescente, même si j'avais tendance à regarder par terre pour cacher ma honte, j'ai découvert que, parfois, lorsque je me tenais la tête haute et laissais les gens me connaître, ils m'aimaient. Les paroles de ma mère m'ont aidée à réaliser que, en laissant les gens regarder mon visage, je les laissais reconnaître l'intelligence et la beauté derrière mes yeux, en moi.

À l'école secondaire, j'ai eu du succès tant académique que social. J'ai même été élue présidente de ma classe, mais intérieurement je me sentais encore comme un phénomène. Tout ce que je voulais vraiment, c'était d'avoir le même aspect que tout le monde. Quand tout allait vraiment mal, je pleurais à maman qui me regardait de ses yeux aimants et me rappelait: « Tiens-toi la tête haute et fais face au monde. Laisse-les voir ta beauté intérieure. »

Lorsque j'ai rencontré l'homme qui est devenu mon partenaire de vie, nous nous sommes regardés droit dans les yeux, et il m'a dit que j'étais belle en dedans et en dehors. Il le pensait. L'amour et l'encouragement de ma mère ont été l'étincelle qui m'a donné la confiance de surmonter mes propres doutes. J'avais fait face à l'adversité, pris mes problèmes de front, et appris non seulement à m'apprécier mais à avoir une profonde compassion.

« Tiens-toi la tête haute » a été entendu à maintes reprises chez moi. Chacun de mes enfants a senti son invitation. Le cadeau que m'a légué ma mère se perpétue dans une autre génération.

Vickie Leach

Le cœur perdu

*Elle ne se lasse jamais du fardeau de l'amour, et
jusqu'à la fin elle porte le poids de l'espoir pour
ceux qu'elle a mis au monde.*

Florida Scott-Maxwell

Parmi mes trois filles, Maura était celle du milieu.
Avant elle il y avait Sharon, toujours en tête et en com-
mande du trio. Après elle il y avait Sheila, déterminée
dès le départ à toujours avoir mon attention. Elles
étaient nées à un an d'intervalle, et elles étaient très différentes. Maura était la tranquille, attirée vers l'avenir
ou le passé, selon le moment. Entre-temps, elle lisait et
créait. Notre lien spécial a débuté quand elle avait 8 ans
et qu'on lui a diagnostiqué un lymphosarcome. Nous
étions à Londres, et elle a été hospitalisée six semaines
pour une opération et des traitements de radiothérapie.
On lui donnait cinq pour cent de chances de survie.

« Maman, est-ce que je vais mourir? » demandait-elle.
Je répondais de la seule manière possible pour moi:
« J'espère que non. »

« Maman, est-ce que c'est vrai que je ne pourrai pas
avoir de bébés quand je serai grande? »

« Oui, répondais-je doucement, mais la radiothérapie
te sauvera la vie, et c'est plus important. »

Ce fut le cas, et Maura et moi avons grandi ensemble,
appris à combattre la maladie ensemble, regardant toujours le lendemain et partageant la souffrance de chaque
journée. Nous avons appris à nous serrer les mains pour
toutes les aiguilles et tous les tests de moelle osseuse, et
essayé de feindre que ça n'avait pas d'importance quand
elle a perdu tous ses cheveux, même la deuxième fois

quand elle terminait son cours secondaire et n'a pu aller au bal des finissants.

Le cancer a finalement quitté son corps à 18 ans et il n'est jamais revenu. Nous avons partagé la joie de la vie après le cancer quand elle a pris son envol dans le monde universitaire, excellant dans tout ce qu'elle touchait, défiant même ses professeurs d'études supérieures avec ses idées et ses ambitions. Maura avait appris tôt à quel point la vie est précieuse et, jusqu'à la fin, elle s'est battue pour s'accrocher à chaque miette de vie.

Le cancer a reculé au second plan dans nos vies. Je me souviens du jour où elle m'a dit: « Maman, je peux conduire seule pour mes bilans de santé annuels à Boston. Tu n'as plus besoin de venir. »

Huit années plus tard, on a découvert que le dernier médicament de chimiothérapie utilisé pour soigner son cancer avait, avec le temps, endommagé son cœur. Sa vie était en péril et, conformément à son seul espoir, elle a été acceptée à un hôpital de Boston comme candidate à une transplantation cardiaque. Étudiante d'école supérieure à Princeton, elle est tombée amoureuse d'un confrère d'Australie, qui s'est dévoué à prendre soin d'elle lorsque son cœur faiblissait. Ils se sont mariés plus tôt que prévu, assis dans mon salon. Leur lune de miel a eu lieu dans ma chambre à coucher sur le même étage, avec des bougies allumées en guise d'escapade romantique.

Trois mois plus tard, le nouveau cœur n'était toujours pas arrivé. Un arrêt cardiaque l'a menée aux soins intensifs, sous assistance respiratoire pendant que je préparais mes élèves à leur grand récital de ballet. Je me suis précipitée à l'hôpital plutôt qu'au théâtre. Maura était première sur la liste nationale pour le cœur indispensable. Trois jours ont passé. Nous étions à son chevet, nous joignant les mains, ma fille Sheila et le mari de Maura, quand le respirateur a été débranché. Sharon, l'aînée, la meneuse, enceinte jusqu'aux yeux, se tenait tout près et s'accrochait à son mari. Le père de Maura était debout, seul.

Maura est décédée le jour où les impôts étaient exigibles. Nous avons eu une prolongation. Le samedi de Pâques, nous l'avons enterrée dans les bois du cimetière Wildwood. Sharon a perdu ses eaux. Le bouquet de mariée séché de Maura a été déposé sur son cercueil, et dès qu'elle a été inhumée, Sharon et son mari se sont précipités à l'hôpital de Boston pour accueillir une nouvelle vie.

Quand Sharon est entrée dans l'hôpital où Maura était décédée quelques jours auparavant, elle a croisé un couple familier. « Bonjour, a dit l'homme, vous vous souvenez de moi? » L'homme avait été un patient sur l'étage de Maura, attendant lui aussi une transplantation cardiaque. « Dites à Maura que j'ai eu mon cœur », a-t-il annoncé à Sharon en passant. Il partait comme Sharon arrivait. Il ne pouvait pas savoir que Maura n'avait pas eu sa chance.

Le dimanche de Pâques, j'étais de retour à Boston, dans le même hôpital qui avait été le dernier espoir de ma fille. En tenant mon petit-fils dans mes bras, le pendule émotionnel oscillait beaucoup trop vite. Dans la lumière faiblissante de cet après-midi d'avril, la travailleuse sociale de l'équipe de transplantation cardiaque est entrée dans la pièce. Elle était venue accueillir notre nouveau cœur, et partager notre chagrin pour notre cœur perdu.

Therese Brady Donohue

Le bal de fin d'année
presque manqué

*Si vous peignez dans votre esprit un tableau
d'attentes brillantes et heureuses, vous vous placez
en position d'atteindre votre but.*

Norman Vincent Peale

Les yeux bleu vif de ma fille Beth pétillaient alors
qu'ils croisaient les miens dans le miroir du salon de coiffure.

« Elle est magnifique », s'est exclamée Elaine, notre
coiffeuse, qui venait de mettre la touche finale à la coiffure haute de Beth. Le sourire de plaisir de Beth était
éloquent. Cette jeune femme remarquablement chanceuse se sentait comme la belle du bal, ce qui est un sentiment approprié le soir du bal de fin d'année. Mais à
peine six courts mois auparavant, alors que les médecins
luttaient pour sauver la vie de ma fille de 16 ans, je
n'aurais jamais même rêvé qu'elle puisse se rétablir suffisamment pour aller à son bal des finissants.

Autour de 22h30, le 10 novembre 1999, Beth, passagère d'une petite Dodge Neon, se rendait chez un ami
regarder un film pour célébrer une journée de congé scolaire. Le conducteur a perdu la maîtrise du véhicule alors
qu'il roulait trop vite en prenant des courbes. Il a enfoncé
l'aile droite avant contre un arbre sur le bord de la route,
à moins d'un demi-kilomètre de notre maison.

À minuit, nous avons entendu frapper à la porte, le
cauchemar de tout parent. Un policier était sur le seuil.
Après avoir vérifié que Beth était notre fille, il nous a
annoncé qu'elle avait été impliquée dans un accident.

Alors que le sang semblait se vider de mon corps et mes genoux soudainement devenus trop faibles pour me supporter, j'ai demandé: « Est-ce grave? »

« Ce sont ses jambes. Elles sont mal en point. Très mal en point. »

Beth a été transportée d'urgence au centre médical de l'université du Tennessee pour une opération. Le pronostic était sombre. Sa main, sa jambe et sa hanche droites de même que sa jambe et son pied gauches étaient fracturés. Les radiographies montraient six fractures importantes et des douzaines de toutes petites fissures et fêlures dans la région pelvienne.

Sa chance de survie initiale était douteuse. Le chirurgien orthopédiste, croyant qu'il réparait ses fractures simplement pour que nous puissions lui faire nos derniers adieux, a implanté des tiges d'acier sous et au-dessus de son genou droit et trois vis de dix centimètres dans sa hanche. Un fixateur externe, une série de tiges de métal saillant de ses hanches, tenait en place ses os pelviens broyés.

On ne m'a pas permis de voir Beth après l'accident, jusqu'aux heures de visite régulières de l'unité des soins intensifs des traumatismes, à 10 heures le lendemain matin, près de douze heures après l'accident. Beth a passé cinq jours dans un état critique aux soins intensifs, luttant pour sa vie. Un poumon gauche affaissé et des blessures et hémorragies internes causaient de sérieuses inquiétudes. Elle a finalement reçu six unités de sang avant de commencer à se stabiliser.

Dix petits jours plus tard, la compagnie d'assurances l'a jugée prête à recevoir son congé. Elle a été clouée au lit pendant près de deux mois, et soumis à tout un arsenal de médicaments incluant un anticoagulant, le Coumadin, pour empêcher la formation de caillots de sang dans ses jambes, lequel aurait pu entraîner une crise cardiaque ou un accident vasculaire cérébral. Le Coumadin aide à prévenir ces caillots, quand il est pris à juste dose. Cependant, un excédent de Coumadin peut provoquer de graves hémorragies internes.

Pendant que ses camarades de classe se préparaient aux vacances de Noël, Beth subissait chaque jour des prises de sang. Alors qu'elles célébraient le Nouvel An, Beth apprenait à se passer des analgésiques. Et tandis qu'elles feuilletaient des catalogues et magazines remplis de robes de bal, Beth rééduquait ses muscles de la taille aux pieds.

Vers la fin de janvier, les tiges ont été retirées de ses hanches et elle a pu entreprendre l'aventure de marcher de nouveau. Jo Scott, notre physiothérapeute à domicile, a donné à Beth une liste d'exercices quotidiens. Dès le début, elle était déterminée à réussir. Elle a surpassé les attentes de Jo et est passée de la marchette aux béquilles en quelques jours. Deux semaines plus tard, elle a abandonné les béquilles et a commencé à boitiller seule.

Le 1er mai, Beth était presque revenue à la normale et elle voulait aller au bal de fin d'année. Je m'inquiétais que la soirée soit trop pour elle, mais elle a insisté. En la regardant tournoyer dans une robe de bal après l'autre, j'ai savouré un moment que j'aurais pu, auparavant, tenir pour acquis.

L'accident a changé la perspective et l'appréciation de Beth pour la vie. Elle est reconnaissante pour de petites choses comme être capable de prendre une douche ou prendre sa petite sœur. En voiture, elle porte toujours sa ceinture de sécurité et gronde ses amis qui oublient de boucler la leur. Même si sa démarche est différente maintenant et qu'elle boite quand elle est fatiguée, le rétablissement de Beth est tout simplement renversant.

Le thème du bal des finissants était, de façon très pertinente, « Au-delà de nos rêves ». Grâce à un miracle et à sa propre détermination, Beth a encore bien des rêves à réaliser.

Lorsqu'elle est sortie de la maison avec son cavalier le soir du bal, j'ai souri tout en lui disant que je l'aimais. Plus important que tout rêve de soir de bal, mon rêve de son rétablissement s'était réalisé.

Kate Clabough

L'homme n'a jamais fabriqué de matériau
aussi résistant que l'âme humaine.

Bern Williams

La chance est une question de préparation
entremêlée d'occasions.

Oprah Winfrey

Le lien cosmique

De l'autre côté du monde il y a mon ombre. Je ne l'ai jamais vue, il n'y a pas de soleil assez éclatant pour la mettre en lumière. Mais une fois l'an, j'en suis certaine, nous sommes réunies. Aujourd'hui, c'est l'anniversaire de naissance de ma fille — Rose a 5 ans! Une fillette exubérante, gracieuse, magnifique. C'est la cinquième fois que j'organise sa fête d'anniversaire, que j'achète des cadeaux et que je l'embrasse avant de dormir pour la dernière fois à tel âge. Et aujourd'hui, comme aux anniversaires passés, mon cœur s'envole vers mon ombre — la femme qui a abandonné un bébé près d'un poste de police, à Dongguan, en Chine.

Rose irradie de bonheur en déchirant le papier d'emballage de ses patins à roulettes. Mon regard croise celui de mon mari, et nous sourions au-dessus de sa tête, nous communiquant silencieusement que tout va bien, que notre petite fille est parfaite. J'aime échanger ainsi avec lui et, plus tard, avec les parents et amis qui viendront rendre hommage à une enfant chérie. Mais il me manque aussi quelque chose. Ce que je veux plus que tout, en *ce* jour, c'est de pouvoir déambuler dans une rue étroite de Chine, de frapper à une porte, et d'enlacer cette autre femme qui est liée à Rose. Je ne sais rien d'elle — aucun nom, aucune adresse, aucune information médicale. Qu'est-ce qui lui a fait abandonner son bébé? Nous n'avons aucun indice, juste une connaissance générale de la vie en Chine (pauvreté? célibat? pression d'enfanter un garçon?). En grandissant, Rose va s'imaginer cette femme, et j'espère que nous pourrons partager nos images. Les miennes sont d'une belle jeune femme qui, en pleurs, embrasse son beau petit bébé mille fois — puis mille autres fois encore, avant de dire adieu.

Présentement, je suis assise à mon bureau, pendant que Rose partage des trous de beignes avec ses camarades de la maternelle. Avant d'aller chercher Rose et de glacer le gâteau, je veux prendre ces deux heures pour m'asseoir avec mon ombre. Je veux remplir mon sac à dos de photos, prendre ma caméra vidéo sur l'épaule et être magiquement transportée à cette petite maison en Chine. Je lui montrerais les photos de Rose apprenant à monter sur le canapé en se servant de notre chien comme tabouret, de Rose chevauchant les épaules de son père, de Rose mangeant du maïs en épi, de Rose au moment précis où son bâton de plastique frappe la balle de baseball. Je me servirais de l'écran vidéo de ma caméra pour lui faire entendre Rose chantant la chanson de l'alphabet. Le film de Rose rencontrant son petit frère, tout juste ramené du Vietnam à la maison. Les scènes de toutes ses fêtes d'anniversaire. Nous n'aurons pas besoin de parler, mon ombre et moi, les images suffiront. Je veux qu'elle sache, en voyant son enfant perdue, que la vie de Rose est remplie de joie, et que je suis une bonne mère pour elle.

Quand nous avons voyagé en Chine, tout le monde nous souriait, pointait le bébé et nous faisait un signe de « bonne chance ». Nous avions pris un bébé dont le destin était « très, très mauvais » et lui avions donné l'opportunité d'avoir beaucoup de chance. En cet anniversaire annuel, je pense à la mère biologique de Rose, et je veux qu'elle sache exactement ce qui s'est passé quand on m'a remis son miracle aux yeux brillants, mal nourri. Je vois comme un merveilleux lien cosmique époustouflant le moment où le destin de Rose est passé d'une trajectoire chinoise, allant dans une direction que je ne peux même pas imaginer, pour joindre la mienne dans une marche en cadence, collées l'une à l'autre pour la vie; une nouvelle mère et sa fille.

Rachel Fink

Un héritage d'amour

Une femme est semblable à un sachet de thé. On ne sait pas à quel point elle est forte jusqu'à ce qu'elle soit dans l'eau chaude.

Eleanor Roosevelt

De temps à autre, une expérience d'une grâce infinie peut instantanément transformer notre relation à soi, aux autres et à l'univers d'une façon qui nous renouvelle. L'histoire de la mort de ma mère et de notre renaissance mutuelle fut ce genre d'événement lumineux.

La réponse de ma mère à l'éternelle question *pourquoi les malheurs frappent les bonnes gens* était profondément influencée par la perte de nombreux membres de sa famille dans l'Holocauste. Sa foi a été ébranlée par Hitler. Pour elle, le monde était un endroit sans Dieu où les bons gars arrivaient derniers. Après que mon père est tombé malade de la leucémie et qu'il s'est suicidé lorsque les traitements médicaux ont rendu sa vie insupportable, ma mère est devenue un ermite. Elle n'a vu que sa famille pendant les treize dernières années de sa vie.

Lorsque la santé de ma mère a décliné et qu'elle a dû rester au lit, je me suis demandé ce qu'elle ressentait face à la mort. Après tout, ma vie professionnelle entière consistait à travailler auprès de gens dans le même passage de vie que celui de ma mère. Mais avec elle, je me sentais coincée. C'était un cas de « cordonnier mal chaussé ».

Je voulais que ma mère goûte la guérison, la paix d'esprit et le pardon dont j'avais été témoin chez des centaines de personnes. En rétrospective, c'était mon besoin, pas le sien. Peut-être était-ce vraiment un besoin de pardon avant sa mort. Mais nos résultats concernant les conversations intimes étaient pauvres, et la discussion à propos de nos sentiments mutuels sur la vie et la mort ne faisait pas exception. Nous n'avions pas de vocabulaire commun pour les sentiments. Donc, en grande partie, nos conversations portaient sur la politique, la famille et les sports.

Assise dans la chambre de ma mère, à regarder la télévision et à parler de choses et d'autres, je cherchais encore une façon d'établir un lien spirituel plus profond. Un soir, mon mari d'alors s'est allongé sur le lit près d'elle, l'a prise dans ses bras et lui a tendrement raconté des expériences de mort imminente que nous avions entendues. Elle les a repoussées avec bonne humeur, disant que nous pouvions croire à ces choses si cela nous aidait, mais que ces événements ne l'interpellaient absolument en rien.

Quelques semaines avant sa mort, l'Esprit a offert une expérience qui l'a touchée. Maman, fervente de base-ball, était bostonienne, et les Red Sox étaient bien naturellement son équipe. Comme à peu près toute la ville de Boston, elle avait suivi avec grand intérêt la saga de Wade Boggs, joueur de troisième but. La maîtresse de Boggs avait répandu dans les journaux de vilains potins qu'il lui avait révélés au sujet de ses co-équipiers, et il subissait une humiliation publique.

Les médias s'en sont donné à cœur joie avec ses indiscrétions. Même si je ne suis pas amatrice de baseball, un article de journal a attiré mon attention. On s'y demandait pourquoi Boggs gardait la tête haute dans cette situation éprouvante. La réponse était rien de moins qu'étonnante. Il a déclaré que sa mère, décédée récemment, lui était apparue en trois dimensions! Elle lui a assuré qu'on apprend de nos erreurs et qu'il devrait assumer la responsabilité de ce qu'il avait fait et poursuivre sa vie. En même temps, elle était apparue à la sœur de Boggs, qui était confinée à un fauteuil roulant, souffrant de la sclérose en plaques si avancée que même ses cordes vocales étaient paralysées. Elle a demandé à sa fille de prononcer son éloge funèbre lors de ses funérailles, et sa fille s'est rétablie suffisamment pour le faire!

Saisie d'une délicieuse excitation, j'ai téléphoné à ma mère et je lui ai lu l'article. Pour une fois, elle était sans voix. Quelques semaines plus tard, j'étais avec elle quand elle est entrée en détresse respiratoire. J'ai appelé une ambulance, et nous avons roulé sur la route enneigée vers l'hôpital pour la dernière fois.

À l'urgence, une infirmière bienveillante, qu'elle connaissait bien à la suite de ses précédents séjours, a dit à maman que la mort approchait et elle lui a demandé si elle était en paix avec cela. À peine consciente jusque-là, maman a presque ressuscité avec sa propre version de la bonne nouvelle. « Suis-je en paix avec la mort? Avez-vous entendu parler de la mère de Wade Boggs? »

Étendue sur son lit de mort, ma mère se posait l'éternelle question d'une nouvelle façon. Pas une seule fois ne s'est-elle demandé si son âme allait continuer de vivre — il semblait que l'apparition de Mme Boggs l'en avait convaincue. Elle se demandait plutôt si mon père, mon frère et ses parents seraient là pour l'accueillir dans l'au-delà. L'espoir de ces retrouvailles lui donnait une paix immense.

Le matin précédant son décès, on l'a conduite au sous-sol de l'hôpital, où est situé le service de radiologie. Elle avait des hémorragies internes, et les médecins voulaient en trouver la source. Après plusieurs heures, elle n'était pas revenue, alors la famille m'a dépêchée pour aller la chercher. Je l'ai trouvée toute seule, sur une civière, dans le corridor de l'hôpital. Elle attendait son tour pour la radiographie.

Bien que je ne sois pas habituellement une personne autoritaire, j'ai fustigé le jeune médecin responsable et

demandé qu'on laisse ma mère retourner à sa chambre
où la famille attendait pour lui faire ses adieux. Il a rétor-
qué sèchement que, d'abord, il leur fallait un diagnostic
pour l'hémorragie. Maman a répondu: « *Vous* voulez dire
que j'ai attendu ici toute la journée pour un diagnostic?
Pourquoi ne me l'avez-vous pas demandé? Je suis mourante — le voilà votre diagnostic. » Il ne pouvait pas con-
tester sa logique et, étonnamment, il l'a laissée partir.

Je suis montée dans l'ascenseur à côté de la civière.
Nous tenant les mains pendant cette brève ascension,
nous avons accompli le travail de toute une vie —
l'échange de pardon, et la réalisation d'un profond amour
mutuel.

Joan Borysenko

Un message pour la mariée

« Tu t'agites tellement à propos de ce mariage! » me dit ma mère avec un claquement de la langue. « On se croirait au mariage royal de la princesse Diana! »

Je me suis hérissée. « Je veux que tout soit parfait pour Cathy. Elle est la plus romantique de nos filles, et elle rêve en secret du jour de son mariage depuis toujours. »

« Eh bien, tu ne peux pas atteindre la perfection, a grommelé maman. C'est la loi de Murphy. »

« Peut-être pas la perfection, mais on peut essayer quand même », ai-je ajouté, et j'ai continué à revoir encore et encore la liste des détails pré-nuptiaux.

Ce serait le premier mariage de nos trois enfants et Cathy, à 27 ans, avait droit à une « journée parfaite », si une telle chose existait.

Et peut-être était-ce un peu pour moi-même. Notre mariage en 1959 avait été gâché par une traîne froissée derrière ma robe, qu'on avait remarquée seulement quand il était trop tard pour la repasser correctement. Je n'oublierai jamais mon sentiment d'être une mariée de dernière minute, pathétique et froissée, en marchant vers l'autel.

Par conséquent, celui-ci — le grand jour de Cathy et Brad — ne devait pas connaître de pépins. Nous nous sommes rencontrés tous les soirs pour prévoir les moindres détails. Mon mari a commandé chez un excellent traiteur la meilleure côte de bœuf pour le repas. Nous n'étions certainement pas riches, mais cet événement était devenu une priorité. Il fallait qu'il soit « parfait ». Il n'y aurait pas de robe froissée à ce mariage!

Il y avait un problème: Cathy s'ennuyait de sa meilleure amie d'enfance. Deirdre était décédée huit années auparavant, victime du cancer à l'âge de 19 ans. Mais la vie continuait, et Cathy a accepté que Deirdre ne soit plus là pour lui servir de demoiselle d'honneur.

Le jour des noces est enfin arrivé. Nous avions le contrôle sur tout — sauf sur ce ciel nuageux qui s'est ouvert pour un violent orage d'avril sans précédent dans l'histoire! Comment pouvions-nous donc conduire ces filles à l'église par un temps pareil?

Alors que les chauffeurs du service de limousines protégeaient le cortège nuptial avec des parapluies noirs, nous avons enveloppé la mariée d'un grand drap de plastique transparent et veillé à ce que sa robe ne soit pas trempée.

Me félicitant durant la cérémonie nuptiale d'avoir paré à la pluie, j'ai entendu le prêtre dire: « Nous n'aurions pas eu cet orage si la mère de la mariée s'était souvenue d'accrocher un chapelet à la corde à linge la nuit dernière. »

L'humiliation m'a fait tourner au cramoisi. J'étais horrifiée. Premièrement, je n'avais jamais ENTENDU parler de cette coutume et, deuxièmement, si j'avais su, j'aurais orné toutes les cordes à linge du Connecticut si cela avait pu aider le mariage de ma Cathy.

Même si tout le monde savait que le prêtre avait fait cette remarque à la blague, je me sentais comme une ratée. C'était du déjà vu: la traîne froissée qui revenait encore. La loi de Murphy, après tout.

Après la cérémonie, nous nous sommes rassemblés en rangée à l'arrière de l'église pour une haie d'honneur. Je me suis précipitée sur ma fille mariée, ma petite fille aux cheveux bouclés d'hier, pour redresser la parure fleurie sur sa tête.

Et c'est là que j'ai fait ce que je prévoyais faire depuis que l'amie de Cathy était décédée, huit années plus tôt.

« Chérie, tu es absolument radieuse aujourd'hui », ai-je chuchoté seulement pour elle.

« Oh, maman! » Ses yeux se sont remplis de larmes et elle a saisi mon bras bien fort. « Comment as-tu su? Comment as-tu su dire ces mots? »

Mes yeux se sont aussi remplis de larmes. « Je savais, chérie. Deirdre me l'a confié, il y a des années, la dernière fois que je l'ai vue. »

Deirdre et Cathy, meilleures amies, avaient ce plan secret à toute épreuve: chacune d'elles dirait à l'autre, le jour de son mariage: « Tu es radieuse. » Elles l'avaient prévu depuis la troisième année... et c'était essentiel pour toutes les deux.

Quand Deirdre se mourait à l'hôpital, elle m'a confié leur vœu et m'a demandé: « Madame H., pourriez-vous dire pour moi à Cathy qu'elle est radieuse? Au cas où je ne serais pas à son mariage? »

J'ai fait signe que oui, le cœur en miettes. Cette vie précieuse disparaissait devant mes yeux — une belle jeune femme douce et délurée qui allait laisser un vide immense dans nos vies... et surtout dans celle de Cathy.

« C'est vrai que tu es radieuse. Et si Deirdre était ici, elle le dirait, tout comme vous l'aviez projeté. »

« Oh, maman... » Ma petite mariée a dû s'essuyer les yeux avec un mouchoir. « Juste le fait que tu dises cela... je sais que ça semble fou mais... je crois que Deirdre EST ici. Elle l'est. »

« Oui. » Nous nous sommes pris les mains et avons partagé un moment. « Oui, ma chérie, elle est ici à cet instant. »

Les invités voulaient nous voir, pour nous embrasser et nous féliciter. Notre moment paisible mère-fille était terminé; les larmes glissaient doucement sur mes joues.

Alors, Madame Mère de la Mariée, tu as fait quelque chose correctement, me suis-je dit. Et j'ai ressenti un sentiment de joie grandissant, reconnaissante d'avoir donné à notre fille une journée parfaite après tout.

Merci, Mme H., de lui avoir dit pour moi qu'elle était radieuse, semblait me murmurer une voix à l'oreille. Je sais que c'était Deirdre, avec son petit sourire espiègle.

Un « mariage parfait », vraiment.

Eileen Hehl

Rendez-vous du midi

Si vous donnez votre vie comme une réponse sans réserve à l'amour, alors l'amour vous répondra sans réserve.

Marianne Williamson

Maman était enchantée quand je suis devenue infirmière. Il y a longtemps, elle avait caressé le rêve de devenir infirmière, elle aussi, mais c'était avant le mariage et les enfants. Nous aimions passer du temps précieux ensemble lors de nos « rendez-vous du midi » après que je me suis mariée et que j'ai eu deux enfants. Le temps que nous prenions pour nous avait plus de signification que le simple fait de partager un repas. Être ensemble était un cadeau précieux — un cadeau que nous nous faisions l'une à l'autre — un cadeau que nous apprécions comme du temps alloué. Le mot « temps » est court et simple — et souvent tenu pour acquis. Nous partagions nos cœurs et âmes durant nos moments de vie ininterrompus.

Ma vie était trépidante et parfois chaotique. Il ne semblait jamais y avoir assez de temps pour jongler avec tout ce qui devait être fait, sans parler de ce que je voulais faire. Maintenir toutes les balles en l'air à la fois était une tâche presque impossible. Et pourtant, maman et moi réussissions toujours à prendre du temps pour nos « rendez-vous du midi » spéciaux.

Un jour du début d'avril, nous nous sommes rendues en voiture au centre commercial pour une matinée de magasinage avant le dîner. Après avoir marché quelques minutes, maman a indiqué un étalage de robes printanières aux couleurs vives. « Arrêtons-nous ici », a-t-elle dit d'une voix remplie d'excitation. C'était une journée inhabituelle parce que maman ne se payait pas très souvent le luxe de dépenser pour elle.

Nous nous sommes dirigées vers les beaux atours, et elle a fouillé à travers les robes avec enthousiasme. Après avoir examiné chacune d'elles, elle en a finalement décroché une et l'a tenue avec un regard interrogateur.

« Regarde la bleue comme elle est belle. Avons-nous assez de temps pour que je l'essaie, chère? »

Sans hésiter, j'ai répondu: « Certainement. Quand tu l'auras enfilée, sors et viens me la montrer. » Ma mère était assez corpulente, et il était merveilleux de voir son rare enthousiasme pour une robe. Elle est sortie de derrière les rideaux de la cabine d'essayage, et est allée lentement vers le miroir de plein pied, tournant et retournant pour voir tous les angles. Elle m'a regardée, les yeux ronds de plaisir comme une écolière.

« Pour quelle occasion pourrais-je la porter si je l'achetais? » a-t-elle demandé.

J'ai pensé à la remise du diplôme universitaire de notre fils au printemps. Nous avons convenu que ce serait l'occasion parfaite de porter sa robe neuve.

En sortant du magasin, maman tentait de dissimuler son malaise. J'ai remarqué qu'elle marchait plus lentement qu'à nos sorties précédentes et qu'elle respirait plus fort à chaque pas. Elle s'arrêtait fréquemment pour regarder les vitrines et discuter des étalages, mais je savais qu'elle tentait de masquer son besoin de reprendre son souffle. Quand je lui en ai parlé, elle a évité le sujet avec son habituel: « Je vais très bien, chère... je n'ai pas l'habitude de marcher avec ces damnées sandales. »

Nous étions plus proches l'une de l'autre que jamais. Nous partagions nos sentiments et nos pensées à propos de tout et de chaque personne dans nos vies. Je la voyais sous un jour nouveau. Nous étions au-delà de la mère et la fille. Nous étions maintenant des amies intimes — deux femmes adultes se rejoignant.

Deux semaines plus tard, un dimanche après-midi, mon père a téléphoné, marmottant hystériquement quelque chose au sujet d'ambulanciers. Il m'a demandé de le rejoindre au service des urgences aussi vite que possible. J'ai conduit vers l'hôpital, les mains tremblantes et le cœur battant à tout rompre. Je m'agrippais au volant en quête d'appui. C'était l'hôpital où je travaillais, et ma voiture semblait s'y conduire d'elle-même.

L'infirmière de l'urgence m'attendait à la porte. Elle m'a menée à un bureau où mon père était assis, tremblant et sanglotant. Il s'est levé quand j'ai marché vers lui. Nous nous sommes enlacés. Ses yeux remplis de larmes ont divulgué l'atroce vérité.

Il a réussi à prononcer quelques mots. « Elle n'a pas su ce qui est arrivé. Son cœur s'est tout simplement arrêté. J'ai fait tout ce que j'ai pu, mais... » Il est alors tombé dans mes bras, et nous avons pleuré tous les deux. On aurait dit un cauchemar — si irréel. L'infirmière à la voix douce nous a donné quelques détails sur l'état de ma mère et nous a assurés que la mort était survenue rapidement. Puis elle nous a laissés seuls avec ma mère, pour lui faire nos derniers adieux, nous disant de prendre tout le temps nécessaire.

Maman reposait si paisiblement sur la civière, couverte presque entièrement d'un drap blanc, sauf son visage pâle et ses épaules. Même si j'avais vu mourir de nombreux patients, celui-là était différent. C'était ma seule et unique mère, et la première fois que je perdais un être cher. Papa et moi étions appuyés l'un contre l'autre alors que nous pleurions.

Cette tournée dans les boutiques semblait soudainement avoir eu lieu des siècles auparavant. Je remerciais Dieu d'avoir eu la chance de mieux connaître et d'apprécier ma mère pendant qu'elle vivait encore. Nous n'avons pas tous cette miraculeuse opportunité.

Le directeur du salon funéraire nous a demandé d'apporter les vêtements de sépulture de ma mère le lendemain, lorsque nous finaliserions les arrangements. Quand papa et moi avons ouvert son placard, le premier vêtement que nous avons vu était sa nouvelle robe bleue, les étiquettes encore accrochées à la manche. J'ai refoulé mes larmes en me rappelant sa question récente: « Pour quelle occasion pourrais-je la porter si je l'achetais? »

J'ai pris la robe et j'ai dit: « Je sais que maman voudrait porter celle-ci. » Papa m'a regardée, des larmes mouillant ses joues, et a acquiescé de la tête.

Maman était magnifique dans sa robe bleue, au salon funéraire.

Laura Lagana
Publié dans
Touched by Angels of Mercy

L'ange accompagnateur

*La foi est la hardiesse de l'âme d'aller plus loin
qu'elle ne peut voir.*

William Newton Clark

J'ai jeté un coup d'œil anxieux dans le salon où ma
grand-mère somnolait dans une détente provoquée par la
morphine, apparemment exempte de douleur et bercée
par le bruit de fond apaisant de chants de Noël à la radio.
Il y avait trois semaines que la résidence de personnes
âgées l'avait confiée à mes soins. À 92 ans, elle avait
développé un cancer de la vésicule biliaire. L'oncologue
lui donnait moins d'un mois à vivre, et l'a envoyée à mon
domicile de Fishkill, New York, afin d'y mourir.

Elle était assise dans le fauteuil inclinable rembourré, qui ressemblait davantage à un nuage avec la
couverture bleu ciel de mon fils drapée d'un côté à l'autre
des larges accoudoirs. Sa peau était si pâle qu'elle était
bleue, se confondant avec la couleur des doux plis lai-
neux.

« Comment va-t-elle? » ai-je demandé, étranglée
d'inquiétude.

Mon mari a continué de remuer sa sauce tomate
bouillonnante, la goûtant directement de la cuillère de
bois et ajoutant des épices dans la casserole.

« Elle va bien. Terry m'a rendu fou, par contre. Je sais
que c'est difficile pour toi de t'occuper de notre fils en ce
moment, mais... »

Je me suis affaissée dans une chaise de la cuisine,
parmi les sacs humides et froissés, et les oranges qui roulaient.

« As-tu pu trouver la "bonne sorte" de parmesan? »

« Oui. Le commis au comptoir de l'épicerie fine l'a râpé devant moi », l'ai-je assuré en entrant dans le salon.

J'ai avancé avec précaution la chaise berçante en bois de mon fils près de mamie, et j'ai caressé la fraîcheur de sa main noueuse et tachetée. Les lumières de l'arbre de Noël se reflétaient dans la mince blancheur de ses cheveux, produisant une lueur surnaturelle. Sa place semblait être près de l'ange au sommet de l'arbre plutôt qu'à ses côtés. Elle a lentement ouvert les yeux. Ses yeux étaient voilés par des cataractes, humides de sagesse.

« Tu es rentrée, chère. Je m'inquiétais. Les routes sont-elles mauvaises? »

« Non, mamie. C'est une grosse neige épaisse qui ne colle pas à la route », ai-je expliqué, léchant les larmes salées sur ma lèvre supérieure.

« De la neige la veille de Noël. Tu te rappelles comment tu la trouvais magique? »

« Je le crois encore... »

Elle a tendu la main et touché les gouttelettes dans mes cheveux, écartant doucement les mèches de mes yeux. Regardant au-delà de ma tête, mamie faisait un grand effort avec ses doigts tendus.

« Je vois une lumière bleue derrière toi et des clochettes dorées dans tes cheveux... » Sa voix diminuait jusqu'à devenir inaudible, puis son visage s'est éclairé d'un regard de lucidité.

J'ai écouté, presque comme une intruse. Elle était à l'autre extrémité d'une conversation que je ne pouvais pas entendre.

« Je t'aimerai toujours, chère. Rien ne peut jamais changer cela. Et je serai toujours avec toi, même dans l'au-delà. Promets-moi que tu n'auras pas peur... »

« Je te le promets, mamie », et j'ai déposé un baiser sur son poignet en replaçant sa main sur ses genoux.

Mais j'avais peur. Je ne savais pas comment je pourrais vivre le reste de ma vie sans la force de cette toute petite femme. Mamie, comme je l'ai toujours appelée, m'avait élevée depuis que j'étais bébé, chaque fois que les fréquents épisodes de maniaco-dépression de ma mère interrompaient ses tâches maternelles.

Ma grand-mère était une oasis de bon sens et de calme, et elle faisait face à toutes les adversités de la vie avec une dignité tranquille. Je ne pouvais plus feindre d'être brave pour elle, ni pour qui que ce soit d'autre. J'ai cessé de prier pour qu'un miracle la sauve, et j'ai demandé à Dieu de me montrer comment supporter la solitude que je connaîtrais après son départ.

« Qui veut des crevettes? » était le signal de mon mari que le festin traditionnel de la veille de Noël allait commencer, que j'y sois prête ou pas. Il est sorti de la cuisine en dépliant la marchette de ma grand-mère, et m'a fait signe d'aller chercher notre fils.

Le premier ange est arrivé l'après-midi de Noël.

Je regardais mon fils jouer en toute inconscience avec ses nouveaux jouets quand mamie s'est mise à pousser des cris perçants. Lorsque je suis arrivée près d'elle, elle était tassée dans un coin du lit, ses yeux brillant comme un chat frappé par la lumière.

« Elissa, il faut que tu me sauves! Je meurs! »

Elle s'est agrippée à mes bras et m'a suppliée de nier la réalité soudaine, fixant tout ce temps le mur vierge de la chambre à coucher comme si un fantôme se trouvait devant.

J'ai tenu ses épaules tremblantes — qui n'étaient guère plus qu'un cintre humain pour sa chemise de nuit

— fermement contre ma poitrine jusqu'à ce que je la sente se détendre contre moi.

Lentement, l'expression de son visage s'est radoucie et ses yeux ont brillé de la reconnaissance familière d'une vieille amie. Elle a souri et s'est abandonnée à moi pendant que je replaçais son corps frêle sur sa montagne d'oreillers.

Les jours faisaient place aux nuits sans même que je m'en aperçoive, pendant que mamie glissait dans un purgatoire. L'infirmière de l'établissement de soins palliatifs m'a informée que ma grand-mère était « vraiment en fin de vie ».

À juste titre, j'ai été alarmée quand elle a commencé à parler à des parents et amis décédés comme s'ils étaient debout derrière moi. Dans la semaine ou plus qui s'est écoulée, cependant, j'ai accepté cette mort imminente aussi naturellement que j'avais accepté de remplir une seringue de 50 centilitres d'eau à déposer goutte à goutte sur sa langue fendillée. Ils sont venus un à un, tous ses êtres chers disparus. Je me souviens particulièrement du sourire sur son visage quand son frère, mon grand-oncle, s'est joint aux anges visiteurs. Je pouvais presque voir les médailles aux couleurs vives luisant sur sa poitrine quand les yeux de mamie l'ont accueilli à son retour de la guerre.

« Et que dire de cette petite fille, ici, Bill? Ta nièce ne prend-elle pas bien soin de moi? » et j'ai senti que la fin était proche à cause de la fierté chaleureuse dans sa voix qui était présente chaque fois que son fils cadet était près. Je me suis surprise à prier Dieu qu'il la laisse simplement aller à lui. Même l'infirmière expérimentée en soins palliatifs ne pouvait pas expliquer pourquoi ma grand-mère s'accrochait.

Douze matins s'étaient écoulés depuis Noël, et j'ai regardé mon calendrier religieux qui indiquait l'Épiphanie.

« Tu dois manger quelque chose », m'a reproché mon mari en enlevant mon assiette d'œufs intacte.

« Je ne sais pas combien de temps je peux continuer comme ça! Je peux à peine distinguer les visiteurs réels des surnaturels! Je vais finir comme ma mère si je n'arrive pas à me reposer. »

« Ce ne sera plus long maintenant, chérie », m'a rassurée Steve, en me pressant l'épaule. « Je ne voulais pas t'alarmer, mais j'ai entendu mamie parler à ton père avant ton réveil. J'ai su que c'était lui quand elle a mentionné la "lampe de poche". »

Mon père était l'accompagnateur officiel de la famille et il possédait tous les types de lampes de poche sur le marché. Mamie et moi l'avions enterré avec sa préférée, un dispositif à la fine pointe qui semblait convenir au toit d'une ambulance. Nous blaguions qu'il viendrait nous chercher avec elle, un jour.

« Bien sûr, avec qui d'autre pourrait-elle partir? » et j'ai traversé le corridor jusqu'à la chambre, m'appuyant contre les murs lambrissés. J'ai fait mes adieux, enfin, portant la main raidissante de mamie à ma joue, et l'assurant qu'il était temps de me quitter.

Je n'ai jamais vu l'ange accompagnateur. Pas plus que je me suis rendu compte du moment exact du décès de mamie. Mais, en regardant par la fenêtre la neige tournoyer, j'ai senti les fils conducteurs de l'amour infini, et la force de continuer sans elle.

Elissa Hadley Conklin

Le club

Vous ne cesserez jamais d'être la fille d'une mère.

Gail Godwin

Le médecin coupe le cordon ombilical à la naissance, mais je crois qu'un lien invisible demeure tout au long de la vie de la mère et de l'enfant. Dans l'utérus, le cordon qui nous unissait, ma mère et moi, regorgeait de sang, riche en nourriture et en oxygène. Après la naissance, ma mère m'a sustentée émotionnellement et spirituellement. Quand ma mère est décédée et que notre lien a été coupé par son retrait du monde physique, j'ai fait du sur-place. Je me sentais perdue et désorientée. Il arrive encore, des années plus tard, que je me sente dépossédée et déroutée sans cet invisible cordon en place pour me nourrir et me soigner.

Je me souviens du jour où ma mère s'est jointe au club. J'avais 11 ans et j'étais revenue de l'école pour le repas du midi. Ce jour-là, comme bien d'autres jours précédents, j'avais été suivie à la maison par deux filles qui m'embêtaient et se moquaient de moi tout le long du trajet. Je pleurais au moment où j'atteignais la porte et j'avais besoin de ma mère. Je me suis précipitée à l'aveuglette dans la cuisine et je suis tombée dans ses bras, sanglotant et tentant désespérément de lui dire à quel point j'étais blessée. J'ai aperçu mon père et je me suis demandé ce qu'il faisait à la maison au milieu de la journée. Puis j'ai levé les yeux vers ma mère et j'ai vu son visage zébré de larmes et tordu de sa propre souffrance. Je me suis dit: *Ça alors! Elle est vraiment bouleversée par les moqueries, elle aussi!*

Mon père a rompu le silence et a annoncé: « Ta grand-mère est morte ce matin. » Ce n'est qu'après m'être jointe au club, des années plus tard, que j'ai commencé à comprendre le déchirement qu'elle avait ressenti ce midi-là. Le cordon la liant à sa mère avait été coupé, et elle luttait pour respirer par elle-même pour la première fois.

J'ai entendu dire que le temps guérit toutes les blessures. Je ne le crois pas. Pour la personne qui a perdu un membre, le bras ou la jambe perdue lui manquera toujours, mais d'une certaine manière, le temps permet à cette personne de s'adapter finalement à cette perte. Le nuage de chagrin qui nous isole, nous étouffe et nous aveugle se dissipera.

J'étais mère de deux enfants quand ma mère est décédée. Trois autres bébés sont nés depuis et, parfois, la douleur de ne pas pouvoir partager les moments les plus petits et insignifiants qu'elle comprendrait, je le sais, me paralyse brièvement, et je me sens en colère et flouée.

Ma mère est physiquement disparue, mais elle me sustente encore. Un regard à une vieille photographie, la vue de son écriture sur une fiche de recette ou le rappel d'un moment jadis peuvent évoquer un souvenir si puissant et vif que, je jure, parfois je l'entends appeler mon nom. Sa présence évidente dans mes cinq enfants continue de m'inspirer et de me motiver, même quand je suis fatiguée, seule et angoissée. L'attention méticuleuse aux détails de l'un, le sourire de l'autre et l'optimisme indéfectible d'un autre encore la ressuscitent quand j'en ai le plus besoin.

Ma mère ne m'a pas quittée, même si le cordon a finalement été coupé, et j'ai joint le club dont j'avais toujours ignoré l'existence.

Susan B. Townsend

Les verres à pied de ma mère

L'espoir est une créature à plumes
qui se perche sur votre âme;
Et chante son refrain sans paroles
Et sans jamais s'arrêter.

Emily Dickinson

Je n'arrive pas à me souvenir de la dernière fois où j'ai vu ma mère. En fait, je ne me souviens pas du tout d'elle. Elle est morte peu avant que j'aie 3 ans. Les histoires que j'ai entendues à son sujet sont les souvenirs d'autres personnes, pas les miens. La vie m'a privée d'entendre sa voix et de sentir son toucher. Elle est demeurée hors champ, une vague silhouette, jusqu'au jour où j'ai trouvé ses lunettes. Soudain, 33 ans après sa mort, elle était réelle comme si elle s'approchait pour m'aider au moment où j'avais le plus besoin d'elle.

Ne vous méprenez pas. Ma vie a été bonne. Mon père rebelle avait eu la sagesse de me confier à sa belle-famille, qui m'a presque tout donné — surtout un foyer rempli d'amour. En grandissant, j'étais vaguement consciente de plusieurs boîtes mystérieuses qui avaient quelque chose à voir avec ma mère insaisissable. Puisque j'étais trop jeune pour que le contenu signifie quoi que ce soit pour moi, ma tante a fidèlement gardé les possessions de sa sœur pendant plus de vingt ans.

Finalement, je me suis mariée et j'ai emménagé dans ma propre maison. Ma tante, sentant que son tour de garde était terminé, m'a donné les boîtes. Comme des chasseurs de trésors, nous les avons ouvertes une à une avec impatience. Une collection de tasses à thé. De la fine porcelaine. De l'argenterie ternie. Du cristal exquis. Les plus beaux verres à pied que j'avais jamais vus — clairs et délicats, et gravés de roses. Nous les avons lavés à la main et les avons placés dans l'armoire à porcelaine. Ils n'en sortaient que pour les fêtes ou les occasions spéciales avec la porcelaine et l'argenterie. Je les utilisais avec fierté jusqu'au jour où les coupes à eau se sont brisées.

Je ne me rappelle pas comment c'est arrivé. Un accident, j'en suis sûre. La faute de personne en fait. Deux coupes à eau se sont tout bonnement brisées. Ramassant soigneusement les morceaux, je les ai déposés au fond de l'armoire à porcelaine en me promettant qu'un jour je les ferais réparer. À compter de ce moment-là, plus personne ne pouvait toucher aux verres de ma mère. Défendu. Je ne pouvais pas risquer d'en perdre d'autres.

Quelque temps après, lors d'une exposition d'antiquités, j'ai trouvé un homme qui réparait le cristal. Je lui ai apporté les morceaux brisés dans l'espoir qu'il en fasse de nouveau un tout. À ma grande déception, il ne pouvait pas les réparer sans détruire les roses gravées.

« Êtes-vous certain de ne pouvoir rien faire? » ai-je demandé avec une lueur d'espoir.

« Permettez-moi de les montrer à mon épouse », a-t-il proposé, voyant ma détresse. « Peut-être qu'elle aura une idée. »

Il a apporté les morceaux à son épouse assise de l'autre côté du kiosque et lui a demandé s'ils avaient des verres semblables à leur atelier. Elle a seulement ri : « Où crois-tu que je pourrais obtenir des verres aussi chers que ceux-là? Ce sont des roses Heisey! »

« Qu'est-ce que des roses Heisey? » Je voulais savoir, ma curiosité était piquée.

Sortant une loupe, l'homme a indiqué un minuscule losange avec un « H » à l'intérieur, gravé sur le pied de chaque coupe. « Ces verres valent environ quarante dollars chacun. Ils ont été fabriqués par la compagnie Heisey de l'Ohio. Je suis vraiment désolé de ne pas pouvoir les réparer. »

Si lui était désolé, je l'étais encore plus. « Croyez-vous que je puisse acheter deux coupes à eau pour remplacer celles-ci? »

« Les chances sont de un million contre une que vous trouviez ces verres quelque part. »

Déçue mais déterminée à trouver des verres de remplacement, mes recherches ont débuté. Boutiques d'antiquaires. Expositions d'antiquités. Ventes-débarras. Ventes de charité. Marchés aux puces. Michigan. Ohio. Floride. Massachusetts. Californie. Pennsylvanie. N'importe où. Partout. Les années ont passé et toujours pas de verres, mais quelque chose en moi ne pouvait pas abandonner.

Avec le temps, j'ai développé de graves douleurs au dos qui n'ont fait qu'empirer. Le diagnostic? Scoliose, une déviation de la colonne vertébrale. La solution? Une chirurgie. Possiblement deux, et aucune garantie que les choses s'amélioreront. Avec deux jeunes enfants qui dépendaient de moi, ce n'était pas une décision facile à prendre. J'ai prié pour obtenir un signe, quelque chose me confirmant que j'étais sur la bonne voie. Aucun signe n'est venu.

Le médecin a prévu mon opération au début de janvier. À la mi-décembre, il a changé d'idée. Il voulait plutôt que je consulte un médecin du Minnesota, l'un des meilleurs chirurgiens de la colonne vertébrale au pays. C'était l'hiver, et le Minnesota me semblait bien loin, mais mon mari a insisté pour que nous y allions. Plus découragée que jamais, j'ai continué de prier pour ce signe, mais aucun n'est venu.

Le médecin du Minnesota a décrit une intervention chirurgicale relativement nouvelle qui répondrait à tout ce dont j'avais besoin. L'intervention représentait une séance épuisante de douze heures. La bonne nouvelle? Je n'aurais pas besoin d'une deuxième opération au moment même où je commencerais à me rétablir de la première. La mauvaise nouvelle? L'opération devait se faire au Minnesota, très loin de chez moi. Je n'ai pas pris de rendez-vous ce matin-là. Pas de décision finale. J'avais besoin de temps pour réfléchir. D'ailleurs, je n'avais toujours pas eu ce signe que j'attendais.

Nous avons quitté le Minnesota immédiatement après la consultation. C'était une longue distance, et nous avions hâte d'arriver avant que le mauvais temps frappe. Par habitude, nous avons surveillé les boutiques et galeries marchandes d'antiquaires chemin faisant. Si nous pouvions en trouver une tout près en sortant de l'autoroute, ce serait une belle occasion de nous dégourdir les jambes. Nous avons passé quelques boutiques, l'une était fermée, l'autre était trop éloignée et une autre que nous n'avons simplement pas trouvée. Nous avons frappé le gros lot à une sortie de Tomah, au Wisconsin. Non seulement y avait-il une galerie marchande d'antiquaires, mais une fromagerie, une station-service et un téléphone public pour appeler les enfants. Que pouvions-nous demander de plus? Seulement ce damné signe pour lequel je ne cessais de prier.

Nous avons fait le plein d'essence, notre appel téléphonique et l'achat de fromage. Notre dernier arrêt était la galerie marchande d'antiquaires. À l'intérieur, le nombre de commerçants vendant des centaines et des centaines d'articles nous a abasourdis. En passant devant les premiers kiosques, quelque chose a attiré mon regard. J'ai retenu mon souffle en regardant de plus près la vitrine verrouillée. Les verres de ma mère! Non seulement les coupes à eau, mais des assiettes à salade, des verres à liqueur, un cendrier et plus encore! Un rêve de roses Heisey!

Je ne pouvais pas les quitter des yeux. Refusant de bouger de là, j'ai envoyé mon mari trouver quelqu'un qui pourrait ouvrir la vitrine. Une fois l'armoire vitrée ouverte, j'ai pris une coupe à la fois, étudiant chaque centimètre, m'assurant qu'il n'y ait ni dégâts ni brèches. Les verres étaient parfaits et le coût de quarante dollars n'importait tout simplement pas. Après toutes ces années, j'avais enfin trouvé les verres de ma mère!

Pendant que la vendeuse emballait les coupes, j'ai repensé à l'homme qui réparait le cristal. Il m'avait dit, il y a si longtemps, que mes chances de trouver ces verres étaient de un million contre une. *Un million contre une!* Alors comment avais-je abouti ici? Qu'est-ce qui m'avait amenée à cet endroit? Je me suis soudainement rendu compte que je n'avais pas seulement trouvé les verres à pied de ma mère, mais bien le signe pour lequel j'avais désespérément prié. Ma mère s'était fait entendre haut et fort. Des mots n'auraient pu être plus clairs. Plus de doute, maintenant. Je devais retourner au Minnesota pour subir l'opération de douze heures dont nous venions de discuter avec le médecin seulement quelques heures auparavant! Et j'ai appris autre chose. Ma mère a toujours été avec moi, c'est juste que je ne le savais pas, jusqu'au jour où j'ai trouvé ses verres à pied.

Debra Ann Pawlak

8

SAGESSE ÉTERNELLE

La vie n'est pas une chose facile à embrasser.
C'est comme essayer d'étreindre
un éléphant.

Diane Wakoski

« *Est-ce amusant d'être une maman ?* »

Lors d'une soirée bien ordinaire, je ne savais pas que Rachel m'observait attentivement. Je savais, par contre, que rien n'échappait à ma brillante fille curieuse de deuxième année. Comme toutes les mères, je vantais l'intelligence de ma fille, mais une fois de plus, j'ai été prise au dépourvu par sa perspective à propos du comportement adulte.

Depuis son retour de l'école ce mardi après-midi-là jusqu'après le souper en famille, elle m'a observée préparer un goûter pour elle et son petit frère, l'aider à faire ses devoirs, préparer le souper, laver la vaisselle, et balayer et laver le plancher. Puis j'ai entrepris la routine quotidienne de la lessive. Quand son père est rentré après sa journée de travail, elle l'a observé lire tranquillement le journal du soir, faire les mots croisés, s'étirer dans son fauteuil, regarder la télévision, manger son repas et se retirer dans la cour pour jouer à la balle avec son frère.

« Hum ! », Rachel se demandait ce qui clochait dans cette situation. Dans son esprit, le pointage n'était pas du tout égal. Elle a décidé que la question exigeait d'être résolue immédiatement.

Pendant que je vérifiais une brassée de vêtements dans la sécheuse, Rachel s'est approchée avec un regard interrogateur.

« Maman, est-ce que c'est difficile d'être une maman ? »

« Non, ma chérie », ai-je ronchonné en marchant vers la chambre avec des serviettes et des draps chauds à plier. « J'adore être une maman. »

« Vraiment? » a-t-elle demandé, étonnée.

« Mais oui, ma chérie », ai-je ronchonné de nouveau, en ramassant une autre pile de vêtements de jeu crasseux pour commencer encore une autre brassée de lessive.

« Pourquoi me le demandes-tu? »

« Eh bien, pour moi, il semble que les mamans font tout le dur travail et les papas ont tout le plaisir. »

« C'est ce que font les mamans à la maison. Cela fait partie de mon travail. Tu n'as pas vu papa travailler fort toute la journée à son bureau. Il est temps maintenant pour lui de se détendre et de s'amuser avec sa famille. »

« Oh, d'accord », a concédé Rachel. « Alors, c'est quand ton tour d'avoir du plaisir? »

Bonne question. Je me suis demandé si j'avais une bonne réponse. Avant que je ne réponde, mon fils a demandé à Rachel d'aller jouer à la balle dehors. En pliant les serviettes et en les empilant, il m'est apparu que, comme Rachel l'avait observé ce soir-là, elle ne voyait pas une femme d'intérieur satisfaite, heureuse de rester à la maison et de prendre soin de sa famille en maintenant un foyer ordonné. Ce que ma fille voyait était une folle s'agitant frénétiquement en tous sens dans la cuisine, jetant rapidement de la viande hachée dans le four à micro-ondes. Elle voyait une femme impatiente qui pensait que l'histoire dans le livre de lecture de deuxième année ne finirait jamais. Elle voyait une femme fatiguée qui semblait aimer mieux frotter des casseroles collantes que jouer au baseball dans la cour.

Ce n'était pas l'image de la maternité que ma fille devait prendre pour modèle. Elle méritait mieux. (Je méritais mieux, aussi!) Il lui fallait une image non pas de perfection, mais de joie et de satisfaction chez une mère exécutant les mêmes tâches ménagères encore et encore et encore.

Chez son père, Rachel voyait un homme qui s'accordait du temps pour lui et sa famille. C'était mon tour d'essayer cette approche de la vie également. J'ai décidé immédiatement que la lessive pouvait attendre d'être pliée. Je me suis jointe à ma demi-équipe de baseball à côté des balançoires. Ma nouvelle perspective de la vie détendue et améliorée a donné des résultats instantanés. Ma famille a regardé, ahurie, mon coup de circuit dépasser la clôture de la cour.

DeAnna Sanders

*« Je vais commencer à préparer le repas de Noël
dès que je finis de laver la vaisselle de l'Action de grâce. »*

Reproduit avec la permission de Dave Carpenter.

Curriculum vitæ du cœur

Ma fille attendait que je finisse de coudre le bouton à la blouse qu'elle porterait. Comme ses doigts agiles finissaient de se boutonner, j'ai démêlé les mèches dorées de sa queue de cheval. Je l'ai serrée dans mes bras. Puis elle a disparu par la porte et est montée à bord de l'autobus scolaire qui attendait.

Je savais à cet instant que mes réalisations des années passées ne figureraient jamais dans le bottin mondain *Who's who** de la vie. J'aimais être mère. Tout de même, je voyais souvent les visages perplexes d'âmes ignorantes me demander: « Que faites-vous toute la journée? » La plupart des gens ne pouvaient pas comprendre mes choix; après tout, les câlins n'ont rien d'héroïque — à moins de les recevoir.

Malgré une longue scolarité et divers débouchés, mon curriculum vitæ ne pouvait pas claironner des postes prestigieux ou des salaires élevés. Il était plutôt noté par les plus petites augmentations de temps que j'avais consacrées à prêter main-forte, à ouvrir un livre d'histoires ou à partager la découverte d'un moment. J'avais passé d'innombrables heures à faire du taxi entre les pratiques, à applaudir les petites réalisations et à distinguer les douleurs temporaires des blessures profondes du cœur.

Mon baiser était celui qui effaçait la douleur d'un genou écorché. Mon cœur était celui qui se gonflait à la vue de chaque nouveau triomphe. Mon sourire était celui qui encourageait bravement l'indépendance, tout en luttant en silence avec la douleur du lâcher prise.

---

* Bottin reprenant la biographie de différentes personnalités françaises.

Il n'y a pas de place dans un curriculum vitæ pour la sagesse des expériences de vie, la compassion ou les relations enrichissantes. La logique de mes choix au cours des années ne pouvait être appréciée que par très peu de gens, et jamais dans le bottin *Who's who* de la vie.

Mais quand ma porte avant s'est ouverte de nouveau plus tard cet après-midi-là et que des bras en pleine croissance m'ont enlacée, j'ai su que j'avais le bonheur d'avoir un curriculum vitæ du cœur. Le vrai *Who* de la vie m'avait déjà accordé juste assez de prestige et de salaire pour être la *femme* que j'étais destinée à être.

Kathleen Swartz McQuaig

Comment dire à sa mère qu'on se sent devenir... vieille? Si je suis vieille... alors qu'est-ce qu'elle est?

Gail Parent

Les filles

Quel âge devez-vous avoir avant que vous cessiez d'être appelée « une des filles » ?

Frances Weaver, conférencière sur un bateau de croisière, humoriste et personne du troisième âge, se souvient d'avoir dit à sa petite-fille qu'elle se préparait à une fête cet après-midi-là parce que les « filles » venaient jouer au bridge. Sa petite-fille a répliqué : « Oh, tu veux dire les filles avec des visages de grand-mère ? » Et c'est devenu le titre de son premier livre.

Même si mes deux filles ont leurs propres enfants, je n'ai pas de petits-enfants. Ils sont simplement « les enfants de mes filles ».

Si je vis jusqu'à 100 ans et que mes filles ont 75 et 78 ans, je les appellerai sans doute encore « les filles ». Il semble qu'elles soient demeurées dans des limbes à la Peter Pan toutes ces années, et je les imagine flottant dans l'espace, Tinkerbell à leur suite, chantant : « Je ne grandirai pas, je ne grandirai pas », tandis que j'acquiesce hardiment en hochant la tête. Le fait qu'elles ne puissent plus être des « filles » a récemment été porté à mon attention lorsque Javier Moreno, de l'Office du tourisme d'Espagne, a téléphoné pour discuter de notre prochain voyage dans ce pays.

« Croyez-vous que vos filles aimeraient aller à cheval sur la Costa del Sol ? Nous avons là-bas de beaux étalons andalous ! »

J'ai hésité. « Je dois leur demander. De but en blanc, je ne sais pas si c'est quelque chose qu'elles aimeraient. »

À la première occasion, j'ai téléphoné à Linda, mon aînée. « Est-ce que Leslie et toi apprécieriez une journée d'équitation sur la plage, en Espagne ? »

Linda était horrifiée. « J'aimerais mieux courir avec les taureaux ! »

« Ne sois pas ridicule ! Ça n'a rien d'effrayant. Je pensais seulement que cela aurait fait une si belle photo pour le magazine... vous deux sur des étalons noirs au coucher du soleil, vos cheveux flottant au vent alors que vous galopez dans les vagues. »

« Maman ! J'ai les cheveux courts maintenant ! Mes cheveux n'ont plus flotté au vent depuis mes 16 ans. »

« Nous pourrions te faire porter une traîne », ai-je ajouté, pleine d'espoir.

« Tu veux une photo de moi avec une traîne ? Eh bien, pense à moi qui tombe de cheval, mon pied reste pris dans l'étrier et le cheval idiot me traîne derrière lui. Comment aimes-tu ? »

J'étais contrite. « Je croyais seulement que vous, les filles... »

« Maman, nous ne sommes plus des filles ! Leslie a 45 ans et je suis — euh — un peu plus âgée qu'elle. Nous ne sommes plus des filles. »

« Oh, ai-je gémi. Et moi, qu'est-ce que je suis alors ? »

« Tu es la mère de deux femmes d'âge moyen... »

J'ai mis la main sur mes oreilles pour étouffer les sons redoutés. « Je refuse d'entendre cela. Quand vous êtes avec moi, vous serez toujours les "filles" et voilà ! Alors... vous, les filles, voulez-vous aller en Espagne ou non ? »

Linda réfléchissait. « Eh bien, présenté de cette façon... » Elle a eu un ricanement de petite fille.

« C'est bien, ma fille », ai-je conclu avec bonheur.

Phyllis W. Zeno

La petite jungle

Les enfants sont les ancres qui attachent une mère à la vie.

Sophocle

« Regarde, maman, regarde! »

Il y a une telle excitation joyeuse dans sa voix enfantine de petite fille que ça m'interpelle même au-delà des préoccupations de la circulation, des échéanciers, des rendez-vous imminents et d'être *en retard*.

« Qu'est-ce que c'est, ma puce? Je ne vois rien. »

« Là-bas, tu vois? »

Un coup d'œil au rétroviseur révèle une petite main indiquant la gauche avec enthousiasme, mais je ne vois rien là-bas excepté la digue de béton d'un conduit souterrain recouverte de mauvaises herbes. Je suis brièvement ennuyée à la vue de ce spectacle disgracieux; je paie suffisamment de taxes pour croire que la ville pourrait au moins faire l'entretien en coupant les mauvaises herbes.

« Je suis désolée, chérie, j'ai dû le manquer. C'est difficile pour moi de voir toutes les choses que tu vois quand je conduis, parce que je dois faire attention aux autres voitures. Qu'est-ce que c'était, un lapin ou un écureuil? » Nous sommes arrêtées à un feu de circulation. *Va-t-il changer un jour?*

« Non, non, maman, regarde! C'est une petite jungle! »

Les jungles et les forêts tropicales ont été le thème à la maternelle cette semaine, alors soudain, c'est compréhensible. Je jette de nouveau un œil sur les hautes herbes.

« Oh, oui, mon bébé, cela ressemble à une petite jungle. Très beau. »

Le feu tourne enfin au vert, *mais pourquoi tous ces gens conduisent-ils si lentement aujourd'hui ? Il est tard, ne le savent-ils pas ?*

Plusieurs coins de rue plus loin, la petite voix se fait encore entendre. « Quelles sortes d'animaux crois-tu qui vivent dans cette jungle, maman ? Des serpents, je parie. Crois-tu que c'est assez grand pour que peut-être un petit bébé renard vive là ? Ce serait bien pour un renard. Et des suisses, parce que j'en ai vu un. As-tu vu le suisse dans la petite jungle, maman ? L'as-tu vu ? »

« Désolée, mon bébé. Je n'ai pas vu le suisse. J'étais occupée à conduire. » Je suis affolée, brusque, *en retard.*

« Oh. »

La déception et la peine l'emportent sur tout le reste, réalignant les priorités dans leur bon ordre. Dans mon esprit, j'imagine de nouveau le carré vert à côté du conduit et je le vois vraiment cette fois-ci, je le vois comme elle l'a vu dès le départ. Plusieurs jeunes arbustes ploient et se balancent sous la brise, les feuilles du vinaigrier rappelant celles d'un palmier. Le chèvrefeuille s'enroule autour d'eux, ses fleurs odorantes ressortant comme des petites étoiles dorées dans un firmament vert foncé. L'herbe est luxuriante à cause des pluies récentes, et la rosée du matin brille comme des diamants sur les feuilles d'oseille, de chardon et d'asclépiade. *C'est* une jungle en miniature, parfaite dans son minuscule état sauvage, se taillant une place avec obstination au milieu du béton et de l'asphalte, petite niche écologique dans laquelle toutes sortes de créatures vivantes pourraient trouver refuge.

« Je ne crois pas que c'était assez grand pour un renard, ma puce, mais je parie qu'un lièvre y habite. Et peut-être un crapaud et, oui, peut-être même un serpent aussi. Un serpent pourrait prendre du soleil sur le ciment pendant la journée, il aimerait cela. Et des tas d'insectes et de papillons. C'était une très jolie petite jungle. » Un autre coup d'œil au rétroviseur révèle un sourire enchanté qui vaut bien plus que d'être à l'heure.

« Ouais, un papillon monarque! Comme celui que nous avons vu "éclore" à l'école! »

Pour le reste du trajet, nous parlons de la petite jungle et des animaux qui pourraient y vivre. Nous croisons d'autres petites jungles, et un nouveau jeu consiste à nommer les bêtes. Avant longtemps, nous sommes à l'école et il est temps pour moi de partir. Un dernier câlin et un dernier baiser, puis elle déguerpit vers ses amies. Je la regarde aller un moment, puis, comme je me tourne pour quitter, elle s'arrête et revient en courant.

« Maman, est-ce qu'on va revoir la petite jungle quand on va retourner à la maison? »

Je souris et vole un autre câlin rapide. « Oui, nous la verrons en route pour la maison. Et demain aussi. Nous pouvons la vérifier chaque jour en allant à l'école. Elle peut être notre petite jungle bien à nous. »

Un ricanement: « La jungle de Kylie! »

« Oui, la jungle de Kylie. Maintenant va, et sois sage aujourd'hui! »

« D'accord, maman! Salut! »

De retour dans la voiture, le trajet continue alors que je pense à une toute petite jungle logée près d'un conduit souterrain que je ne pouvais ni ne voulais voir. Quand est-ce que j'ai commencé à voir surtout des mauvaises herbes? Quand ma vie s'est-elle réduite à des échéanciers et à la circulation, à des trajets et à des engagements, noir et blanc, fixée d'avance? Quand ai-je commencé à voir des réalités au lieu des possibilités?

Le parcours est plus long que d'habitude, mais c'est bien. Je cherche des jungles et je me retrouve. Lorsque j'arrive enfin, en retard, quelqu'un me demande si la circulation était engorgée. Je ne fais qu'un sourire.

« Oh, tu le sais bien; c'est une jungle là dehors. »

Et je jure que je peux sentir l'odeur du chèvrefeuille s'infiltrer par la fenêtre ouverte.

Donna Thiel-Kline

Si vous vous croyez trop petit pour avoir de l'effet, essayez d'aller au lit avec un maringouin.

Anita Roddick

J'aime mon corps...
maintenant

On n'abuse jamais trop d'une bonne chose.

Mae West

Je n'ai pas porté de maillot de bain depuis environ cinq ans. Je fais de l'embonpoint depuis l'école primaire, et j'ai une piètre image de mon corps d'aussi loin que je puisse me rappeler. J'ai passé le plus clair de ma vie à me sentir mal à propos de mon corps, évitant les miroirs, quittant les cabines d'essayage en larmes, et me tapant sur la tête mentalement à cause de mon apparence. J'avais tellement honte de mon corps et j'en étais si gênée que je détestais même le laisser voir à mon mari. J'essayais de me cacher s'il entrait dans la pièce quand je prenais ma douche ou que je m'habillais.

Quand j'ai appris que j'étais enceinte, j'étais persuadée qu'avoir un bébé mettrait fin à toute chance que j'aurais pu avoir de finalement être heureuse avec mon corps. Je me hérissais chaque fois que quelqu'un mentionnait mon ventre grossissant. Je savais que tout cela faisait partie de la grossesse, et que tout le monde le savait aussi. Mais pour une personne qui a passé presque toute sa vie à se sentir embarrassée par sa corpulence, que des étrangers et des amis fassent soudainement des remarques à ce sujet peut être plutôt pénible.

Nous avions déménagé et j'avais besoin d'un miroir pleine grandeur pour m'aider à me préparer le matin, mais mon mari trouvait continuellement des petites excuses pour ne pas m'en procurer un. Alors, quand je me suis aperçue au complet, enceinte de neuf mois, j'ai été abasourdie et consternée. Et il a admis que c'était la raison pour laquelle il avait évité d'acheter un miroir — non pas à cause de ce qu'il pensait de mon apparence, mais parce qu'il savait ce que j'en penserais.

Ma petite fille est née en juillet 2000. Elle est, sans contredit, la chose la plus merveilleuse qui me soit jamais arrivée ou qui m'arrivera jamais. Je suis tout simplement ébahie quand je la regarde et que je me rends compte qu'elle est ce que j'ai senti bouger en moi durant tous ces mois. C'est une merveilleuse et belle petite personne. Elle est parfaite. J'aime ses parfaites petites mains, ses petits yeux ronds, ses petites jambes, ses petits pieds, son petit derrière à pincer, et son petit cerveau que je peux sentir se développer en même temps que son corps. Chaque jour, je peux voir comment elle change et croît en tant qu'être humain distinct et, pourtant, je me sens comme si, d'une certaine manière, elle faisait encore partie de moi. Je l'aime et j'aime être sa mère de toutes les fibres de mon être.

Et voici ce que j'en suis venue à comprendre. Cette merveilleuse petite personne a grandi à l'intérieur de mon corps. Mon corps a fourni les ingrédients qui sont devenus elle. Il l'a ensuite abritée, protégée et lui a procuré chaque chose dont son corps s'est servi pour se développer et devenir elle. Ce n'est pas une chose que ma tête a fabriquée. Pendant les premières semaines, ma tête n'était même pas consciente du processus que mon corps exécutait. Ma fille ne s'est pas développée par ma volonté, et cela n'avait rien à voir avec mon intelligence, ma détermination ou ma persévérance. C'est mon corps qui a tout fait. Puis, quand son corps a été prêt à quitter la protection du mien, mon corps a fait exactement ce qu'il était censé faire. Sans aucune directive ou expérience, il est entré en action et a livré une vie dans le monde.

Mais le processus ne s'est pas arrêté là. Après la naissance de mon bébé, mon corps a continué de pourvoir à ses besoins. Il s'est immédiatement mis à produire exactement le genre de nourriture qu'il lui fallait en tant que nouveau-née. Je n'ai pas étudié la médecine, ni pris le bon médicament, ni mangé un certain aliment pour l'entraîner à ce faire. Il l'a fait, tout simplement. Et trois jours plus tard, quand elle a été prête à une nouvelle nourriture différente, mon corps l'a fournie. Pendant les six mois suivants, mon corps a continué de lui procurer tous les éléments nutritifs et les anticorps dont elle avait besoin, complets et parfaits pour elle, et en quantité exacte. En bref, l'existence même de ma précieuse fille est une fonction de mon corps.

Mon corps m'a donné le plus beau cadeau que j'ai jamais reçu. Comment pourrais-je ne pas l'aimer maintenant? Je regarde mes vergetures et je vois un rappel visuel de ce qui s'est passé, un rappel que je pourrai porter avec moi toute ma vie. Je ne vois plus de graisse maintenant quand je regarde dans le miroir, je vois une étonnante et merveilleuse productrice de vie. Je n'aurai jamais rien de l'aspect d'un mannequin vedette, et de loin. Ma société et ma culture ne me proclameront jamais une belle femme, et les hommes ne se retourneront jamais sur mon passage ni ne me siffleront. Il y aura toujours des gens qui regarderont mon corps et le jugeront moyen, sans attrait, voire laid. Franchement, je m'en fous. Ces gens ne savent pas ou ne comprennent pas ce qui rend une personne, ou son corps, belle et merveilleuse. Ceci est mon corps. Et je l'aime... maintenant.

Regina Phillips

Quoi que vous fassiez, apportez romance
et enthousiasme dans la vie de vos enfants.
Margaret Ramsey MacDonald

« Je devrais t'avertir maintenant.
Nous, les femmes Tremblay, avons toujours *eu*
des silhouettes en forme de poire. »

Merci, mon Dieu, pour ma belle-mère

Quand j'ai rencontré mon mari, Benn, il se trouvait de l'autre côté d'une salle de réunion d'un groupe de jeunes, parmi cinq cents personnes. En vacances en ville pour une semaine, il était venu de la Floride. La réunion se déroulait au Michigan, où j'avais demeuré toute ma vie. Nous nous sommes découvert des affinités, comme il arrive parfois, et nous avons passé toute la semaine ensemble jusqu'au moment où il dut retourner chez lui. En apprenant à le connaître, j'ai été intriguée par l'amour que cet homme portait à sa mère, alors décédée. Elle était d'une grande influence dans sa vie et elle lui manquait terriblement. Donc, quand il est reparti en Floride, j'ai décidé de prier sa mère: « Si vous croyez que votre fils et moi sommes faits l'un pour l'autre, faites qu'il en soit ainsi. Je remets cela entre vos mains. »

Je n'ai jamais parlé de cette prière à personne; c'était mon secret. Puis, j'ai reçu un appel de Benn m'invitant à lui rendre visite. Deux semaines plus tard, je m'y suis rendue pour passer une longue fin de semaine. Benn est venu me chercher à l'aéroport et m'a emmenée directement à un club de nuit où l'on présentait un spectacle sur scène. Il m'a demandé de danser un slow romantique et, bien sûr, j'ai accepté. Me tenant étroitement, il m'a murmuré à l'oreille: « Tu es la femme pour moi. »

J'ai répondu: « Et comment le sais-tu? »

« Ma mère vient tout juste de me le dire », a-t-il chuchoté. Le reste appartient à l'histoire.

Judy Perry

Le cadeau sans emballage

Une mère ne marche pas, elle court pour aplanir le sentier humain qu'elle sait que son enfant doit emprunter.

Jeanne Hill

« Maman! » m'est parvenu l'appel frénétique de la chambre de ma fille adolescente: « Viens ici, vite! »

J'ai ouvert un œil, encore fatiguée par les détails de dernière minute de la veille de Noël, et j'étais debout juste au moment où Jennifer a crié de nouveau. Des vagues d'étourdissement m'ont envahie, m'obligeant presque à retomber dans mon lit. *Que se passait-il?*

J'ai réussi à me rendre jusqu'à ma fille, et je l'ai trouvée assise, le visage pâle et se tenant le ventre. Elle avait l'air de ce que je ressentais.

« Qu'est-ce qu'il y a, Jennifer? »

« Maman, j'ai la gastro, et c'est Noël! »

« Eh bien, si ça peut te consoler, je ne me sens pas très bien moi-même. » Et sur ce, j'ai couru à la salle de bain. Je me suis étendue sur les tuiles froides en pensant: *Oh, mon Dieu, pourquoi aujourd'hui entre tous? Pas aujourd'hui, Seigneur, pas aujourd'hui.*

À ce moment-là, mon mari, réveillé par toute cette commotion, préparait le petit-déjeuner. Il avait supposé que notre tapage était dû à l'excitation du matin de Noël. Passant la tête par la porte de la salle de bain, il a dit: « Le bacon et les œufs sont servis quand il vous plaira. » En regardant de plus près, il a constaté son faux pas et s'est glissé en douce hors de la pièce.

Nos deux autres enfants sont allés à l'église avec lui, pendant que Jennifer et moi nous encouragions l'une l'autre en gémissant de chaque côté du corridor. Après une heure de tout ceci, je me suis dit: *C'est ridicule... nous ne pouvons certainement pas attraper quelque microbe l'une de l'autre, alors pourquoi ne pas partager la même chambre?*

Jennifer est venue s'installer avec moi dans notre très grand lit. Nous avons passé la journée à parler, à sucer de la glace concassée et à dormir. Quand nous étions réveillées, nous parlions des garçons, de la vie à sa nouvelle école secondaire et des amis qu'elle s'était faits quand elle avait changé d'école au milieu de l'année.

Je lui ai confié à quel point il était difficile d'être une mère qui travaille à l'extérieur et qui reste quand même en contrôle de toutes les activités familiales. J'ai avoué qu'échanger avec elle m'avait manqué dernièrement, et nous avons fait un pacte de passer plus de temps ensemble. Nous avons partagé des secrets, ricané et rigolé de notre situation fâcheuse. Nous nous sommes rapprochées ce jour-là plus que nous ne l'avions été depuis longtemps.

Bien des années ont passé depuis, et ma fille est maintenant une adulte avec un mari et deux enfants. Pourtant, il n'y a pas eu un Noël sans que l'une de nous ne dise: « Tu te souviens de ce Noël où...? » Nous rions toutes les deux, car nous savons que nous avons reçu un cadeau cette année-là qui surpasse tous ceux que nous avons trouvés sous l'arbre.

Sallie Rodman

Le succès n'est pas la clé du bonheur.
Le bonheur est la clé du succès.
Si vous aimez ce que vous faites, vous réussirez.

Albert Schweitzer

Des tournesols réussis

Ma mère était une jardinière experte. Elle a patiemment tenté de me transmettre ses talents, mais en vain. Ses citrouilles étaient plus grosses que le chien de la famille. Les miennes atteignaient généralement la taille d'un écureuil. Elle m'a dit que les pommes de terre étaient faciles à cultiver. J'en ai planté une que j'avais chez moi et j'ai obtenu un feuillage vigoureux. Quand je les ai déterrées, je n'arrivais pas à conclure si c'étaient des pommes de terre ou des roches lunaires. Une pomme de terre en avait sept autres qui poussaient sur elle. Elle aurait pu figurer dans le prochain film de *La Guerre des étoiles*. Ma mère m'a remerciée discrètement pour mes pommes de terre, et elles sont disparues au fond du réfrigérateur.

La saison suivante, j'ai décidé d'essayer les carottes. Les carottes ne pouvaient pas décider si elles voulaient être simples, jumelles ou triplées. J'imagine ma mère debout à la fenêtre se demandant comment sa fille arrivait à cultiver des légumes mutants à côté des siens primés. Mes carottes ont suivi la même voie que mes pommes de terre. Mes concombres et mes melons n'ont jamais rien produit non plus. Le feuillage ne faisait que pousser et pousser, devenant un danger de trébucher. J'imagine que j'aurais pu couper les vrilles et les donner aux enfants du quartier pour sauter à la corde.

Devant un tel constat, ma mère m'a gentiment fait savoir que les légumes n'étaient peut-être pas mon truc et m'a suggéré d'essayer les fleurs. Nous sommes allées chercher des plantes annuelles à la pépinière locale. Elle m'a dit que je devrais peut-être essayer des fleurs dont l'étiquette indiquait « robustes ». J'ai choisi des graines de tournesol. Ma mère m'a assurée qu'il était difficile de les faire mourir, et nous sommes revenues les planter à la maison. Les tournesols de mon voisin dépassaient la clôture. Je sais qu'ils avaient vu mes légumes et ils regardaient presque avec tristesse le sachet de graines de leurs cousins. Le sachet indiquait qu'ils germeraient dans huit à dix jours. Les miens ont pris presque un mois. Puis ils ont poussé, poussé et poussé. Ils m'ont dépassée en hauteur, puis sont devenus plus hauts que les fleurs de l'autre côté de la clôture. Ma mère a pris une photo à mettre dans l'album de famille des « plantations réussies ». C'était ma première photo. Je regardais cet album peu après le décès de ma mère. Sous mon visage radieux à côté de mes fleurs, j'ai remarqué une légende disant: « Les dernières à fleurir sont toujours les plus belles. »

Kristal M. Parker

Reproduit avec la permission de Kathy Shaskan.

Une mère à l'écoute

Ils sont si petits et fragiles,
vous craignez de ne pas les entendre —
vous restez éveillée et... écoutez

Ils sont petits et juste dans la chambre à côté,
soudainement tout est tranquille —
vous allez à la porte et... écoutez

Ils sont plus grands et ont tant à vous dire
sur leur journée —
vous êtes occupée et très fatiguée,
mais vous prenez le temps et... écoutez

Ils sont un peu plus grands et tellement secrets,
ils ne disent plus grand-chose —
vous devez trouver d'autres façons... d'écouter

Ils sont adolescents et parlent une langue bizarre —
vous vous efforcez d'entendre sans faire de remarques,
et de seulement... écouter

Ils mûrissent, tout à coup ils savent tout —
il est préférable de le leur laisser croire et... écouter

Ils deviennent des adultes, ils veulent parler
et vous demander conseil —
vous préféreriez ne pas entendre certaines choses,
mais vous... écoutez

Ils sont grands et quittent la maison —
   vous détestez le silence, le téléphone sonne,
   vous vous empressez... d'écouter

Ils vous visitent avec leurs enfants,
   réclamant tous en même temps votre oreille —
quelqu'un crie « taisez-vous! »,
   non, ça va, c'est si merveilleux... d'écouter

Ils vieillissent, vous vieillissez,
   ils parlent fort comme si vous étiez sourde —
peu importe, vous hochez la tête et... écoutez

Vous mourez, et quand ils prient,
   ils ne s'adressent pas à Dieu —
ils ont besoin de vous parler, Dieu est miséricordieux
   et, une fois de plus, Il vous laisse... écouter

Carolee Hudgins

Si je pouvais être mère
de nouveau

La vie est une immense toile; jetez-y toute la pein-
ture que vous pouvez.

Danny Kaye

Si je pouvais être mère de nouveau, je sais qu'il y a
une chose que je ne changerais jamais... à quel point j'ai
aimé chacune de vous. Je voulais être mère depuis que
j'étais petite fille. J'ai joué avec mes poupées bien après
que les autres filles les eurent délaissées. Alors, être
mère, vous porter, vous bercer, vous soigner et vous
aimer était la joie de ma vie. Mais quand j'y repense
aujourd'hui, je crois que je vous ai probablement traitées
comme mes poupées. Je vous prenais quand vous pleu-
riez ou que vous aviez mal aux oreilles. Aussi longtemps
que vous étiez souffrantes, je voulais être là avec vous.
Mais vous garder heureuses, en sécurité, en santé, polies
et studieuses semblait être tout l'éventail de mon rôle de
mère. Votre bonheur pouvait être des tas de choses: des
promenades en traîneau, des pique-niques, des fêtes
pour vous et vos amies, aller se baigner, apprendre la
pâtisserie et la couture, ou même apprendre à patiner ou
à monter à bicyclette. Ces choses m'étaient familières et
je savais comment vous aider à les apprendre.

Mais aujourd'hui, en regardant en arrière, je vois à
quel point j'aurais pu rendre vos vies riches si j'avais su
alors les choses que j'ai apprises depuis — oh, comme ce
serait passionnant.

Je commencerais par la vue. Non pas vous faire examiner les yeux pour des lunettes: ça, je le savais et je l'ai
fait — mais apprendre à vraiment voir les choses. Voir la

façon dont le ciel change de couleur à la moindre brise. Voir les feuilles tournoyer dans le vent et briller dans la lumière, puis disparaître dans l'ombre. J'aimerais montrer à vos yeux à saisir les teintes de vert et de bleu qui courent sur les vagues ou dans le ciel; à voir les contours et les formes, non pas en tant qu'objets mais comme une profusion de couleurs qui changent quand vous vous en détournez; à voir le monde comme un chef-d'œuvre passionnant; à voir une fleur comme une vision parfaite. Quand j'entendais le dicton « prenez le temps de sentir les roses », je ne me rendais pas compte de toute sa signification. Oui, c'est ce que je ferais si je pouvais tout recommencer avec chacune de vous. Je m'arrêterais et je sentirais les roses avec vous, j'examinerais leurs couleurs et j'apprécierais le fait qu'elles existent.

Je ne m'arrêterais pas à la nature, je vous aiderais à apprendre à voir les gens: voir les surfaces et les courbes d'un œil, d'une oreille ou d'une pommette; voir à quel point nous sommes semblables et pourtant différents à maints égards; voir comment les gens vivent différemment mais appliquent les mêmes valeurs; voir la compassion, la bravoure et le dévouement. Le monde aurait l'air d'avoir plus de couleur, plus de variété, plus de beauté si je vous enseignais ces choses aujourd'hui.

Entendre, je vous enseignerais comment vraiment entendre. Je sais que je n'entends pas bien des mots que j'avais l'habitude d'entendre auparavant. J'ai 83 ans et je n'entends guère plus. Je sais que mes goûts musicaux n'ont pas changé avec le temps, et je n'ai jamais voulu entendre votre musique! Mais maintenant, j'écoute aussi le son des vagues, ou d'un train qui siffle dans la nuit, ou d'un huard sur le lac au petit matin. Ce sont des sons que j'apprécie aujourd'hui, et je me demande si je vous ai déjà parlé de la beauté de ces sons. Oui, j'aurais une nouvelle approche pour vous apprendre à écouter et à entendre les mots ou à garder le silence quand les adultes parlent,

pour vous enseigner à écouter les sons qui nous entou-
rent constamment. Les sons urbains des autobus qui rou-
lent et des portières de taxis qui claquent, des vendeurs
de rue criant leurs marchandises ou des sirènes nous
avertissant d'une urgence, ou les sons de la campagne
qui sont plus doux et plus paisibles, mais souvent angois-
sants seule la nuit. Oui, je crois que je vous enseignerais
la beauté qui pénètre par nos oreilles.

Et aussi, je vous enseignerais à entendre les sentiments, les espoirs et les rêves des gens, la vérité derrière
leurs paroles. Je vous aiderais à entendre la douleur et le
besoin, et je vous aiderais à savoir comment y répondre.
Je vous aiderais à entendre le monde entier, dans toute
sa complexité.

Les « si seulement » ne valent pas grand-chose cependant. Je ne suis pas mère de nouveau, et mes deux filles
sont mères, et mes quatre petites-filles sont en voie de
devenir mères! Plus de bébés à prendre dans mes bras,
plus d'enfants à qui enseigner. Cela me manque de temps
à autre, mais je remarque que même si je n'ai pas ces
enfants à qui enseigner, je n'ai jamais cessé de m'enseigner à moi-même.

Julie Firman

À propos des auteurs

Jack Canfield

Jack Canfield est l'un des grands spécialistes américains du développement du potentiel humain et de l'efficacité personnelle. Conférencier dynamique et captivant, il est aussi un formateur très en demande. Jack possède cette merveilleuse capacité d'informer et d'inspirer son auditoire, pour l'amener à améliorer son estime de soi et son rendement optimal.

Auteur et narrateur de plusieurs programmes à succès sur audiocassettes et vidéocassettes, dont *Self-Esteem and Peak Performance, How to Build Maximum Confidence, Self-Esteem in the Classroom* et *Chicken Soup for the Soul — Live,* il est régulièrement invité à des émissions de télévision comme *Good Morning America, 20/20* et *NBC Nightly News.* Il est également coauteur de nombreux ouvrages, notamment la série *Bouillon de poulet pour l'âme, Osez gagner, Le pouvoir d'Aladin, 100 Ways to Build Self-Concept in the Classroom, Heart at Work* et *La force du focus.*

Jack prononce régulièrement des conférences pour des associations professionnelles, des commissions scolaires, des organismes gouvernementaux, des églises, des hôpitaux, des entreprises du secteur de la vente et des compagnies. Parmi ses clients, on retrouve American Dental Association, American Management Association, AT&T, Campbell's Soup, Clairol, Domino's Pizza, GE, ITT, Hartford Insurance, Johnson & Johnson, Million Dollar Roundtable, NCR, New England Telephone, Re/Max, Scott Paper, TRW et Virgin Records.

Chaque année, Jack dirige un programme de formation de huit jours en matière d'estime de soi et de rendement maximal. Ce programme attire des éducateurs, des conseillers, des formateurs auprès de groupes de soutien aux parents, des formateurs en entreprise, des conférenciers professionnels, des ministres du culte et des gens qui désirent améliorer leurs compétences d'orateur et d'animateur de séminaire.

Mark Victor Hansen

Mark Victor Hansen est un conférencier professionnel qui, au cours des vingt dernières années, s'est adressé à plus de deux millions de personnes dans trente-deux pays. Il a fait plus de 4 000 présentations sur l'excellence et les stratégies dans le domaine de la vente, sur l'enrichissement et le développement personnels, et sur les moyens de tripler son revenu tout en doublant son temps libre.

Mark a consacré toute sa vie à sa mission d'apporter des changements profonds et positifs dans la vie des gens. Tout au long de sa carrière, non seulement il a su inciter des centaines de milliers de personnes à se bâtir un avenir meilleur et à donner un sens à leur vie, mais il les a aussi aidées à vendre des milliards de dollars de produits et services.

Mark est un auteur prolifique qui a écrit *Future Diary, How to Achieve Total Prosperity* et *The Miracle of Tithing*. Il est coauteur de la série *Bouillon de poulet pour l'âme*, de *Osez gagner* et de *Le pouvoir d'Aladin* (tous en collaboration avec Jack Canfield) et de *Devenir maître motivateur*, (avec Joe Batten).

Mark a également produit une collection complète de programmes sur audiocassettes et vidéocassettes traitant de l'appropriation de nos pouvoirs personnels, qui ont permis à ses auditeurs de reconnaître et d'utiliser leurs talents naturels dans leur vie professionnelle et personnelle. Son message a fait de lui une personnalité bien connue de la radio et de la télévision, avec des apparitions aux réseaux ABC, NBC, CBS, HBO, PBS et CNN. Il a aussi fait la couverture de nombreux magazines dont *Success, Entrepreneur* et *Changes*.

Mark est un homme au grand cœur et aux grandes idées, une source d'inspiration pour tous ceux qui cherchent à s'améliorer.

Dorothy Firman

Dorothy Firman est psychothérapeute, *coach* de vie, auteure, consultante, conférencière et formatrice. Elle travaille dans le domaine des relations mère-fille depuis plus de vingt ans, offrant des ateliers, des séminaires et des conférences avec sa mère, Julie. Leur livre, *Daughters and Mothers, Healing the Relationship,* présentement à son cinquième tirage, se veut un document de travail actif pour les femmes désirant devenir plus entières dans leurs relations et en elles-mêmes.

Dorothy est membre fondatrice de l'Association for the Advancement of Psychosynthesis, une psychologie spirituelle qu'elle a d'abord découverte au cours de sa jeunesse, alors qu'elle était étudiante et collègue de Jack Canfield. Pendant vingt-cinq ans, elle a

été formatrice aidant les professionnels dans le domaine de la psychosynthèse, offrant aux gens l'occasion d'approfondir leur expérience d'éveil, de présence et de capacité à servir. Sa formation se
donne au Synthesis Center, un organisme d'éducation sans but
lucratif cofondé par Jack Canfield, en 1976. Le centre offre des thé-
rapies et des groupes thérapeutiques à quiconque en a besoin. Il se
spécialise dans l'enseignement de la psychosynthèse, le travail de
soutien aux malades du cancer et les groupes de mères.

Dorothy est psychothérapeute à Amherst, au Massachusetts,
depuis plus de vingt-cinq ans. Son travail consiste surtout à aider les
gens à trouver un sens, un but et des valeurs dans la vie, tout en dis-
cutant de questions de traumatismes et de besoins personnels. Elle
s'est spécialisée dans le travail auprès de personnes souffrant du
cancer, a travaillé dans des quartiers défavorisés avec des mères
adolescentes, a été consultante auprès de groupes partout aux États-
Unis, et a présenté son travail de psychosynthèse en Europe, aux
États-Unis et au Canada. Disponible pour donner des conférences et
des ateliers, elle offre également du soutien en ligne et des programmes de formation à distance.

Dorothy a trois merveilleux enfants et une magnifique petite-
fille. Elle est mariée à son meilleur ami depuis vingt-six ans.

Julie Firman

Julie Firman est mère de deux filles — ses coauteures — et d'un
fils. Elle a huit petits-enfants et un arrière-petit-enfant. Son
mariage heureux dure depuis plus de soixante ans. Elle a été institutrice et administratrice scolaire. Au cours de la cinquantaine, elle
est retournée à l'université pour obtenir une maîtrise et elle est
devenue psychothérapeute active, chef de groupe, formatrice et
conférencière. Avec sa fille Dorothy, elles sont les auteures de
Daughters and Mothers, Healing the Relationship. Elles animent des
ateliers sur les relations mère-fille dans de nombreux centres et congrès à travers le pays, dont Esalen, à Big Sur en Californie; The Synthesis Center, à Amherst au Massachusetts; the Wellness Program,
à Columbus en Indiana; the Common Boundary Conference, à
Washington D.C.; Armstrong State College à Savannah en Géorgie;
Women at the Crossroads, à Salem au Massachusetts; Chestnut Hill
Healthcare à Philadelphie en Pennsylvanie; et The Family Therapy
Networker Conference, à Washington D.C. Elles offrent des ateliers
mère-fille chaque année depuis plus de vingt ans à l'Omega Institute

for Holistic Studies à Rhinebeck, New York, et espèrent continuer encore pendant bien des années à venir.

À quatre-vingt-trois ans, Julie songe à abandonner mais continue chaque année parce qu'elle s'amuse énormément. Elle se rappelle que ce n'est pas le nombre des années qui régit ce qu'on fait, mais bien la façon dont on se sent et ce que sont nos buts. Apprendre, enseigner et grandir sont encore ses objectifs.

Frances Firman Salorio

Frances Firman Salorio pratique la thérapie axée sur les solutions auprès des couples et des familles. Au fil des ans, son travail dans les systèmes familiaux s'est effectué auprès de personnes, de couples et de familles ayant de nombreux objectifs distincts. Elle a entamé sa carrière comme institutrice il y a bien des années, et a poursuivi l'enseignement et la formation dans divers cadres. Elle a fondé et dirigé le Ashbrook Center for Brief Therapies avec plusieurs collègues et, outre la psychothérapie, ils ont tenu des sessions pour des groupes, des séminaires, des séances d'encadrement et de formation, ainsi que des réunions de thérapeutes à des fins de soutien mutuel. Elle a travaillé au Christian Counseling Center de Norwalk, au Connecticut, pendant un certain nombre d'années, ce qui lui a donné l'occasion de travailler avec les tribunaux à un programme expérimental de solutions de rechange aux sentences pour les délinquants primaires; elle a exercé la thérapie et le travail de groupe dans une maison de transition pour les mères et leurs enfants; elle a offert de l'encadrement axé sur les objectifs pour des groupes de la petite entreprise, et fait de la psychothérapie prolongée avec bon nombre de clients de tous genres.

Elle mentionne que, à titre de thérapeute des systèmes familiaux, elle a observé de nombreuses relations mère-fille à l'œuvre et a eu le privilège d'aider un certain nombre de ces relations à se rétablir. Elle a deux enfants maintenant adultes, et remarque que ses propres histoires mère-fille, comme fille ou comme mère, sont différentes chaque année parce que l'expérience s'accumule, la compréhension s'approfondit, les blessures s'effacent et le jugement s'adoucit.

Depuis qu'elle habite Amherst, au Massachusetts, elle fait de la psychothérapie en pratique privée de même que de la thérapie au téléphone et des séances d'encadrement, des ateliers et de la formation.

Autorisations

PUBLICATIONS DISPONIBLES DE LA SÉRIE « BOUILLON DE POULET POUR L'ÂME »

1er bol *(aussi en format de poche)*
2e bol
3e bol
4e bol
5e bol
Ados *(aussi en format de poche)*
Ados II *(aussi en format de poche)*
Ados — Journal
Aînés
Amateurs de sport
Amérique
Ami des bêtes
Canadienne
Célibataires
Chrétiens
Concentré *(format de poche seulement)*
Couple *(aussi en format de poche)*
Cuisine (Livre de)
Enfant
Femme
Femme II *(aussi en format de poche)*
Future Maman
Golfeur
Golfeur, la 2e ronde
Grands-parents *(aussi en format de poche)*
Infirmières
Mère *(aussi en format de poche)*
Mère II *(aussi en format de poche)*
Mères et filles
Noël
Père *(aussi en format de poche)*
Préados *(aussi en format de poche)*
Professeurs
Romantique
Survivant
Tasse *(format de poche seulement)*
Travail